Justine

OU COMMENT SE TROUVER UN HOMME EN 5 ÉTAPES FACILES

ANNIE OUELLET

Justine

OU COMMENT SE TROUVER UN HOMME EN

ÉTAPES FACILES

Cet ouvrage est une œuvre de fiction; toute ressemblance avec des personnes ou des faits réels n'est que pure coïncidence.

Les liens Internet évoqués dans ce livre ne sont donnés qu'à titre indicatif, dans le seul but de faire connaître le travail des artistes mentionnés. L'auteure n'a pas téléchargé les fichiers et ne pourrait en aucun cas être tenue responsable de la disparition de l'un ou de plusieurs d'entre eux.

www.quebecloisirs.com

UNE ÉDITION DU CLUB QUÉBEC LOISIRS INC.
Avec l'autorisation de GROUPE LIBREX INC.
Faisant affaire sous le nom des Éditions Stanké.

Dépôt légal – Bibliothèque et Archives nationales du Québec, 2010
ISBN Q.L. : 978-2-89666-027-8
(Publié précédemment sous ISBN: 978-2-7604-1057-2)

Imprimé au Canada par Friesens

Pour Martine et Matthieu, merci de votre soutien.
Et pour Rohmane, mon plus grand chef-d'œuvre.

Chapitre 1

Je crois qu'on a quelque chose...

Lundi : jour – 7

– Quoi ?!

Mes mains se crispèrent sur le clavier de mon ordinateur, sur lequel je pianotais distraitement en discutant au téléphone avec mon amant du moment.

– J'ai les couilles qui élancent ! répéta-t-il un peu plus fort.

Mon cœur s'arrêta quelques secondes.

– Comment ça, t'as les couilles qui élancent ? murmurai-je pour ne pas alerter mes collègues de bureau, qui étaient déjà trop au courant de tout ce qui se passait dans ma vie.

– Ben, je ne sais pas. Depuis deux jours, ça me fait mal. Je crois qu'on a quelque chose.

Je crois qu'on a quelque chose.

– Je te rappelle, lui répondis-je d'une voix blanche avant de raccrocher.

Ma semaine commençait plutôt mal.

Grâce à Internet, en quinze minutes, j'avais appris que ma vie était finie. Non seulement j'avais probablement la gonorrhée, la chlamydia et le sida, mais en plus j'avais vraisemblablement condamné l'enfant de mon amant en lui transmettant mes bibittes, car sa femme était enceinte.

Mes lèvres se mirent à picoter. Oh non! Une boule de la taille du stade olympique se forma dans mon œsophage. Ensuite, mon cœur s'emballa et je remarquai que ma respiration était devenue sifflante. J'eus soudainement l'impression que mes poumons s'étaient transformés en passoire. Une terreur incommensurable m'envahit. Incontrôlable. En moins d'une minute, je soufflais comme une gazelle traquée par une lionne affamée. J'étais certaine que j'allais mourir.

Malgré tout, je savais parfaitement ce qui m'arrivait. J'étais victime d'une nouvelle crise de panique. Ma sixième. Je compris ce qu'il me restait à faire. Je me penchai sous mon bureau, j'agrippai mon sac à main et j'allai me réfugier dans les toilettes du troisième, où Valérie, la monteuse son, était en train de se brosser les cheveux.

Au bord de l'hystérie, j'ouvris mon sac et me mis à chercher frénétiquement mon flacon d'anxiolytiques. Comme je ne le trouvais pas assez vite, je renversai mon sac sur le comptoir et son contenu s'éparpilla dans tous les sens. Valérie me jeta un regard inquiet dans le miroir auquel je ne répondis pas car j'étais littéralement possédée par la peur de crever sur place. Je trouvai enfin un cachet que j'avalai avec une gorgée d'eau bue à même le robinet pendant que Valérie en profitait pour s'éclipser, mal à l'aise.

Je ramassai mes affaires et allai m'enfermer dans une cabine. Je m'effondrai sur le siège de la toilette, ouvris mon Moleskine et y repérai ma liste « Que faire en cas de crise de panique ». Point 1 : m'isoler ; c'était fait. Point 2 : prendre un anxiolytique ; c'était fait. Point 3 : me pencher vers l'avant et respirer dans un sac en papier ainsi que le recommandaient tous les sites Internet parlant de cette maladie. Comme je n'avais pas de sac en papier sur moi, je plongeai entre mes cuisses et pris plusieurs grandes bouffées d'un air qui sentait la merde et le déodorant chimique à l'odeur de rose. Je crois qu'entre les deux odeurs, je préfère celle de la merde. J'entendis ma copine Mélanie qui me parlait dans ma tête : « Relaxe, mon chou, tu le sais, tu es une *drama queen* et une hypocondriaque. Tu somatises. C'est juste dans ta tête. »

C'est juste dans ma tête ? me rétorquai-je sans trop y croire. Marc avait mal à la poche, ça, c'était bien réel.

Je pris mon cellulaire et hésitai quelques secondes entre faire le 911 afin de me dénoncer pour infanticide et appeler ma meilleure amie pour lui raconter mes derniers déboires.

– *Yo, babe !* répondit Mélanie après la première sonnerie.

– Ma vie est finie ! balbutiai-je en me mettant à pleurer.

– Qu'est-ce qui se passe, poussin ? demanda mon amie, inquiète.

Je lui énumérai la liste de mes crimes et elle m'interrompit après : « Devrais-je m'immoler sur la place publique ? »

– Wo, wo, wo ! Attends, là ! Je ne comprends pas. Quand es-tu allée passer les tests ?

– Je ne les ai pas encore passés.

– Alors comment sais-tu que tu as quelque chose ?

Je lui racontai mes recherches sur la Toile et les conclusions que j'en avais tirées. J'entendis un bruit bizarre. On aurait dit que ma meilleure amie venait de se dégonfler, mais elle reprit :

– T'exagères, poussin !

– Tu crois ? couinai-je en essuyant mon mascara qui avait coulé sous mes yeux avec le papier de toilette *cheap* du bureau.

– J'en suis sûre. Premièrement, il a mal à la poche, ça ne veut pas dire que vous avez une maladie vénérienne. Deuxièmement, c'est peut-être lui qui t'a refilé quelque chose. Après tout, s'il trompe sa femme avec toi, peut-être qu'il te trompe avec une autre fille.

Ce commentaire me resta dans la gorge. Je croyais être sa seule aventure extramaritale, mais comment en être certaine ?

– Peut-être, mais si sa blonde perd son bébé ?

– S'il l'a refilé à sa blonde, c'est son maudit problème, c'est lui qui est marié, pas toi. Je le sais que tu fais toujours attention, ça vient probablement de lui.

Elle avait raison, mais la culpabilité qui me rongeait depuis le début de mon aventure avec Marc n'allait pas disparaître avec un raisonnement, aussi juste soit-il.

– Qu'est-ce que je fais, alors ? J'appelle tous mes ex pour leur annoncer la bonne nouvelle ?

– Commence par prendre rendez-vous chez le médecin, histoire de vérifier que tu as bien quelque chose.

Je me mouchai bruyamment.

– Ouais, t'as raison. Merci, ma chérie !

– De rien, poussin. Si tu es trop tout croche, va-t'en chez toi et appelle-moi. Je réunirai le *dream team* et on ira te rejoindre.

– Non, je devrais être correcte. Qu'est-ce que tu fais, aujourd'hui ?

– Tu ne te souviens pas ? C'est ce matin que je vais réaliser le rêve de ma vie. Je vais donner une conférence aux étudiants en communication à l'UQAM.

Ses parents ayant tous deux un doctorat, Mélanie s'était toujours sentie coupable de ne pas avoir suivi leur exemple. Au cégep, elle avait rêvé d'étudier en philosophie et de devenir professeure, mais ses deux parents ayant une piètre estime de ce champ d'expertise, elle y avait renoncé de peur de leur déplaire.

– Tu es nerveuse ?

– Oui, un peu. Mais je suis prête.

– Tu vas les éblouir, j'en suis certaine.

– Merci, pitoune !

– Bonne chance, alors ! Bisous.

– Bisous.

Voilà ! Tout à coup, je me sentais un peu mieux. Ah, les copines ! Qu'est-ce que je ferais sans elles ? Le *dream team*, c'était Mélanie, Solène et moi. Mélanie et moi nous étions rencontrées à l'école primaire, et depuis, nous étions inséparables. Comme moi, elle était directrice de production, mais en publicité. Elle avait un chum régulier depuis cinq ans avec qui elle filait le parfait bonheur. Elle était écœurante de sérénité. Car malgré ses lubies et ses idées un peu folles, Mélanie était la personne la plus saine d'esprit que je connaisse. Ce qui était presque dommage car ses parents étaient tous deux psychologues.

Nous avions trouvé Solène à l'école secondaire. C'était avec elle que j'avais fait – et que je faisais encore – les pires conneries. Quand nous étions ensembles, notre âge mental diminuait de moitié. On s'encourageait l'une et l'autre à la débauche et ça n'avait plus de fin. Elle était maintenant courtière immobilière et toujours célibataire. Elle avait à peu près autant de chance que moi avec les hommes.

Toc, toc, toc.

– Justine ?

Mon amant. Je tournai le loquet et la porte de la toilette s'ouvrit sur le très viril Marc.

– Ça fait trois fois que j'appelle à ton bureau. J'en ai déduit que tu te cachais ici.

C'est vrai qu'il me connaissait bien, Marc. Ça faisait six ans qu'on travaillait ensemble. Notre aventure, elle, était toute récente. Je tentai de dissimuler mon air piteux:

– Tu n'es pas en réunion avec le réalisateur et le monteur pour les effets spéciaux?

– Oui, mais ils ont décidé d'aller « s'en griller une », grogna-t-il en mimant les guillemets avec ses doigts. Ça fait même pas une heure qu'on a commencé la réunion et c'est déjà leur troisième pause cigarette. Cette foutue réunion ne finira jamais. En plus, j'ai pas tout à fait la tête à ça, ajouta-t-il en me détaillant d'un air salace qui fit frémir mes ovaires.

Cher Marc. Je lui avais peut-être refilé mes bibittes et il me regardait quand même comme si j'étais la chose la plus désirable sur Terre.

D'un coup de pied, je refermai la porte. Celle-ci se rouvrit aussitôt.

– Ne me regarde pas comme ça, prévins-je lentement.

Il me tendit la main. Je la pris et il m'attira contre sa poitrine.

– C'est toi qui es marié, ça devrait être à toi de résister, ajoutai-je en priant très fort pour qu'il ne résiste pas.

En guise de réponse, il m'empoigna les fesses et plaqua sa bouche sur la mienne, cherchant ma langue. Je m'agrippai à ses épaules, il me souleva et m'appuya sur le lavabo pendant que je promenais mes mains sur son dos musclé.

Deux éclats de rire fusèrent dans le couloir jouxtant la toilette. Marc se libéra de mon étreinte et il se jeta dans un cabinet dont il referma prestement la porte. Je soupirai. J'en avais assez de me cacher. Je savais qu'il ne quitterait jamais sa femme, mais pourtant j'espérais toujours qu'il me fasse la grande déclaration même si, de toute façon, je ne voulais pas vraiment avoir une relation sérieuse avec lui. Je ne sortirais jamais avec un gars capable de tromper sa femme.

Je me tournai vers le miroir et, en un coup d'œil, j'évaluai les dégâts qu'avaient provoqués ma crise de panique et notre sauvage étreinte. Je contemplai les poches rouges sous mes yeux, ma jupe qui avait fait demi-tour et mon cache-cœur qui laissait entrevoir un soutien-gorge noir assez frivole. Je me rajustai en vitesse, mais les deux personnes passèrent devant les toilettes sans s'arrêter.

– Passe-moi ma sacoche !

Marc me tendit mon sac sous la porte. Je respirai deux grands coups. Heureusement, les anxiolytiques faisaient effet. Je sortis mon petit coffret Benefit et j'entrepris de me ravaler la façade.

J'entendis Marc ouvrir sa fermeture éclair, et le son caractéristique du jet d'urine frappant l'eau de la cuvette résonna dans la petite salle de toilettes.

– As-tu pris rendez-vous chez le médecin ?

Marc sortit du cabinet en remontant sa fermeture éclair.

– J'ai pas encore eu le temps.

Je me retournai vers lui et il m'écrasa les lèvres sous un baiser violent. Puis, avec désinvolture, il se replia vers la porte.

– J'y retourne. Je vais probablement finir tard ce soir pour terminer la séquence 8 ; je t'appelle.

– Marc !

Il me regarda, une main sur la poignée de la porte.

– Je suis désolée pour… commençai-je.

– Ça va ! répondit-il avec un clin d'œil.

Puis il me souffla un baiser et disparut dans le couloir. Je me sentis insultée par sa réaction. Le salaud n'avait même pas essayé de prendre sa part du blâme. En deux mots, il avait rejeté sur moi seule le fardeau du péché originel. C'était lui qui avait femme et enfants et c'était moi qui me sentais coupable ? J'aurais voulu avoir la présence d'esprit de riposter en lui lançant une réplique assassine qui l'aurait foudroyé sur place, mais... trop tard.

Un volcan explosa dans mon estomac. Merde. C'est vrai que je somatise beaucoup ! Je baissai la tête, découragée, et mon regard tomba sur ma plaquette d'antiacide. Sauvée !

Chapitre 2

Drama Queen

Je décidai de prendre mon courage à deux mains et d'aller à l'urgence. Je devais absolument savoir si j'étais bel et bien contaminée. Je me rendis donc à l'Hôpital général juif, où j'étais à peu près certaine de ne rencontrer personne de ma connaissance, et j'essayai de persuader l'infirmière que mon cas était urgent, ce dont elle doutait fort, surtout lorsque je lui avouai que je faisais systématiquement mettre des condoms à mes partenaires et que je ne m'injectais aucune drogue. Voyant qu'aucun raisonnement ne venait à bout de son intransigeance, je décidai d'essayer la pitié. Je me mis à pleurer et elle se résigna à m'envoyer dans la petite salle d'attente, où je pris place pour me ronger les ongles. On vint me chercher au bout d'une demi-heure pour me faire une prise de sang, puis on me recracha dans la salle d'attente.

Je passai les deux heures suivantes à hyperventiler pendant lesquelles mes problèmes prirent des proportions astronomiques. J'attrapai mon Moleskine et commençai une nouvelle liste que je nommai « Conséquences éventuelles ». J'avais la manie de faire des listes. Je faisais des listes sur tout et pour tout. C'était efficace pour tracer le portrait d'une situation et il ne fallait pas nier l'effet euphorisant de rayer d'un violent trait noir la tâche qu'on venait de terminer. Malheureusement, je dus en venir à la conclusion que le portrait de la situation présente était plutôt catastrophique. Non seulement ma vie était finie parce que j'allais mourir des complications d'une des nombreuses maladies vénériennes que j'avais contractées au cours de ma vie de débauchée et que j'avais commis un infanticide en la transmettant à la conjointe de mon amant, mais en plus j'allais sûrement me faire virer pour avoir eu des relations sexuelles avec un collègue de bureau. Je me rappelais qu'on m'avait fait signer un accord stipulant que j'acceptais la convention en matière de harcèlement sexuel. Convention que je n'avais jamais lue, mais dans laquelle je me souvenais qu'« il est formellement interdit de jeter des regards insistants et concupiscents sur ses collègues de travail peu importe le sexe ». Je me souvenais de ce détail car nous avions beaucoup ri de ce paragraphe au bureau et nous étions amusés pendant deux semaines à essayer de nous « jeter des regards insistants et concupiscents » pour blaguer. Si les regards étaient condamnables de renvoi automatique, les actes sexuels complets avec extra devaient sûrement faire l'objet de lapidation publique.

Je fus sauvée d'une nouvelle crise d'anxiété par l'arrivée inopinée de Solène, qui avait pris congé de son bureau pour venir me tenir compagnie dans mon malheur. Je l'accueillis en sauveur.

– SOLÈNE !

Toute l'attention des personnes qui se trouvaient dans la salle d'attente se tourna vers nous. Nous parlions fort et il fallait dire que Solène était assez pétard avec sa longue chevelure noire aile-de-corbeau et son teint pâle, et qu'elle s'arrangeait toujours pour ne pas passer inaperçue.

– Salut, Ju ! Mélanie m'a appelée pour me raconter. On a parié que t'allais te rendre au moins au niveau rouge sur l'Échelle de Dramatisation Justine. En fait, on n'a pas parié parce qu'on était toutes les deux d'accord. Et comme je me cherchais une bonne raison pour procrastiner, me voici !

Elle déposa son fourre-tout sur la chaise contiguë et envoya valser son toupet en un grand mouvement de tête qui aurait bien pu servir à illustrer une publicité de shampoing.

– Je suis vraiment contente que tu sois là, lui avouai-je, instantanément soulagée.

– Ça fait longtemps que tu attends ?

Je consultai ma montre.

– Deux heures trente-huit minutes très exactement.

– Alors ? Raconte !

J'entrepris de lui relater ma conversation avec Marc et les conclusions auxquelles j'étais arrivée. Elle me fit les mêmes commentaires que Mélanie et m'assura que je n'avais rien, ce qui, bien qu'étant tout à fait gratuit, me fit le plus grand bien.

– Pourquoi ça m'arrive toujours à moi, ce genre d'histoires glauques ? demandai-je en faisant semblant de m'ouvrir les veines avec une lame de rasoir imaginaire.

Solène se mit à rire.

– Tu n'as quand même pas le monopole des MTS ! riposta-t-elle sur un ton un peu trop fort à mon goût. Mais c'est vrai que tu as le don de provoquer des situations assez bizarres.

– Comment ça, provoquer ? montai-je sur mes grands chevaux. Tu n'insinues quand même pas que c'est moi qui...

– Justine Roberge ! appela une infirmière qui aurait eu l'air sympathique si elle n'avait pas ressemblé à un bulldog.

Je pourrais peut-être lui demander si elle avait envie de faire de la télévision : la boîte de Mélanie était justement en train de tourner une série de pubs télé pour Fido et elle avait de la difficulté à trouver des figurants. Toutefois, étant donné les difficultés qu'il y avait à se faire soigner de nos jours, il valait peut-être mieux éviter d'insulter le personnel. Je fermai donc ma grande gueule, ce qui constitua un effort monumental pour moi qui avais autant de tact qu'un dix-huit roues.

L'infirmière me fit pénétrer dans une salle d'examen et elle tira un rideau qui servait de porte.

– Si vous voulez avoir vos résultats en cinq jours vous devez payer deux cents dollars, sinon ça prendra six mois. Avez-vous une assurance ?

Six mois ? Même la coulcur dc mes cheveux ne durait pas aussi longtemps. Je sortis ma carte de crédit et la lui tendis. J'aimais bien ces nouveaux frais qu'on vous chargeait à l'hôpital. Ils me rappelaient que j'étais une cliente et ça dédramatisait un peu ma situation.

Elle me désigna la table de consultation.

– Enlevez votre pantalon et votre culotte et allongez-vous en mettant vos pieds dans les étriers. Vous pourrez mettre ça sur votre ventre, ajouta-t-elle en me tendant un drap industriel d'une jolie couleur vomi.

Je jetai un regard vénéneux aux étriers. Pour moi, la table de consultation gynécologique arrivait juste derrière le bas de nylon dans les inventions masculines destinées à humilier la femme.

L'infirmière disparut et je me déshabillai. Je m'assis sur le bout de la table pour retarder le moment où j'aurais à m'y étendre. Puis je me relevai, les fesses à l'air, pour aller tirer complètement le rideau que l'infirmière avait laissé un peu entrouvert, mais un jeune docteur aux dents bleachées pénétra dans la salle de consultation. Je me précipitai vers la table en rougissant.

– Je suis le docteur Wells, se présenta-t-il professionnellement en consultant mon dossier vierge – lui. Alors, on a des petits soucis ?

Je pris la position de la honte et lui racontai mes « petits soucis », tout en évitant de donner trop de détails embarrassants – lire : que mon amant était marié et que sa femme était enceinte. Ensuite, il fit un prélèvement et me répéta que les risques de contracter une MTS avec un condom étaient pratiquement nuls. Bref, que je dramatisais. Je rougis pour la deuxième fois. Je lui répétai à mon tour les symptômes de mon supposé conjoint, mais il m'assura que ça pouvait être n'importe quoi. Il m'adressa un sourire décapant, puis repartit en me souhaitant une bonne journée.

Je me rhabillai et avalai un autre anxiolytique. Je rejoignis Solène, qui patientait dans la salle d'attente, et nous décidâmes d'aller prendre un verre au Gainzbar. Nous venions juste, Solène et moi, de découvrir cet endroit. Ça faisait seulement quatre fois qu'on y allait et pourtant tout le personnel du bar connaissait déjà nos noms.

La soirée dégénéra rapidement. J'ingurgitai un nombre indéterminable de bières et de *shooters* de tequila. Quand je commençai à démontrer des signes de fatigue et à parler de rentrer à la maison, Solène me tira aux toilettes pour faire une ligne. Cela nous remit assez pour nous permettre de suivre les serveurs dans la ruelle derrière le bar et partager un joint avec eux.

Je rentrai vers 1 heure, nauséeuse mais heureuse d'avoir réussi à éviter de penser à mes « petits soucis ». Je dus pourtant prendre deux cachets d'antiacide pour réussir à apaiser le torrent de lave qui coulait dans ma gorge. Je me réfugiai sous mes draps, mais le sol tournait autour de mon lit et je dus me relever. Je retournai donc au salon où j'allumai la télé que je refermai après avoir fait quatre fois le tour de tous les postes. Je contemplai le plafond qui dansait sous mes yeux. Merde. Et je n'allais savoir que lundi prochain. Je soupirai. Sept jours. Ça me semblait une éternité. Et si j'avais le sida ? Je me mis à pleurer.

Chapitre 3

Trou de cul

Mardi : jour – 6

– Je vais savoir lundi. Toi, t'as pris rendez-vous ?

– Non. De toute façon, je l'apprendrai en même temps que toi, quand tu auras tes résultats.

Je restai estomaquée. C'était lui qui avait les symptômes, la femme et les enfants, et c'était moi qui me tapais l'urgence ? Il glissa sa main dans ma culotte et j'oubliai mes idées de révolte.

– T'as la séquence 26 ? cria Daniel de son bureau situé l'autre côté du couloir.

On se sépara. Aussitôt, le goût amer me revint. Je serrai ma ceinture d'un cran.

– Oui, lui répondit Marc.

– Je vais avoir besoin de l'estimation des heures que tu comptes passer sur le projet Cannibale pour que je puisse terminer mon budget, lui débitai-je à toute vitesse. Peux-tu m'envoyer ça par courriel, s'il te plaît ?

Puis je tournai les talons et m'enfuis.

– Oui, madame la directrice, claironna-t-il pour éviter d'éveiller la suspicion à notre égard.

– Trou de cul, trou de cul, trou de cul... marmonnai-je tout le long du trajet vers mon bureau.

Heureusement, tout le monde, ou à peu près, était en tournage. Je ne risquais pas d'insulter quelqu'un. Je bouillonnais et, en même temps, je me sentais blessée. Pourquoi tombais-je toujours sur des trous de cul ? Il n'était pourtant pas un trou de cul avant que nous commencions notre aventure. Était-ce moi qui les corrompais ? Je poussai un immense soupir en me frappant la tête sur mon bureau. Qu'étais-je en train de devenir ? Pourquoi me laissais-je traiter de la sorte ?

Je fus sauvée des enfers de l'introspection par mon cellulaire. Je plongeai sous mon bureau et le sortis de mon sac à main. C'était Mélanie.

– Allo, répondis-je, la voix éteinte.

– Qu'est-ce qui ne va pas ?

– Comment sais-tu que je ne vais pas bien ? lui demandai-je, surprise.

– Tu m'envoies des ondes de détresse, poussin. Nous sommes en osmose, toi et moi.

– Avec qui avais-tu gagé que tu allais utiliser le mot « osmose » aujourd'hui ?

– Isabelle. Mais c'est vrai, j'ai vraiment senti tes appels de détresse.

– Ben t'avais raison.

Et je lui racontai que Marc avait décidé de ne pas aller chez le médecin.

– L'écœurant ! conclut mon amie de façon percutante.

– Merde, et on est juste mardi.

– Je te paie le lunch chez Leméac. Je suis dans le coin ; je te prendrai à midi.

– Ok, à tantôt.

– *Ciao, bella !*

Je raccrochai et tentai de m'avancer dans mon travail en prévision d'un après-midi de fainéantise pour cause de ribote.

Je sortis ma liste de choses à faire et, comme j'étais super-efficace, en deux heures, je réussis à boucler les budgets des six séries télé de la prochaine saison, à vérifier que tout était en ordre sur le plateau pour la grande finale du dernier tournage de la saison d'automne, et à remettre les documents de travail sur le bureau de Karine. Je n'aimais pas beaucoup Karine. Elle avait la cervelle de la taille d'un pois chiche. Elle était superficielle, nombriliste et totalement inefficace. Je devais constamment vérifier tout son travail. En plus, elle avait le culot d'être extrêmement satisfaite d'elle-même. Comparée à moi qui étais superficielle, nombriliste, très efficace et extrêmement insatisfaite de moi-même.

L'appel de Mélanie me trouva sur le bol de la toilette du troisième, où je venais de m'installer pour continuer à m'apitoyer sur mon sort.

– Je suis en bas dans cinq minutes, lâcha-t-elle rapidement avant de raccrocher.

Je ramassai ma veste et sortis sur le trottoir au moment où elle garait sa Mini Cooper bleu poudre en double devant mon immeuble, ce qui eut l'air de ne pas plaire au chauffeur de la voiture qui la suivait car il se mit à vociférer des trucs pas beaux au sujet de la mère de mon amie par la fenêtre ouverte. Je lui répondis en lui montrant mon médius et je grimpai dans la voiture en vitesse.

– Tu ne devrais pas te laisser piler dessus comme une vieille gomme, lâcha-t-elle d'emblée en réintégrant la circulation. Parce qu'en plus, la gomme, ça colle. Tu traînes ça longtemps.

Mélanie était la championne des métaphores tirées par les cheveux. Elle trouvait que ça mettait de la poésie dans sa vie. Et comme on passait le plus clair de notre temps libre ensemble ou à parler au téléphone, ça en mettait aussi dans la mienne.

– De quoi tu parles ?

– Ben de Marc, de qui d'autre ?

– Marc ne me pile pas dessus, c'est un amant, il ne me doit rien.

– Franchement, Justine, il te doit quand même un minimum de respect.

– C'est pas du respect que je lui demande, c'est de me baiser.

– Pourquoi te respecterait-il si tu ne te respectes même pas toi-même ? affirma-t-elle sur un ton ironique.

– Je sais parfaitement qu'il est marié. Et ça me convient car je tiens à ma liberté.

– Ta liberté, pff ! Ta liberté pour faire quoi ? La liberté, ça sert à vivre selon les valeurs qu'on a choisies. Pas à se laisser piler dessus par un moron.

– Hououou ! T'es ben *deep*. Qu'est-ce que tu lis, présentement ?

– Je lis *Le Mythe de Sisyphe*, d'Albert Camus, répondit-elle, soudainement plus calme. C'est vraiment très intéressant et extrêmement bien écrit, ça parle de l'absurdité de la vie. Je te le passerai quand je l'aurai fini.

Ce qui était faux. Mélanie ne me prêtait jamais de livre car elle se plaignait que je ne les lui rendais pas. Ce qui était tout à fait vrai.

– Je n'ai pas envie que ça marche. Je ne veux même pas sortir avec lui.

– Pourquoi continues-tu de le voir, alors ? s'étonna-t-elle.

Je répondis sans réfléchir.

– C'est purement physique. Il me fait des papillons en béton dans le ventre. En plus, je n'ai pas d'homme dans ma vie présentement, qu'est-ce que ça peut faire que je m'envoie en l'air avec lui de temps en temps ?

– Heille ! Du calme ! Vas-tu laisser tes hormones guider ta vie ? me sermonna mon amie. Il n'est pas disponible, c'est une perte de temps. Et en plus, tu te sens coupable.

– Je crois que j'ai encore quelque chose à apprendre de lui.

Elle me jeta un regard sceptique. Nous nous retrouvâmes coincées en plein milieu du boulevard Saint-Laurent quand la lumière passa au rouge. Une mémé qui traversait très lentement nous empêchait de passer. Un concert de klaxons retentit.

– Je ne vais toujours pas rouler dessus pour vous faire plaisir, cria Mélanie par la fenêtre ouverte.

Pendant que Mamie traversait la rue, je me demandai si ma dernière réplique était destinée à la convaincre elle ou moi. Après tout, pourquoi poursuivais-je cette relation qui ne pouvait que mal se terminer ? Mélanie reprit le fil de la conversation.

– Ce que je veux dire, c'est que toi, tu es fidèle, dit-elle en levant les deux mains au ciel. C'est important pour toi. Tu ne peux pas être avec quelqu'un qui ne l'est pas. Ça ne peut pas marcher. C'est la raison pour laquelle tu te sens coupable, parce qu'il est marié.

– Heille, madame la psy, ça suffit.

– Je sais, je m'excuse. Déformation familiale. Mais en tout cas, tu lui fais toujours mettre des condoms, ça ne peut pas venir de toi ! assena-t-elle. Il l'a pognée de quelqu'un d'autre, *sa* maladie.

– J'ai eu pas mal plus de partenaires que lui ! argumentai-je, les larmes aux yeux.

Elle se rendit enfin compte de mon lamentable état émotionnel.

– Excuse-moi, mon chou, je ne voulais pas te tomber dessus. Moi, je reste convaincue que tu n'as rien. Elle réfléchit quelques instants. C'est juste que lorsqu'il t'a annoncé qu'il n'allait pas consulter lui-même, tu n'as rien dit. Avant… hésita-t-elle, tu ne te laissais pas traiter comme ça. Tu te souviens des trois gars qu'on a soûlés à Saint-Georges ?

L'évocation de ce souvenir me remit instantanément de bonne humeur. L'été où nous avions fini notre secondaire, Mélanie, Solène et moi avions loué un chalet près de Saint-Georges de Beauce pendant un mois. On avait eu des vacances très, très arrosées déjà quand, la dernière fin de semaine, on avait rencontré trois gars qui nous invitèrent à souper à leur cabane dans le bois. Ce qu'on ne savait pas, c'était que leur cabane était tellement loin dans les bois qu'il fallait s'y rendre en quatre-roues. Et quand on arriva au chalet, il faisait trop noir pour faire demi-tour. Les trois gars n'avaient pas l'air bien méchants, mais à la quantité d'alcool et de drogues qu'ils avaient apportée, on avait compris qu'ils avaient décidé de nous soûler pour abuser de nous. Toutefois, ils ne savaient pas sur qui ils étaient tombés. Nous venions de passer trois années à fréquenter assidûment le bar de l'université. À 5 heures du matin, ce sont eux qui bavaient couchés sur le tapis du salon pendant que Mélanie, Solène et moi, on finissait ce qui restait dans le bar en scandant des slogans féministes cuculs. On avait fini par les coucher et on avait écrit au rouge à lèvre sur le miroir de la salle de bain une répartie du personnage principal de *V.I. Warschawski* joué par Kathleen Turner dans lequel elle tenait le rôle éponyme : « Il ne faut jamais sous-estimer la façon qu'ont les hommes de sous-estimer les femmes. » Au petit matin, Solène leur avait volé les clés des quatre-roues. Les deux heures de marche qu'ils avaient dû se taper pour rentrer avaient dû avoir raison de leur mal de bloc et les rendre un peu plus réalistes face aux capacités des femmes à tenir l'alcool.

Nous échangeâmes des souvenirs de beuverie jusqu'à notre arrivée chez Leméac. Cela nous donna soif. Je commandai immédiatement une bouteille de rosé accessoirement accompagnée d'un tartare de saumon qui, on le savait déjà, était délicieux.

– Alors, que se passe-t-il chez Cizo production ? s'informa Mélanie en replaçant ses courts cheveux roux pâle en se mirant dans le seau de glace.

Cette coiffure la faisait ressembler à Mia Farrow dans *Rosemary's Baby*. Ça lui allait très bien.

Je lui résumai ma matinée sans reparler de Marc de peur de me faire encore agresser au Albert Camus. Puis, Mélanie me donna des nouvelles de Martin et de Johanne, des amis communs qui projetaient de se marier, et de sa sœur qui allait bientôt accoucher. Que du putain de bonheur qui exsudait de partout. Pourquoi n'y aurais-je pas droit, moi aussi ?

Quand Mélanie s'absenta pour la quatrième fois afin d'aller aux toilettes – décidément elle avait une vessie de mulot –, j'en profitai pour m'ausculter. Je respirais bien, je n'avais pas mal à l'estomac. Je me sentais presque bien ! Je contemplai les arbres d'un vert tout neuf et ça me fit chaud au cœur. Enfin, juin. Il commençait à faire vraiment beau. Le soleil était assez chaud mais ne brûlait pas. Une journée à la température parfaite. Et dans un mois, mes vacances annuelles. Quatre semaines. À faire quoi ? Il allait falloir qu'on en discute, mes amies et moi. J'allais probablement tout décider à la dernière minute comme les trois dernières années et opter pour une destination soleil dans un tout compris avec Solène pour la première semaine. Et ensuite, je passerais certainement le reste de mes vacances à courir les festivals et à boire du rosé sur une terrasse. Il y a au moins ça de positif dans ma vie ! me réconfortai-je en refrénant une soudaine envie d'applaudir.

Le rappel de la précarité de mon bien-être prit la forme d'un bus qui me coupa brutalement la vue en passant devant la fenêtre et sur lequel se trouvait un panneau publicitaire annonçant le dernier film hollywoodien à l'affiche, *La Marche des morts*, représentant Tom Cruise à l'agonie. Mon sourire se crispa sur mes lèvres. Lundi, je n'allais savoir que lundi. Je me resservis un verre de vin d'une main tremblante tout en me disant que si Dieu existe, il est vraiment sadique.

Solène nous rejoignit pour le dessert. Elle venait de vendre un triplex sur le Plateau et s'était fait une jolie commission. Avec cette vente, elle venait de reprendre la première place dans les records de vente de sa compagnie à Robert Laramée, avec qui elle était constamment en compétition pour remporter le voyage annuel offert au meilleur vendeur. Puis, Mélanie retourna travailler et Solène et moi commandâmes une autre bouteille de vin pour célébrer. Ensuite, on prit des digestifs jusqu'à l'heure de l'apéro et un des serveurs vint nous faire la conversation. Il essaya de séduire Solène, mais il n'avait aucune chance car il était serveur. Solène ne sortait pas avec les serveurs ; c'était contre sa religion, disait-elle.

Quand je levai le nez de mon verre, il était 16 heures et je me rappelai que je n'étais toujours pas retournée au bureau. Je me sentis honteuse quelques minutes, mais Solène, qui avait repéré mon air angoissé, s'écria d'une voix éraillée : « On a juste une vie à vivre ! » et j'appelai un taxi pour aller cinq-à-septer sur la terrasse du Sainte-Elizabeth.

C'était plein. Solène et moi partagions une demi-place près du bar. C'était plutôt inconfortable. On en était rendues au deuxième pichet de sangria quand je sentis mon cellulaire vibrer contre ma cuisse : Marc.

– Allo ?

– Je suis chez toi à 8 heures.

Et il raccrocha. Mes entrailles se contractèrent de désir. Cet homme me fait décidément trop d'effet, songeai-je avec une soudaine inquiétude.

– C'était qui ? demanda Solène.

– Marc. Il va venir me rejoindre chez moi à 8 heures.

– En tout cas ! commença-t-elle d'un air entendu.

– Quoi ?

– Pitou, pitou, pitou... fit-elle comme si elle appelait un petit chien.

Je grognai en lui montrant les dents. Le serveur s'approcha, un seau à la main.

– Ces messieurs aimeraient trinquer avec vous, annonça-t-il en roulant des yeux vers une table où deux gorilles blonds nous faisaient des signes non équivoques.

Solène regarda l'étiquette de la bouteille de champagne.

– Ils m'ont demandé la bouteille la plus chère ! ajouta le serveur avec une moue d'envie.

Solène et moi échangeâmes un clin d'œil : la soirée prenait une tournure intéressante. J'offris mon plus beau sourire aux gorilles, qui s'empressèrent de nous faire signe de les rejoindre à leur table.

– Bonjur !

Nous apprîmes qu'il s'agissait de deux Allemands, Fritz et Hans – ce n'était pas vraiment leurs noms, mais comme ils étaient imprononçables, nous les avions rebaptisés –, qui travaillaient depuis peu aux États-Unis. Ils se prétendaient ingénieurs pour une firme aérospatiale et laissaient entendre qu'ils étaient pleins aux as. J'aurais parié qu'ils avaient chacun une tendre épouse qui les attendait à la maison.

Comme j'avais peu d'intérêt pour toute autre chose que mon échange de fluides prévu avec Marc, je laissai Solène dépoussiérer ses rudiments d'allemand pour répondre à leurs interrogations sur le Québec. Au grand désespoir de celle-ci, qui accepta tout de même leur invitation à souper chez Toqué !, je pris congé vers 19 h 30 pour retourner chez moi rejoindre Marc.

Si à 20 h 30 j'étais inquiète, à 21 heures, déçue, à 22 heures, frustrée et à 23 heures, enragée, à 2 heures du matin, j'étais littéralement en furie. Même un anxiolytique, plus d'alcool et quatre joints ne parvinrent pas à assouvir mes pulsions meurtrières : je me sentais gorgone. Je savais qu'il allait finir par venir ce soir. Alors je l'attendis comme une dinde en faisant une liste de nouvelles formes de torture toutes plus douloureuses les unes que les autres. Comme j'étais incapable de dormir parce que j'étais tendue à l'extrême par la colère, j'essayai de regarder la télé puis de lire, mais je n'arrivais pas à me concentrer sur autre chose que ma rage. Je repensais à ce que Mélanie m'avait dit cet après-midi et je trouvais qu'elle avait drôlement raison. Il ne me devait peut-être rien en termes de relation amoureuse, mais il me devait au moins une apparence de respect. Je ne lui demandais pas grand-chose. Seulement de venir me baiser de temps en temps, et d'être ponctuel ! Pourquoi est-ce que je tenais à cette relation ? Et quelle relation ?

Marc frappa à la porte et je sursautai si violemment que je me cognai le pied contre ma table de salon. Je me mis à pleurer. J'allai lui ouvrir en boitant.

– Qu'est-ce qui se passe ? me demanda-t-il, le souffle chargé d'alcool.

– Je me suis pété le pied ! répondis-je en me traitant de niaiseuse de taire le véritable sujet de mon chagrin.

Toutefois, j'étais trop à cran pour aborder le sujet maintenant. Et de toute façon, après tout, il n'était que mon bouche-trou !

– Oh, pauvre petite ! Viens.

Son odeur corporelle acheva de me convaincre de me laisser entraîner vers mon lit, où il se mit à bisouter mon pied meurtri. Puis il remonta le long de ma jambe et frotta son corps contre le mien. Je plongeai ma main dans son jean et agrippai son sexe, qui se gonfla de plaisir. Voilà ! me dis-je en me redressant soudainement. Voilà la réponse à la question que je me posais juste avant son arrivée, « Quelle relation ? » : le plaisir ! Je le renversai sur le dos et entrepris de défaire sa ceinture.

Quarante-cinq minutes plus tard, je le rhabillais et je le mettais à la porte. Il protesta, mais je n'en avais rien à foutre.

Chapitre 4

Bouche-trou

Mercredi: jour – 5

Aujourd'hui, toutefois, je ne me sentais pas aussi désinvolte. Je me levai avec une gueule de plomb, une humeur massacrante et un profond dégoût pour moi-même. Même mon appartement amoureusement décoré pour ressembler à une roulotte de romanichel et qu'habituellement j'adorais ressemblait plus, ce matin, à la tente de la fausse gitane un peu crade qui lisait dans une boule de cristal en plastique à la foire de quartier. En plus, je n'avais plus de bobettes sexy à me mettre pour me remonter le moral.

Lorsque j'arrivai au boulot, je compris que, contrairement à ce que je pensais, mon absence de la veille n'était pas passée inaperçue car Karine avait fait un gros-caca-nerveux à ce propos sur le plateau. Je n'avais même pas encore déposé mon sac sur mon bureau que Joelle, l'assistante réalisatrice hippie qui, ce jour-là, portait une robe qui semblait faite en macramé, me fit un topo de la situation:

– Les producteurs lui ont demandé le script et elle ne l'avait pas. Elle a raconté à tout le monde que tu n'avais pas fait ta job, elle a essayé de t'appeler au bureau et sur ton cell et a même laissé un message à Maurice, jusqu'à ce que je lui dise que c'est moi qui l'avais et que c'était à moi de le lui donner. Ça fait un an qu'elle est là, elle devrait savoir ça.

– La *bitch* ! Elle ne m'a jamais appelée ! murmurai-je en regagnant mon bureau.

Il me prit des envies de lui arracher la carotide avec mes dents. Depuis son embauche, elle essayait d'avoir mon poste. Elle ne ratait aucune occasion de me dénigrer et de critiquer mon travail. Mais elle n'avait aucune chance, j'étais impeccable. Je me mis à en douter quand Maurice, mon patron, m'appela dans son bureau. Je rappliquai au triple galop.

– Allo, ma belle Justine ! dit-il en m'accueillant.

Au premier abord, Maurice avait l'air d'un agriculteur endimanché. Pire, il ressemblait à une caricature d'agriculteur. Il avait une grosse tête poilue, un gros ventre – poilu aussi, j'avais pu le découvrir à la fête d'été du bureau l'année d'avant –, des petites pattes en tuyaux de poêle et un goût de chiotte pour choisir ses complets-veston. Il dépensait des fortunes en vêtements coûteux qui, sur lui, avaient l'air de sortir tout droit d'un comptoir de l'Armée du Salut. Pourtant, il avait le pif pour dénicher les bonnes idées. En trente ans de carrière, je crois qu'il n'avait dû essuyer que quatre flops majeurs. Ce qui était peu, dans la profession. De plus, il était l'un des hommes les plus cultivés que je connaisse et surtout il m'aimait bien. Il m'annonça d'emblée que Marc serait absent pour la journée car il était malade et il me demanda de mes nouvelles. Je lui en donnai jusqu'à ce qu'il décide d'entrer dans le vif du sujet. Je lui racontai même mon après-midi de la veille. Ce qui le fit rire.

– Écoute, Justine, que tu prennes l'après-midi, ça, je m'en tape, et même j'en suis plutôt heureux car tu dois avoir deux mois de congé accumulé en plus de tes vacances annuelles. Toutefois, Karine m'a laissé un message de panique, hier. Il semblerait qu'il lui manquait des documents.

Mes joues prirent feu. Je lui racontai ce qui était arrivé et il comprit immédiatement le malentendu. Je dus faire un effort surhumain pour ne pas clouer la *bitch* au pilori en la ridiculisant devant mon patron, mais je n'en eus aucunement besoin. Il me raccompagna à la porte de son bureau en me demandant de lui laisser régler ça avec Karine. Je lui promis de faire de mon mieux et je regagnai mon bureau en me demandant comment j'allais pouvoir continuer à travailler avec cette connasse.

Je n'avais pas encore rejoint mon bureau qu'une nausée me fit bifurquer vers les toilettes, où je vomis les trois gorgées de café au lait que j'avais ingurgitées depuis mon arrivée. En me relevant, je me sentis si étourdie que je dus m'asseoir.

Qu'est-ce qui m'arrivait ? J'avais un peu exagéré la veille, mais quand même. Avant, après une cuite de catégorie A comme celle-là, j'aurais peut-être eu un peu la migraine, mais jamais une gueule de bois de cette ampleur. Est-ce la trentaine ? me demandai-je. Ce qui me consolait, c'était que, au moins, Marc aussi avait la gueule de bois. À moins que ce ne soit pas la gueule de bois, mais *la* maladie ! *Notre* maladie. Une maladie vénérienne étrange et probablement incurable qui nous aurait choisis comme cobayes pour expérimenter sur les êtres humains.

Je délirai pendant quelques minutes sur un scénario dans lequel je finissais par crever seule à la maison, mes voisins alertés au bout d'une semaine par l'odeur de décomposition qui filtrerait sous ma porte. Puis mes lèvres se mirent à picoter et je sentis mes doigts s'engourdir. Merde, je suis nulle ! me fustigeai-je. Je venais de me créer une nouvelle crise d'anxiété. Je me mis à pleurer. Je sortis des toilettes pour me laver le visage et les dents et prendre un anxiolytique. Je me décernais le Nobel de la bêtise humaine quand Joelle pénétra dans les toilettes. Son instinct de fille l'avertit de mon état d'esprit.

– Maurice t'a passé un savon ?

Puis, sans attendre la réponse, elle poursuivit :

– Je vais aller lui expliquer. Tout le monde sur le plateau a pris ta défense. Et le producteur, c'était Jean-Louis, le gars de Virigo productions, il a même dit à Karine que t'étais une fille...

Je l'interrompis.

– C'est pas ça. Je suis malade, dis-je en lui désignant les toilettes.

– Oh ! Va-t'en chez vous te reposer, alors.

– C'est ce que Maurice m'a dit aussi.

C'est vrai. Je n'avais pas beaucoup de choses à faire, pour une fois, je pouvais rentrer chez moi. Après tout, ça faisait au moins huit mois que je n'avais pas pris congé.

– Bonne idée !

Je ramassai mon sac, l'embrassai sur les deux joues et repartis vers le bureau de Maurice pour l'avertir que je prenais la journée.

Je dormis jusqu'à 15 h 30. Je ne me réveillai pas fraîche et dispose non seulement parce que c'était très cliché, mais surtout parce que ce n'était pas vrai du tout. Je me sentais quand même suffisamment lucide pour faire des plans pour ne plus l'être. J'allai à la SAQ du marché Jean-Talon et pris une bouteille de tequila, une bouteille de triple sec et un rosé déjà frais. J'aurais voulu appeler mes amies, mais je ne voulais pas leur raconter ma soirée de la veille. Ce qui était impossible. Elles allaient m'interroger et elles arriveraient à tout me faire sortir, jusqu'au moindre petit détail gênant. J'allais me remettre à paniquer et j'étais bonne pour la crise de panique numéro 8 !

J'effectuai mes courses pour le souper. J'achetai de quoi me faire un cari de pois chiches et rentrai à la maison, où je me dirigeai vers mon pot à *pot*. Ma réserve était presque vide. Je composai le numéro de mon fournisseur et j'entrai mon numéro de téléphone. Je me préparai une margarita, mis *I'm No Good*, d'Amy Winehouse 🎧 dans mon lecteur et attendis le père Noël en roulant le fond de mon *pot*. Je pris ensuite un livre, mais le téléphone sonna et, comme j'avais oublié que je ne voulais parler à personne, je répondis.

– Chériiiiie ? roucoula une voix chantante.

Zut ! Ma mère. Mon cœur se mit à battre à toute vitesse, appréhendant la suite.

– Comment vas-tu ? me demanda-t-elle

Elle embraya sans me laisser le temps de répondre. Au moins, elle semblait dans son HHBJ, son « humeur hystérique des bons jours » pour mon frère et moi. Ma mère avait deux modes de fonctionnement. Le HHBJ et le HHMJ. Elle me raconta qu'elle organisait un garden-party pour fêter la nomination de mon père à la Cour supérieure. Elle m'exposa le dur labeur de la femme au foyer avec domestiques devant recevoir des tonnes d'invités. Ce serait, selon ses propres mots, « grandiose ». Ça allait encore coûter un paquet de dollars au paternel, d'après ce que je pus comprendre.

Je perdis le fil de la conversation quand elle m'énuméra les titres de tous les gens qui allaient être présents, mais elle regagna mon attention lorsqu'elle nous invita, mes amies et moi. Elle raccrocha sur un « Bisou, chériiiiie ! » au moment où je réussissais enfin à prendre la parole pour lui demander si on soupait toujours ensemble vendredi. Cette visite à la demeure familiale ne m'excitait pas outre mesure, mais ma réserve d'anxiolytiques et d'antidépresseurs était presque vide. Je n'aurais mes résultats que le lundi suivant et je redoutais de faire face à une nouvelle crise d'anxiété sans eux. C'était ma mère qui me les fournissait. Elle avait plusieurs docteurs parmi ses amants qui fermaient gentiment les yeux quand elle leur volait leur bloc de prescriptions. Elle était pratiquement devenue une spécialiste. Sans n'avoir jamais fait d'études, ma mère en connaissait autant sur les antidépresseurs et les anxiolytiques que n'importe quel pharmacien diplômé. Elle les avait à peu près tous essayés.

C'était d'ailleurs aussi ma mère qui m'avait donné mon premier cap d'acide. Lors de mon seizième anniversaire, elle avait décidé d'effectuer un rituel primitif pour souligner mon entrée dans le « monde des adultes ». Elle avait loué une grotte située sur le terrain de la secte qu'elle fréquentait à ce moment et avait acheté pour 8 000 dollars de fleurs. Étaient présentes deux de ses amies, aussi membres de la secte, ma mère et moi. En fait, ça aurait vraiment été une belle expérience si ma mère n'en avait pas pris elle aussi. Elle avait hurlé toute la nuit comme un loup en se promenant en rond dans le bois à moitié nue. Peu après, elle était retombée dans son mode HHMJ et mon père l'avait envoyée passer quelques mois dans un spa – une cure de désintox pour riches. Mon père aussi avait des problèmes de consommation. Mais, comme il était juge, il avait l'impression d'avoir réussi sa vie et de maîtriser la situation. Que du bon matériel génétique, quoi !

Je me fis à manger en essayant d'éviter de penser à tout ce qui pouvait déclencher un réflexe de somatisation. Opération délicate consistant à tenter d'éviter de penser tout court, en ce qui me concernait. À cette fin, j'ouvris la bouteille de rosé et m'en servis un verre. Puis le père Noël arriva et je me roulai un deuxième joint plus copieux.

Malgré l'ivresse due à l'alcool et à la drogue, je ne pus m'empêcher de déprimer. Car si je résistais à la tentation de l'autocontemplation, mon malaise restait cependant latent. Il prenait la forme d'une tension abstraite, d'une nostalgie indéfinissable. C'est pourquoi une fois mon repas consommé, je me dirigeai vers mon ordinateur pour trouver un *chat* divertissant. Après quelques conversations insignifiantes avec des inconnus, je rencontrai un gars qui se prétendait producteur de film. Comme je connaissais très bien le milieu, je me dis que j'allais le repérer tout de suite s'il n'était pas qui il prétendait être. Il me donna rendez-vous dans un salon vidéo privé et nous commençâmes à discuter boulot. Il était évident qu'il connaissait le métier, mais je n'avais jamais entendu parler de la boîte pour laquelle il travaillait. Ensuite, notre discussion dériva vers des sujets plus personnels. J'enfilais toujours joints et rosé quand, vers minuit, il entra dans des sujets vraiment intimes et me demanda de me déshabiller.

– Toi, vas-y en premier, lui répondis-je avec un air de défi très provocateur.

Il dézippa son jeans et baissa la caméra. Il sortit un membre turgescent. Puis il posa fièrement et dit :

– Dis-moi qu'elle est grosse !

Je hurlai de rire à en tomber en bas de ma chaise.

– T'as vraiment le tour pour draguer une fille, toi ! répliquai-je en me relevant. Tu te sors la queue en te disant : c'est certain qu'elle va avoir envie de baiser avec moi après l'avoir vue. *Come on !*

Je terminai la communication. Je cherchai le nom de sa maison de production sur Google et arrivai sur un site de vente de films pornos. Il y avait une liste des films par maison de production où je retrouvai le nom de la boîte dont il m'avait parlé. Je fis défiler la liste de leurs productions et je compris qu'il se spécialisait dans les *remakes* de films américains en porno *hard*. Ce qui faisait que des films comme *Saving Private Ryan* donnait *Shaving Ryan's Privates.*

– Je suis peut-être folle, mais il y en a des pires que moi ! affirmai-je en refermant mon ordinateur.

C'était lui le dégueulasse et, pourtant, c'était moi qui me dégoûtais. J'en avais marre d'être condamnée à tomber sur ce genre d'hommes. J'étais damnée aux cons. Ou j'étais damnée tout court. Je me sentais tellement vide. Mon nombril est un trou noir qui lentement m'avale.

Sur ces pensées hautement positives, je me levai et me dirigeai vers ma chambre pour aller m'abrutir à la meilleure drogue qui existe pour oublier les méchants tourments : un bon gros sommeil commandité par Valium.

Chapitre 5

La *Chevauchée des Walkyries*

Jeudi : jour – 4

Au matin, j'aurais dû aller mieux. Pourtant, je me sentais comme un vampire. Le soleil et les couleurs vives que j'avais mises sur mes murs me donnaient si mal à la tête que je dus porter mes lunettes fumées pour déjeuner. Tout ça commençait sérieusement à m'inquiéter. C'était peut-être grave, ce que j'avais. Je m'habillai distraitement en divaguant sur des scénarios catastrophes où j'étais la principale propagatrice d'une forme atypique du virus ébola qui décimait la population entière de la ville de Montréal. Mes lèvres se mirent à picoter. Merde ! J'étais désespérante ! Je tâchai de reprendre le contrôle de moi-même en me disant :

– Je suis hypocondriaque ! Je leur fais toujours mettre des condoms, alors je n'ai rien du tout. Je ne vais pas mourir.

Ce que je me répétai tout fort jusque dans le vestibule de mon immeuble, où je rencontrai Mme Stetson, la voisine du quatrième, qui se signa en m'entendant utiliser le mot « condom ». Et que je continuai à me répéter tout bas tout le long du trajet pour rejoindre le métro. Comme je ne voulais pas avoir l'air d'une schizophrène en parlant toute seule, je me branchai sur mon iPod et tentai de me remettre dans mon état d'insouciance habituel en écoutant en boucle *I Feel so Pretty*, de Sarah Vaughan 🎧.

Contre toute attente, je parvins à surmonter cette nouvelle crise d'anxiété sans avoir à prendre un anxiolytique. J'aurais dû en être fière ; toutefois, quand le commis qui me servait mon café au lait à la petite boulangerie où je l'achetais tous les matins m'apprit qu'il n'y avait plus de cannelle à saupoudrer, cela me donna la désagréable impression d'avoir raté ma vie.

À mon arrivée au bureau, toutes les filles et les deux gais des décors se précipitèrent sur moi pour me raconter les derniers potins du bureau. Ils m'informèrent que Karine avait eu une rencontre avec le patron et Catherine du service des ressources humaines. Une rencontre avec le patron et les ressources humaines en même temps en dehors de la période d'évaluation annuelle indiquait rarement une bonne nouvelle. Je ne savais pas quelle planète néfaste elle avait dans son ciel, mais ça allait plutôt mal pour elle. Elle allait certainement se prendre une note à son dossier, ce qui n'était pas pour me déplaire.

Tout le monde était de retour au bureau et ça potinait ferme. La même anecdote me fut racontée toute la journée par les employés qui venaient me remettre les factures de la dernière journée de tournage. J'avais réussi à me retenir d'aller voir Marc qui, je l'avais appris, était au travail, quand Joelle et Linda vinrent me proposer de joindre l'équipe pour un cinq-à-sept. Je parvins à savoir discrètement que Marc y serait ; alors j'acceptai. C'était peut-être pitoyable, mais j'avais envie d'aller lui parader mon détachement.

Je quittai le bureau vers 17 h 30 et rejoignis l'équipe au Bily Kun. Marc était déjà présent à mon arrivée, mais il ne sembla pas me remarquer. J'allai m'asseoir avec Lucie, la scripte, et Joelle pendant qu'il jouait les distants.

Le bar se remplit rapidement des habitués et autres « cinq-à-septeux » locaux. Deux bières plus tard, j'appelai Mélanie et Solène pour leur transmettre l'invitation de mes parents pour le garden-party de samedi en huit et les inciter à me rejoindre ici. Elles acceptèrent toutes deux l'invitation au garden-party, mais seule Solène voulut bien venir me trouver. Avant de me quitter, Mélanie me rappela que je devais me faire respecter, ce qui me fit prendre une grave décision. Mélanie avait raison. Je devais aller trouver Marc pour lui dire qu'il n'était pas acceptable qu'il me fasse attendre jusqu'à 2 heures du matin comme si j'étais la pute de service.

Je le cherchai des yeux, mais ne le trouvai nulle part. Je terminai ma bière et décidai de commencer par aller aux toilettes pour réfléchir à une façon percutante de faire passer mon message. Je me frayai un passage parmi la foule compacte. Comme il y avait une file pour les toilettes des femmes – c'est quoi cette manie des femmes d'aller aux toilettes en groupe ? –, je gagnai celles des hommes où seule une cabine était occupée. Je me tenais en équilibre sur mes mains dans une posture précaire quand j'entendis des gémissements provenant de la cabine voisine. Je reconnus instantanément ces gémissements.

Je remontai mes pantalons et grimpai sur la cuvette. Je découvris Marc avec une blonde d'environ vingt-deux ans en train de jouer à j'ai-donné-ma-langue-au-chat-alors-prête-moi-la-tienne. Je tentai de vérifier s'ils portaient un condom. Ma position me permit de découvrir assez rapidement la réponse.

– Est-ce que tu savais que ce gars-là est marié, que sa femme est enceinte et qu'il a mal à la poche depuis plusieurs jours ? demandai-je sur un ton badin qui me surprit moi-même.

La blonde cria, elle le repoussa et sortit des toilettes en se rhabillant. Marc la suivit, tentant de la retenir tout en rentrant son membre dans sa braguette. La fille se retourna nerveusement vers lui et lui mit son poing sur la gueule. J'applaudis.

– Tu sais qu'il vaut toujours mieux mettre un condom ! la sermonnai-je.

Elle sortit de la salle de bain sans me regarder et sans se laver les mains. Je contemplai Marc, qui fuyait mon regard. En pensée, je lui envoyai mon genou dans les couilles en lui disant : « C'est pour moi et pour ta femme. »

Mais je me contentai de tourner les talons et de quitter dignement la scène. Je ralliai mon groupe, embrassai tout le monde et sortis sur le trottoir bondé pour me faire bousculer par un groupe de jeunes femmes qui riaient de façon insouciante. Je me sentais complètement déplacée au milieu de toute cette foule enjouée. J'avais le sentiment d'être une extraterrestre. Quelle merde ! Ils me font chier, tous ces gens heureux, grognai-je intérieurement. Pourquoi voulais-je continuer à vivre, après tout ? Je remarquai que je me tenais au coin Saint-Denis/Mont-Royal et que le feu de circulation passait au vert pour la deuxième fois.

Je hélai un taxi tout en appelant Solène. Je la trouvai encore à son appartement, où elle venait de prendre une douche. Je lui donnai rendez-vous au Edgar Hypertaverne.

Dans le taxi qui m'y conduisit, je trouvai un crayon et notai à l'endos d'une vieille facture : « Si jamais tu deviens amnésique, ne cherche pas d'où tu viens et pars refaire ta vie ailleurs. » Ensuite, je rangeai soigneusement le bout de papier dans mon Moleskine avec ma pile de listes importantes.

– J'ai invité Fritz et Lang à venir nous rejoindre, m'annonça Solène à son arrivée.

– Ce n'était pas Fritz et Hans ? demandai-je.

– Oui, mais j'en ai rebaptisé un. Je t'expliquerai pourquoi plus tard.

Je consultai ma montre : 21 h 23.

– Moi, je n'avais pas l'intention de veiller tard ! me plaignis-je d'une petite voix en lui désignant ma montre.

– *COME ON !* cria-t-elle comme si j'avais prononcé un blasphème.

Puis, elle m'embrassa sur les deux joues et se dirigea vers le bar pour se faire servir. Il y avait foule, mais j'avais été assez chanceuse pour trouver une table libre à mon arrivée.

Quand elle revint, elle approcha son siège du mien.

– Alors, raconte ! J'ai essayé de t'appeler au moins cinq fois, qu'est-ce qui se passe ?

Je lui racontai toute l'histoire avec Marc et elle cria d'indignation.

– Tous les hommes sont des porcs ! martela-t-elle avec conviction.

– Sûrement pas tous ! répondis-je, tout en n'étant pas certaine d'être moi-même en accord avec cette affirmation.

– T'es tellement fleur bleue. Comme Mélanie.

– Justement, le chum de Mélanie, il est très correct comme homme.

– Jusqu'à ce qu'il ne le soit plus ! rétorqua-t-elle avec la plus totale mauvaise foi. Elle se rapprocha de mon oreille. Justement, parlant d'affreux jojos, j'ai couché avec les deux Allemands, laissa-t-elle tomber. Ils sont au Ritz. C'est un beau hasard : en déjeunant au restaurant de l'hôtel, j'ai rencontré un couple d'Anglais qui se cherchaient justement une maison à Montréal. Je vais me faire une commission d'au moins 60 000 dollars avec eux.

J'en restai soufflée. Je ne sus que répondre. Ce fut le moment que choisirent les deux Allemands pour se pointer et moi de comprendre pourquoi elle avait choisi de l'appeler Lang.

J'échangeai avec eux des salutations un peu gênées et ils disparurent pour nous commander de nouvelles consommations.

– Qu'est-ce que t'as ? demanda Solène en me dévisageant. Ça te choque ?

– Non, ça ne me choque pas, mais...

– Mais quoi ?

– Je ne sais pas.

– T'as jamais essayé ?

– Non. Je ne crois pas en avoir envie.

– Pourquoi ? Tu devrais ! C'est fou le pouvoir que ça donne sur eux.

– Le pouvoir de quoi ? ricanai-je avec un mépris qui m'étonna. Le pouvoir de leur tripoter la queue ? Hou ! Wow !

– T'es juste prude, assena Solène.

– C'est pas ça ! Je me dis, si je fais ça maintenant, à trente-deux ans, qu'est-ce que je vais faire à quarante-cinq ?

– Sur quelle planète de culpabilité tu vis ? Pourquoi tu te fais ça ? Qu'est-ce qu'on en a à foutre de ce qu'on va faire à quarante-cinq ans ? On est au XXIe siècle, ma vieille.

Nous arrêtâmes les hostilités car les Allemands revenaient avec nos verres. Ils étaient si grands et gros que les gens s'effaçaient devant eux.

– Ils sont là jusqu'à quand, tes armes de destruction massive ? demandai-je pour changer de sujet.

– Dimanche.

J'essayai de m'intéresser à la conversation mais, les Allemands parlant un anglais approximatif ajouté au fait que de moins en moins de choses parvenaient à me distraire de mes préoccupations morbides, je tombai rapidement dans la lune. Je me rejouai mes dernières rencontres avec Marc. Pourquoi ressentais-je son attitude envers moi comme une profanation ? Il n'était pas mon chum et, après tout, j'étais consentante. Mais un mauvais pressentiment me rongeait. Je m'étais déjà retrouvée dans des situations embarrassantes auparavant, cependant, c'était la première fois que j'avais peur d'y laisser ma peau. Et même si je ne savais pas pourquoi je voulais vivre, je ressentais au fond de moi une rage désespérée de rester en vie. Un feu se ralluma dans mes entrailles, ce qui me tira de ma rêverie. Je remarquai que Solène et les deux Allemands me fixaient comme s'ils attendaient une réponse à une question.

– Pardon ? marmonnai-je.

– Ils voudraient de la poudre. On va chez toi ?

Merde. Moi qui voulais me coucher tôt. Quoique c'était peut-être pour le mieux. J'avais un peu peur de me retrouver toute seule avec mes pensées.

On venait d'arriver à l'appartement qu'aussitôt Fritz jeta son dévolu sur moi. Il s'empressa de me rejoindre sur le divan. Comme il devait peser à peu près 120 kilos et que mon divan était plutôt format célibataire, je me retrouvai collée sur lui. J'appelai le père Noël et Solène sortit la bouteille de vodka. Fritz entreprit de me séduire dans la langue de Molière pendant que Solène essayait d'expliquer à Lang la différence entre les mots « poupoune », « guidoune » et « pitoune ».

Heureusement, le père Noël arriva rapidement et l'ogre se détendit un peu. Je mis la musique suffisamment forte pour éviter d'avoir à entretenir une discussion et trouvai refuge dans un fauteuil à une place. Toutefois, à minuit et demi, mon envie de dormir était devenue si pressante que je mis du Arvo Pärt ♫ et terminai ce qui restait de poudre pour qu'ils partent. Solène finit par comprendre et se leva. Elle m'embrassa en pouffant de rire et disparut en emmenant Lang, me laissant seule avec la bête.

Remerde! Comment allais-je me débarrasser de lui, à présent? Il me regardait avec un air qui en disait long sur ses projets. Grâce à la coke, mon cerveau fonctionnait en mode turbo. Je fis mentalement une liste des actions possibles et j'en arrivai à la conclusion qu'étant donné ses dimensions impressionnantes et tout l'alcool ingurgité, il était peu probable que je sois en mesure de le mettre à la porte par mes propres moyens. Une seule solution se présenta à mon esprit: je devais lui faire une proposition répugnante pour qu'il parte de lui-même. J'eus alors une idée encore plus saugrenue. C'était vraiment une idée stupide, mais j'étais complètement bourrée. Je passai à l'attaque.

Je courus vers la garde-robe du couloir, où je conservais quelques boîtes de souvenirs de l'université. Après quelques minutes d'investigation, je trouvai ce que je cherchais. Un *strap-on dildo*, un godemiché qu'on peut harnacher à la taille par des courroies généralement en cuir. Solène aussi en avait un. Nous les avions achetés lors de ma deuxième année en anthropologie pour le spectacle de l'initiation. Notre rôle avait consisté à se straper le machin sur le front et à faire semblant de pénétrer les oreilles des étudiants déguisés en théories et en concepts pour illustrer le travail de recherche « en profondeur » que les petits nouveaux allaient devoir se taper pour réussir leur scolarisation. On avait eu beaucoup de succès. J'empoignai le gréement, courus vers ma chambre, me déshabillai et l'enfilai. Je mis la *Chevauchée des Walkyries* de Wagner sur mon réveille-matin, pris une pose lascive sur mon lit et j'appelai mon étalon.

À mon grand désespoir, il fut ravi de la proposition. Sa première réaction fut de baisser son pantalon. Il se dévêtit en vitesse et sauta sur le lit, qui résista miraculeusement. J'étais tétanisée par la surprise. Je ne pouvais plus reculer.

Je le chevauchai dans une sorte d'état de stupeur béate. Tout ce qui me passait par la tête, c'était des scènes de films de guerre de propagande américaine. Je voyais des séquences d'avions allemands déferler sur la Pologne et de gentils soldats américains qui saluaient le public de la main, accompagnés d'un commentaire seriné par un homme à la voix roucoulante. Heureusement, mon invité était si excité qu'il éjacula rapidement. Je me laissai tomber sur le lit espérant enfin pouvoir dormir, mais à l'atterrissage une douleur fulgurante me traversa le dos.

Je hurlai. D'un bond, l'Allemand sauta du lit et se mit à trépigner en baragouinant quelque chose dans sa langue. Je réessayai de bouger, mais tout mouvement me faisait hurler. Je réussis à prononcer :

– *My back, it hurts.*

Il comprit :

– *You want something ?*

– *Medication, in the closet over the sink in the bathroom.*

Il partit en mission pendant que je m'insultais.

– *Wich ones ?* cria-t-il de la salle de bain.

– *Bring me everything !*

Merde, je souffrais atrocement ! C'était probablement une entorse lombaire. Quelle conne j'étais ! Fritz revint rapidement avec une vingtaine de bouteilles qu'il avait placées dans la corbeille vide.

– *Bring me the telephone and a glass of water!*

Je me jetai sur les bouteilles en essayant de bouger le dos le moins possible. Je venais de trouver les anti-inflammatoires quand Fritz réapparut avec ce que je lui avais demandé. J'avalai immédiatement deux pilules en grimaçant de douleur.

– *Now, go away!* lui intimai-je.

– *No! I watch you.*

– *Go away!* vociférai-je.

– *You tell me you need something. I go.*

Il fit un petit salut et disparut. J'espérais qu'il allait rentrer à son hôtel, mais je l'entendis allumer la télé dans le salon.

La situation était si ridicule que je pouffai de rire. Puis mon regard tomba sur le *strap-on dildo*, et toute envie de rire me quitta. Je tentai un mouvement pour l'enlever, mais je ne pouvais pas bouger sans déclencher une douleur atroce. J'allais devoir attendre que les pilules fassent effet. Je pris le temps d'examiner la situation dans la largeur et la longueur avant de me mettre – encore! – à pleurer. Je m'effondrais à toutes les deux minutes, ces derniers temps. Ça devenait lassant.

Je m'essuyai les yeux et le nez dans mes couvertures, puis je téléphonai à Solène. Elle ne répondit pas, alors j'essayai chez Mélanie, sans plus de succès. Je commençais à manquer de ressources. Je ne voulais pas appeler mes parents, ils ne pouvaient rien contre le mastodonte qui squattait mon sofa. Le nombre de personnes que vous pouvez appeler à 1 heure du matin pour vous tirer d'une situation de ce genre sans risque de représailles est plutôt limité. Mon frère? David avait trente-quatre ans, trois enfants, était v.-p. dans une grande banque et était marié avec une femme limite ultracatho qu'il avait rencontrée au cégep. Pourtant, il était toujours venu à mon secours. Il m'avait vue dans des situations pires que celle-là. Et ça faisait plutôt longtemps que je n'avais pas fait appel à lui.

Je tentai de le joindre sur son cellulaire pour les urgences. Seules quelques personnes triées sur le volet avaient ce numéro. C'était, comme il disait, sa laisse électronique.

– Allo ? répondit-il d'une voix hagarde.

– Comment vas-tu ?

– Justine ?

– Oui, heu... Alors, et les enfants ?

– Justine, qu'est-ce que tu veux ? Il est 1 heure du matin, j'espère que tu me réveilles pour une urgence.

– En fait, oui. J'ai un Allemand qui ne veut plus partir.

– Es-tu sous médication, présentement ?

– Non, c'est vrai !

– Oh ! fit-il soudainement énervé. Est-il menaçant, sens-tu que, sens-tu que... scanda-t-il, pris de panique.

– Non, ne t'énerve pas.

Je lui expliquai sommairement la situation.

– Qu'est-ce que tu veux que je fasse ? J'habite à Verchères ! Il sembla réfléchir un instant. Je te rappelle dans deux minutes, ajouta-t-il avant de raccrocher.

Il me rappela au bout de cinq.

– Ok, je t'envoie Jacob, le garde de sécurité de la banque. Il travaille de soir, cette semaine, et il vient juste de finir son quart. Il doit passer par ton coin. Je lui ai donné ton adresse.

– Merci, grand frère.

– Tu sais que tu es vraiment chanceuse !

– Ça dépend de quel côté du téléphone on se place, j'imagine, répliquai-je mi-figue, mi-raisin en regardant le *strap-on dildo* qui approuvait en hochant.

– Sois prudente, grande niaiseuse.

Les pilules firent enfin effet et je m'assoupis.

Chapitre 6

Le corps du délit

Vendredi : jour – 3

Le sentiment d'une présence me réveilla une heure plus tard. Je découvris un beau ténébreux qui regardait la scène avec un air de pitié qui me ravagea l'âme. C'est vrai qu'avec ce que je portais il y avait peu de chances qu'il souhaite me présenter à sa maman. Son regard portait sur quelque chose qui se trouvait à ma droite. Je détournai la tête et reconnus le néandertalien qui suintait dans mes draps.

– Justine ? demanda-t-il en constatant que j'étais réveillée.

J'agréai.

– Je suis Jacob.

– Entrez ! Je me suis fait une entorse au dos, l'accueillis-je, horriblement gênée.

– Je vois, répondit-il froidement tout en évitant de croiser mon regard.

– Mon frère vous a expliqué la situation ?

– Oui.

– Alors voici le corps du délit ! dis-je en désignant le monstre blond.

Si moi je me trouvais vachement drôle, lui, il ne sembla pas goûter la plaisanterie. Il passa du côté où l'Allemand se trouvait pour tenter de le réveiller.

– Comment s'appelle-t-il ? demanda Jacob.

Je ne pouvais pas lui dire que je ne savais pas vraiment son nom. C'était trop gênant.

– Fritz, répondis-je alors.

Il appela le géant, qui ne lui répondit que par un grognement. En me contorsionnant pour pouvoir suivre ce qui allait se passer, je constatai que je me portais beaucoup mieux. Je m'assis prudemment sur le bord du lit et j'entrepris de me défaire le plus discrètement possible de l'objet incongru.

– Il a beaucoup bu ? demanda Jacob.

– Oh oui ! répondis-je avec un enthousiasme que j'aurais dû modérer un peu.

J'attrapai le drap et me couvris à la romaine.

– De l'eau ? proposai-je sur le ton d'une hôtesse accomplie.

– C'est une idée.

J'agrippai ma robe de chambre et me dirigeai vers la cuisine en l'enfilant. J'entendis Jacob qui tentait toujours de réveiller la montagne de viande. J'allai remplir un pichet d'eau froide et le rapportai à mon chevalier servant.

– Tu m'obliges à prendre les grands moyens, Fritz ! menaça Jacob d'un ton ferme en empoignant le pichet d'eau.

Comme Fritz ne faisait aucun geste, Jacob lui versa le pichet sur la tête.

Il ne se passa rien pendant un moment, puis le lit craqua. Jacob continua son monologue et il finit par parvenir à faire lever le colosse. On aurait dit un fakir faisant danser un serpent de 120 kilos.

– Pouvez-vous commander un taxi, s'il vous plaît ?

Je me ruai sur le téléphone pendant que Jacob dirigeait le mastodonte vers la porte d'entrée.

– Il va au Ritz, dis-je en raccrochant. Merci beaucoup de votre aide.

– Je suis venu pour rendre service à votre frère, répondit-il en avisant le cendrier plein de mégots, les restes de poudre et les verres sales.

Il ne put réprimer un air de dégoût qui m'ébranla. J'aurais éclaté en sanglots. Je me précipitai néanmoins vers la porte pour lui ouvrir.

– Merci ! répétai-je en le regardant sortir.

Je regardai l'heure sur le cadran de la cuisinière. Il me restait quatre heures de sommeil.

Je me dirigeai vers ma chambre aussi vite que mon dos me le permettait, ramassant au passage le drap que j'avais abandonné sur le sol dans le couloir et dont je me servis pour éponger mon matelas. Je repris deux autres anti-inflammatoires et me couchai enfin. Je perdis connaissance au moment où ma tête se posait sur l'oreiller.

Quand le réveil sonna, à 6 h 30, mon regard tomba sur le *strap-on dildo* et le film de la soirée se déroula devant mes yeux. Le tout avait des allures de drame biblique du genre *Sodome et Gomorrhe* tourné en Technicolor avec des centaines de figurants où Charlton Heston jouait le rôle principal et moi celui du démon tentateur. Même si mon mal de dos avait beaucoup diminué, il me vint des envies de suicide alors je snoozai jusqu'à 7 h 30. Comme il fallait que je parte à 7 h 45 pour arriver à l'heure au bureau, ça ne me laissait que peu de temps pour me laver, m'habiller, me maquiller et déjeuner – deux anti-inflammatoires et un anxiolytique. Ce qui, pour moi, relevait déjà de l'exploit d'une ampleur olympique quand je ne me sentais pas dépressive parce que j'avais sodom... bref, quand je n'avais pas envie de me faire sauter la cervelle.

J'arrivai donc encore en retard au bureau, poquée et pas du tout fière de moi. Cela faisait beaucoup pour une seule semaine. En déposant mon café au lait, avec cannelle cette fois, je remarquai un petit papier rose sur mon bureau : Maurice voulait me voir. Merde ! Il doit trouver que j'exagère, pensai-je. Il ne manquerait plus qu'il me vire, pour compléter ma semaine. Qu'est-ce que j'avais fait pour mériter cette vie de merde ? Et oui, oui, je savais, ça pourrait être pire. Je pourrais être prise dans un camp de réfugiés au Rwanda, avec huit enfants. Mais savoir que ça pourrait être pire ne m'aidait pas à me sentir mieux. Car non seulement je continuais à être insatisfaite mais, en plus, je me sentais coupable de me sentir insatisfaite.

Je me débarrassai de toutes mes affaires, me refis une virginité mentale et fonçai vers le bureau de mon patron. Il me reçut cordialement, à mon grand soulagement, et m'invita à m'asseoir, mouvement qui me tira un geignement de douleur qui attira l'attention de Maurice.

– Qu'est-ce qui t'arrive ? demanda-t-il, inquiet.

– Je me suis fait une entorse lombaire en me levant ce matin.

– Tu ne veux pas aller à l'urgence ? proposa-t-il, plein de sollicitude.

– Non, j'ai déjà des anti-inflammatoires, ça devrait aller, répondis-je, touchée.

Il poursuivit donc :

– Justine, je tenais à ce que tu l'apprennes de ma bouche.

Je sentis la sueur perler sous mes bras.

– J'ai congédié Karine ce matin.

Je restai muette. Je me sentais vaguement coupable, mais j'étais soulagée.

– Je voudrais que tu engages la remplaçante. À l'avenir, elle dépendra de toi. Choisis-la bien ; elle pourra te servir d'assistante quand tu deviendras productrice.

Mon cœur explosa de joie, brisant l'étau qui l'enserrait depuis mon réveil. Si j'avais une vie sentimentale merdique, au moins, professionnellement, il y avait de l'espoir. Je décidai de savourer la nouvelle et d'oublier momentanément que je n'avais peut-être pas d'avenir du tout.

– Ne t'emballe pas trop, ce n'est pas pour tout de suite, ajouta-t-il, mais ça viendra. Bientôt.

J'avais envie de me lever pour danser, mais je me retins. Il ne fallait pas que je me laisse avoir par de belles promesses.

– Ça va me faire de nouvelles responsabilités. Est-ce que ça augmente mon salaire ?

– Un bonus de 3 000 dollars à la fin de cette année. Pour l'année prochaine, on réévaluera ?

– C'est bon ! répondis-je en me levant pour l'embrasser.

Je retournai à mon bureau en flottant. Une chanson cucul du film *La Mélodie du bonheur* résonna dans ma tête. J'approchais enfin du but que je m'étais fixé il y avait dix ans lorsque j'étais entrée dans cette boîte. J'étais euphorique. Malheureusement, l'extase ne dura pas. Je surpris mes collègues qui parlaient de moi à la cafétéria. Je m'immobilisai, espérant passer inaperçue.

– Franchement, sa femme est enceinte ! affirma Sandra de la comptabilité d'un air de vierge offensée.

– C'est dégueulasse, ponctua Corinne, la stagiaire.

– Faut pas avoir de morale pour faire ça ! martela Paul, l'assistant de production.

– Cette fille-là ne doit pas pogner, alors elle se venge en brisant les couples des autres, ajouta Yolaine, l'assistante à la réalisation qui n'avait pas dû, elle-même, avoir de relation sérieuse avec un homme depuis les années 1970. Il fallait dire qu'elle n'avait pas dû changer de coiffure depuis ce temps-là non plus.

– Elle doit juste réussir à pogner ça, des aventures d'un soir, relança Olivier, l'assistant caméraman.

J'aurais voulu entrer sous terre, me liquéfier sur place. Je songeai à aller lécher une boîte de cinq cents enveloppes pour me punir, mais je commençai plutôt à reculer pour aller me cacher dans les toilettes.

– En plus, j'ai cru comprendre qu'il y avait une histoire de MTS, renchérit Céline, la maquilleuse. Ça pourrait tuer le fœtus...

– Ça mérite la prison, glapit Muriel, la secrétaire, en grattant une des nombreuses plaques d'eczéma qui couvrait son corps. On la surnommait d'ailleurs « Flakie », entre nous.

Olivier se tourna vers moi et m'aperçut. Ils allaient me lyncher.

– Eh, Justine, t'as entendu à propos de Marc et de sa maîtresse ? demanda Emmanuel, un assistant décorateur.

– Elle lui a fait une scène devant tout le monde au Bily Kun, poursuivit Sandra. Oh, mais c'est vrai, tu étais déjà partie.

AAAAAAAAAAAHHHHHHHHHHH ! J'étais sauvée. Ils attendaient tous ma réaction.

– Merde, j'ai raté ça ! débitai-je mécaniquement.

Puis tout le monde y alla de son petit commentaire. Étant donné mes propres relations avec l'accusé, je limitai mes propos, mais je me sentais sale. Maintenant, malgré la bonne nouvelle que je venais d'apprendre, j'étais absolument certaine d'avoir raté ma vie.

– Et il est là, Marc, aujourd'hui ? m'enquis-je d'une façon que je voulais naturelle.

– Oui, répondit Jeanine, la réceptionniste. La porte de son bureau est fermée, mais je lui ai passé un appel, tantôt.

– J'imagine qu'il va essayer de se faire oublier pendant quelques jours, estima Sandra.

J'entendis le téléphone de mon bureau sonner et profitai de ce prétexte pour sortir du groupe. Il faisait chaud et pourtant j'étais glacée. Il ne me restait que quelques jours avant d'avoir le résultat de mes tests. Je vais passer au travers ! me répétai-je plusieurs fois avant de décrocher.

– Justine ?

C'était Mélanie. Une boule se forma dans ma gorge.

– Je te rappelle dans cinq minutes, lançai-je rapidement avant de raccrocher.

Je pris mon sac et courus me réfugier dans mon deuxième bureau : les toilettes du troisième.

– J'ai vu que tu avais essayé de m'appeler cette nuit et comme tu ne répondais pas sur ton cellulaire ce matin, j'ai commencé à m'inquiéter... commença-t-elle avec un accent de reproche dans la voix.

Je me mis à pleurer et je lui résumai mes dernières vingt-quatre heures entre deux sanglots.

– Je ne vois pas pourquoi tu en fais tout un fromage, affirma Mélanie. Que ce soit toi qui le pénètres plutôt que l'inverse, c'est juste une question de géographie. Mais ce qui est pire, c'est que tu as couché avec lui plutôt que de le mettre dehors, ajouta-t-elle sur le ton vindicatif que je lui détestais.

Je haïssais ça quand elle avait raison de cette façon.

– Tu n'as pas vu la grosseur du gars ! lui répliquai-je en mimant les dimensions.

– Tu aurais pu essayer de péter, à la place ! Avec l'odeur qu'ont tes pets, c'est certain qu'il serait parti.

Je ricanai.

– Ta situation s'est tout de même améliorée.

– Qu'est-ce que tu veux dire ? hoquetai-je, étonnée.

– Un, tu as dit toi-même que tu ne sortirais jamais avec ce gars-là. Alors qu'est-ce que ça peut te faire qu'il ait une autre aventure ? C'est juste ton ego qui en a pris un coup.

– Mon ego ? répétai-je, insultée. Mon ego, c'est...

Mais elle me coupa en appuyant simultanément sur trois touches de son cellulaire. C'était vraiment un coup très bas.

– Deux, en le prenant en flagrant délit, tu as eu la preuve qu'il a probablement pogné sa MTS de quelqu'un d'autre que toi. Comme tu lui fais mettre toujours des condoms, il y a peu de chance que tu l'aies attrapée. D'ac ?

– Ouin ! consentis-je en reniflant de façon dégoûtante.

Je voulus lui faire remarquer qu'elle écoutait trop de séries policières à la télé, mais elle me relança.

– Trois, tu viens d'avoir une promotion ! Merde, ça fait juste huit ans que t'es dans le métier et tu as déjà atteint le sommet de la profession. Ça, c'est génial et personne ne peut te l'enlever.

– C'est vrai, acquiesçai-je, un peu encouragée. Mais j'ai travaillé très fort pour ça.

– C'est vrai. En tout cas, si tu gérais ta vie personnelle comme tu gères ta carrière, tu réussirais aussi bien dans ta vie sentimentale que dans ta vie professionnelle ! conclut-elle. Écoute, je dois te laisser, j'ai une réunion qui commence dans deux minutes, termina mon amie.

Je l'entendis à peine car sa conclusion revenait en écho dans ma tête.

Chapitre 7

Feng shui de l'âme

Vendredi : jour – 3

Je passai la matinée dans une sorte d'état second, exécutant mécaniquement mes tâches. Je ne comprenais pas exactement en quoi ni pourquoi ce que Mélanie m'avait dit était important, mais son commentaire sur ma façon lamentable de gérer ma vie personnelle m'avait frappée. Je pressentais confusément qu'il y avait là une information cruciale pour la résolution de mon… de quoi, au juste ? J'étais si fatiguée que je n'arrivais même pas à mettre le doigt sur le mot exact. Ah oui ! Pour régler mon pathétisme chronique. Toutefois, je me rappelai que ça n'avait peut-être plus du tout d'importance car j'avais peut-être commis l'irréparable.

Encore trois jours de cauchemar. J'allais avoir une fin de semaine fantastique.

Je quittai le bureau à 16 h 30 sans avoir vu Marc. Je retournai chez moi faire un peu de ménage et avaler deux autres anti-inflammatoires avant de me diriger vers la maison paternelle pour le souper. Un taxi m'y déposa vers 19 h 30 et j'entrai sans frapper par la porte de la cuisine format XXL. Je hélai mes parents, mais personne ne me répondit. Cela ne me surprenait aucunement étant donné le bruit qu'il y avait dans la salle de séjour. Ma mère avait mis de la musique country, un goût que je ne lui connaissais pas. J'ouvris le réfrigérateur pour tenter de voir ce qu'on allait manger, mais celui-ci était vide. J'en conclus qu'elle avait sûrement fait venir un traiteur. Comme d'habitude.

– Allo, Justine ! fit une voix qui me fit sursauter. Tu te joins à nous ?

Je me relevai, regardai par-dessus la porte du réfrigérateur et reconnus l'honorable Jean Lucien, sénateur, un vieil ami de mes parents, coiffé d'un chapeau de cow-boy assez ridicule qui, par contre, allait très bien avec la moustache en brosse qu'il arborait ostentatoirement depuis toujours.

– Salut, Lulu ! répondis-je en refermant la porte pour l'embrasser.

Ce fut à ce moment que je remarquai qu'il était complètement nu. Je réalisai soudainement qu'il y avait beaucoup d'orgies dans ma vie, ces temps-ci. Sur ce, mon père arriva à son tour, intégralement nu lui aussi, chaussé de bottes de cow-boy en crocodile vertes.

– Boubou ! cria mon père, ravi malgré la situation un peu anormale.

Il vint m'embrasser. Un instant, j'eus l'impression d'avoir encore onze ans lorsque j'avais surpris mes parents en pleine soirée échangiste, sur le thème hassidim, cette fois. On habitait encore Outremont, à l'époque. Les hommes s'étaient couverts de chapeaux à boudins et les femmes portaient des perruques coiffées à la Jackie Kennedy.

Ma mère débarqua à son tour, uniquement vêtue d'un ceinturon supportant deux revolvers en plastique blanc.

– Chériiiiie ! Ça va ? demanda-t-elle, soudainement inquiète.

– Je croyais qu'on soupait ensemble ! expliquai-je avec un ton de reproche.

Le sénateur Lucien comprit l'imbroglio et s'éclipsa, les fesses tristes.

– Flûte ! conclut ma mère en se couvrant d'un tablier représentant le corps et les organes d'un homme nu. C'est vrai que je t'avais invitée, j'avais complètement oublié.

– Je vois que vous aviez d'autres... projets.

– Certes, mais tu sais que tu es toujours la bienvenue.

La nausée me souleva le cœur. Sonia Rodrigue, une avocate de la Couronne, fit irruption dans la pièce, coupée en deux par un corset en dentelle.

– Oups ! fit-elle en effectuant un demi-tour.

Ma mère me tira par le bras et m'entraîna dans la serre pour avoir un peu d'intimité.

Sans savoir pourquoi – je n'avais jamais été très proche de ma mère –, je me jetai dans ses bras et me mis à chialer. Cela la laissa sans voix, ce qui voulait tout dire pour une femme intarissable comme elle.

– Qu'est-ce qui se passe, ma chériiiiie ?

Je lui racontai mes problèmes de la semaine. Elle m'écouta les sourcils froncés, attendant le drame au tournant. Au bout de dix minutes, pendant lesquelles elle avait regardé l'heure au moins trois fois, elle n'avait toujours pas saisi les raisons de mon désarroi. Ce que je vivais lui semblait tout à fait banal. Tout ce qu'elle trouva à faire pour me consoler, ce fut de me donner quelques cristaux de couleur bleue pour mon feng shui de l'âme, expliqua-t-elle, et de remplir mes bouteilles d'anxiolytiques et d'antidépresseurs. Elle me donna même deux comprimés d'ecstasy pour que je puisse fêter ma simili-promotion.

– Je ne vois pas pourquoi tu t'en fais tant, me susurra-t-elle en me raccompagnant à la porte. Comment crois-tu que nous sommes passés au travers, comme couple, ton père et moi ? Il a bien fallu utiliser quelques colifichets, incluant le *strap-on dildo.* Il ne faut pas se laisser entraver par les tabous des autres.

Puis elle ajouta une phrase qu'elle m'avait souvent répétée au fil des années et qui maintenant sonnait comme un mauvais présage :

– Tu es comme moi. Une âme libre !

Pff ! Une âme libre. *Yeah right!* aurais-je voulu lui répondre.

Elle me tendit le carton d'invitation du garden-party pour la nomination de mon père, m'embrassa, et je me retrouvai sur le perron, ébranlée. Je contemplai les deux comprimés d'ecstasy toujours dans ma main et les fourrai dans mon sac d'un geste découragé.

Je me dirigeai comme une somnambule vers la rue Sherbrooke pour rejoindre l'arrêt d'autobus. Mes yeux piquaient et j'avais l'impression qu'ils étaient gonflés et tout rouges. J'entendais ma mère et Mélanie qui me répétaient en boucle : « Tu es comme moi. » Et : « C'est juste ton ego. »

– Alors c'est mon ego ou ma mère ? Branchez-vous ! dis-je tout haut en lançant un regard au ciel.

J'essuyai les larmes qui continuaient à couler sur mes joues. J'en avais assez de brailler tout le temps. Je me sentais complètement confuse. Il fallait dire que je n'avais dormi que vingt et une heures au cours des cinq derniers jours et que j'avais pris beaucoup d'alcool et de drogues. Super-recette anti-idées claires. Il était temps que je me repose.

Au moment où je mettais le pied dans la rue à la suite d'une jeune brunette conduisant une poussette, une Mercedes décapotable couleur champagne manqua de me renverser et le chauffeur appuya sur le klaxon de façon très intempestive. En plus, il sortit de sa voiture pour m'apostropher. La femme à la poussette devint livide de peur. C'en était trop ! Je pognai les nerfs.

– HEILLE, LE MORON, TU SAIS PAS C'EST QUOI UN PASSAGE PIÉTONNIER ? lui criai-je en lui désignant les lignes jaunes qui couvraient l'asphalte de part en part de la chaussée. Je fis un pas vers lui. REMONTE DANS TON CHAR OU JE TE BOUFFE LA FACE !

Je dus lui faire peur car il se jeta littéralement dans sa voiture. Les quelques passants qui se promenaient sur les trottoirs et que je n'avais pas aperçus m'applaudirent. La femme et sa progéniture m'abordèrent gentiment :

– Merci ! Ça fait trois fois qu'on manque de me frapper, ici. Lui, je crois qu'il va s'en rappeler, fit-elle en souriant. J'aimerais beaucoup avoir votre sens de la répartie. Bonne soirée.

Un flot d'adrénaline me submergea et je frissonnai. Je sentis mon sang se ruer sous ma peau. J'eus soudainement l'impression d'être toute-puissante. Je courus pratiquement jusqu'à la rue Sherbrooke, où je décidai d'appeler un taxi pour rentrer chez moi. Je passai au dépanneur m'acheter de la bière et, aussitôt entrée, je commandai du poulet au beurre au Golden Curry.

J'envoyai valser mes chaussures, m'ouvris une bière et m'écroulai dans le sofa. Je fumai deux ou trois joints, mais rien n'y fit : je me sentais toujours révoltée. Ce qui après tout était beaucoup mieux que l'état dépressif qui m'habitait depuis le début de la semaine. La colère était un sentiment plus gérable que la mélancolie. Toutefois, si c'était le chauffard qui avait déclenché ma hargne, il n'en était plus responsable. Ma rage s'était redirigée sur ma mère. Mais je ne savais pas pourquoi. J'avais l'impression qu'un mur de brume opaque me coupait l'accès à mes sentiments. Je l'entendais me dire « Tu es comme moi » et tout dans cette idée me révulsait.

On sonna à la porte ; j'agrippai mon portefeuille et allai ouvrir. J'exécutai la transaction comme une automate en m'énumérant les nombreuses différences entre ma mère et moi : moi, je ne croyais pas que ma vie était contrôlée par des anges ou par ma façon d'agencer mes meubles. Moi, quand je prenais de l'alcool ou de la drogue, je ne me justifiais pas en disant que c'était pour communiquer avec l'« Énergie ». Moi, je ne participais pas à des orgies... Mais c'était plus profond que cela. Il y avait un malaise viscéral entre elle et moi. Je ne savais pas ce que c'était. Je n'étais jamais arrivée à mettre le doigt dessus. On aurait dit qu'on ne venait pas de la même planète. Comment pouvait-elle donc affirmer qu'on se ressemblait ? Je me jetais sur le poulet au beurre quand le téléphone sonna.

– Salut, poussin ! chantonna Mélanie.

– Salut, Mel !

– Je ne te parle pas longtemps, on s'en va au théâtre, je voulais juste te dire que Simon va sortir avec ses amis, demain soir. On fait quelque chose ensemble ?

– Ok, on se fait un souper chez moi ?

– Parfait, je t'appelle demain.

– Super, j'appelle Solène.

– Ah, ok ! À demain.

Je composai le numéro du cellulaire de Solène, mais elle ne répondit pas. Je lui laissai l'invitation pour le souper du lendemain sur sa boîte vocale.

Génial ! L'organisation de ce petit souper impromptu allait m'aider à passer à travers la journée de samedi. Il ne me restera que dimanche à angoisser avant la fin de mon calvaire. Cette idée me rasséréna quelque peu.

Je réussis enfin à me coucher tôt : 23 heures. Toutefois, Solène et les deux Allemands débarquèrent à 2 heures du matin. Elle était complètement soûle et elle voulait faire l'amour à quatre. Je refusai et la situation devint rapidement scabreuse. Je parvins à m'en débarrasser en lui promettant de lui donner deux pilules d'ecstasy si elle s'engageait à partir. Tout ce marchandage me dégoûta. Elle me quitta en me zozotant :

– Tu devrais essayer à plusieurs. Je sais que tu aimerais ça, tu es comme moi !

Je refermai la porte avec colère en me disant : je ressemble à ma mère ? Je ressemble à Solène ? Est-ce que ça arrive que je me ressemble, de temps en temps ? Je retournai me coucher en furie.

Chapitre 8

Qui-je ?

Samedi : jour – 2

Ce matin-là, enfin, je me sentais mieux. Il fallait dire que j'avais dormi onze heures et que j'étais sobre. Et le soleil brillait. À la radio, Miss Météo annonça qu'on allait certainement atteindre des records de chaleur. C'était la première canicule de l'été. Comme je savais que si je pensais trop fort, j'allais me trouver des raisons de paniquer, je me contentai de mettre une petite robe et d'aller faire les courses pour le souper.

Je ne pus tout de même pas m'empêcher de penser à ce que Mélanie m'avait dit : « Si tu gérais ta vie personnelle comme tu gères ta carrière, tu réussirais aussi bien dans ta vie sentimentale que dans ta vie professionnelle ! » Aussi, entre les mangues et les oignons rouges, je me remémorai comment j'avais fermement négocié mon embauche chez Cizo. Au fil des ans et des conversations, j'avais appris que j'avais obtenu plus de congés et de meilleures conditions que la plupart de mes collègues. Même que certains plus élevés dans la hiérarchie.

Pourtant, quand je magasinais un homme, je... rien du tout. J'attendais d'être choisie et, s'il plaisait à mes papillons, ça me suffisait. Professionnellement, j'avais un plan de carrière, des objectifs. Ma vie amoureuse, elle, était guidée par mon intestin.

Au rayon des fromages, j'énumérai les raisons qui démontraient que je n'avais aucun contrôle sur ma vie personnelle: je n'avais pas choisi mes parents. J'avais les mêmes amis depuis l'enfance. Je n'avais pas choisi mon éducation. Ni l'environnement dans lequel j'avais été élevée. Je n'avais donc pas choisi qui j'étais. Qui suis-je donc, alors? me demandai-je. Et pire: qui-je? Qui était ce «je» que j'utilisais pour parler de moi?

À la boucherie, j'en arrivai à la conclusion que j'étais un produit fabriqué par les autres et par les circonstances de la vie. Et je n'avais encore rien fumé! J'avais hâte de parler de tout ça avec Mélanie. et Solène. Solène? Je repensai à sa visite de cette nuit avec colère.

– Solène, bordel! murmurai-je en ramassant le magret de canard que le boucher me tendait.

– Pardon?

Je rentrai péniblement chez moi vers 15 heures, chargée comme un mulet. Je mis Édith Piaf 🎧, ouvris une bouteille de rosé et me déshabillai pour prendre ma deuxième douche de la journée.

– En cow-boy? Je n'y crois pas! s'exclama Mélanie, outrée, après que je lui eus raconté l'épisode chez mes parents.

– Je te le jure, Mélanie! martelai-je.

– Tu m'avais raconté leur soirée hassidim, mais je croyais que tu avais inventé tout ça pour te rendre intéressante.

Elle vit mon visage se fermer.

– Mais je te crois, maintenant, ajouta-t-elle rapidement sur un ton un peu trop enthousiaste.

– Ce n'est pas tout!

– Comment, ce n'est pas tout?

– Je suis revenue ici, je me suis couchée à 23 heures, et à 2 heures, qui débarque?

– Qui?

– Solène avec les deux Allemands.

Mélanie fit le bruit d'un ballon qui se dégonfle. C'était devenu une habitude chez elle pour exprimer son étonnement.

Je lui racontai toute la scène en n'omettant aucun détail honteux. Elle fut scandalisée pour la deuxième fois en dix minutes. Elle cogna son verre contre le mien et le leva devant elle.

– Au moins, cette fois, tu as réussi à te débarrasser d'eux sans coucher avec personne. C'est une grosse amélioration! ajouta Mélanie en gloussant.

Je détestais ça quand elle gloussait de cette façon. Je trouvais d'ailleurs que les filles gloussaient et criaient beaucoup trop en général.

Il y eut un silence. Mélanie me regarda par en dessous et je sus qu'elle avait follement envie de me confier quelque chose. Je l'encourageai en lui jetant le regard approprié. Elle capitula en deux secondes.

– Tu sais... Si ce n'était de toi, il y a longtemps que j'aurais arrêté de voir Solène. Tu n'as pas remarqué qu'on ne peut jamais rien faire d'autres que boire et fumer, avec elle? Ça semble être tout ce dont elle a envie.

J'étais sidérée. L'évidence m'aveugla un instant comme si j'avais croisé un van sur une route de campagne en plein orage. Les essuie-glaces de mon entendement peinaient à déblayer le pare-brise de ma mémoire. Des tas d'indices me revenaient. Je n'avais rien vu et pourtant j'aurais dû.

– Tu te souviens quand on a voulu aller voir l'exposition de Warhol au Musée des beaux-arts ? Ça ne l'intéressait pas, mais elle a absolument voulu nous accompagner et nous a obligées à aller fumer un joint avant. Une fois à l'intérieur, elle est allée se faire une ligne aux toilettes pour ensuite s'écraser sur le divan de la salle où jouait du Velvet Underground pour regarder les projections au plafond. Et on s'est fait mettre dehors du musée parce qu'elle s'était fait prendre à boire de la vodka.

On cogna à la porte. C'était probablement Solène.

– Salut ! fit-elle comme si les événements de cette nuit n'avaient pas eu lieu.

En bonne fille que nous étions, nous fîmes les hypocrites. On échangea des bisous et du bla-bla. En cinq minutes, nous avions couvert huit sujets de conversation : la jupe de Mélanie, mes chaussures, la nouvelle coupe de Solène... Je versai un verre de vin à Solène, sortis les hors-d'œuvre, et on trinqua :

– À ta santé ! proposa Mélanie avec un regard appuyé à mon endroit.

– C'est vrai, les résultats, tu les auras lundi ? demanda Solène.

Je fis oui de la tête car j'avais la bouche pleine. Mélanie en profita pour lui raconter ma visite à la maison familiale d'un ton sarcastique. Solène devait certainement penser que je lui avais aussi raconté sa visite de la nuit dernière. Néanmoins, elle éclata de rire. Ensuite, elle se frotta le nez d'une certaine façon et je sus qu'elle venait de sniffer une ligne. Je me tournai vers Mélanie. Je compris qu'elle aussi avait détecté l'état de Solène. Je remarquai une pointe de colère contenue dans le regard de Mélanie, chose que j'avais réussi à ne pas voir jusqu'à présent. Ma puissance de déni était infinie. Si je pouvais profiter de cette puissance pour être heureuse, je serais une femme comblée. Je constatai qu'un silence embarrassé avait pris place.

Je me levai pour mettre *Ziggy Stardust* et Solène entreprit de rouler un joint.

– Tes parents sont encore ensemble, commença-t-elle en envoyant son toupet vers l'arrière. C'est rare, de nos jours. Qu'est-ce que ça fait s'ils ont besoin de baiser avec quelqu'un d'autre de temps en temps ?

Le visage de Mélanie se crispa. Je voyais à travers ses yeux tout l'échafaudage d'opinions et de connaissances se mettre en branle pour forger une réfutation ultime de cette affirmation. Mais elle se contint et se tourna vers moi. Elle se taisait pour ne pas mettre notre amitié en péril. Quelle chance, d'avoir une amie pareille.

– Vous saviez que David Bowie restait en colocation avec Iggy Pop à Berlin, dans sa jeunesse ? demandai-je pour changer le sujet de conversation.

Je commentai la période glam rock de David Bowie, puis on fuma le joint et je me mis au fourneau. Je leur préparai l'entrée, un gaspacho froid avec des petits morceaux de chorizo grillé et des croûtons, pendant que Mélanie mettait les frites au four. Étant donné la chaleur qui régnait dans mon appartement, nous décidâmes de sortir la table sur le balcon.

Mes amies s'extasièrent sur la soupe, puis Mélanie nous donna des nouvelles d'une de ses amies qui venait d'accoucher et, pendant qu'on parlait bébé, Solène afficha son ennui. À la fin de la soupe, j'allai voir l'état des frites et, quand je revins sur le balcon, je constatai qu'il y avait de l'électricité dans l'air. Je sentais que si je ne tentais pas une diversion, elles allaient se crêper le chignon. Et leur amitié ainsi que ma soirée allaient être ruinées. Ce serait trop pour une seule semaine.

Comme les frites étaient presque prêtes, je demandai à Mélanie de venir m'aider à la cuisine et je chargeai Solène de sortir les haut-parleurs sur le balcon. Une fois celle-ci hors de vue, Mélanie me murmura :

– Elle m'énerve !

Je haussai les épaules en signe d'impuissance et allai cuisiner le plat principal : du magret de canard aux figues et au porto. J'apportai la salade pendant que mes deux amies se chargèrent de ramasser les reliefs de l'entrée. Solène s'offrit ensuite un *shooter* de vodka. Mélanie ouvrit une deuxième bouteille de rouge et on passa à table. Mes amies commentèrent le souper et un nouveau silence s'installa. On allait finir par devenir mal à l'aise. Je tentai de trouver un sujet de discussion qui les unirait.

– En tout cas, toute cette histoire avec Marc, ça m'a vraiment donné l'impression d'avoir raté ma vie. J'ai à peine trente-deux ans et je me suis déjà fait remplacer par une femme plus jeune que moi. Je me sens tellement minable. Et c'est pire depuis le commentaire que tu m'as fait hier, balançai-je à l'intention de Mélanie. Parce qu'en plus, maintenant, j'ai l'impression que c'est ma faute.

Je relatai notre conversation téléphonique à Solène et déclenchai une tempête. Elles étaient en désaccord.

– On ne peut pas « gérer » sa vie sentimentale, il y a trop de facteurs qui ne dépendent pas de nous ! souligna Solène d'un ton méprisant. Quand je vais dans un bar, je ne suis pas responsable des gens qui y sont et qui n'y sont pas.

– Mais tu peux choisir l'endroit où tu vas. Et il y a d'autres endroits que les bars, répliqua froidement Mélanie. De toute façon, ce que je voulais dire, ajouta-t-elle plus amicalement à mon endroit, c'est que les femmes sont proactives dans leur vie professionnelle contrairement à dans leurs vies sentimentales.

– Je n'ai pas envie de « gérer » ma vie sentimentale car, dans ce domaine, je préfère plutôt me laisser guider par le plaisir, intervint Solène.

– Sauf que ce n'est pas l'attitude qui va te permettre de générer le plus de bonheur à long terme ! rétorqua Mélanie.

Solène lui coupa la parole.

– Je ne veux pas le bonheur, je veux être heureuse. Et ce qui me rend heureuse, c'est d'avoir du plaisir, assena-t-elle en croisant les bras d'un air buté.

Mélanie attendit patiemment qu'elle termine sa phrase et reprit la parole :

– Je m'explique. Quand on veut se trouver un emploi, on fait du démarchage auprès de compagnies susceptibles de pouvoir nous offrir le poste qu'on souhaite. On envoie une centaine de CV, on se tape une dizaine d'entrevues et, en général, on trouve un emploi. Dans leur vie amoureuse, les femmes ont plutôt tendance à attendre que le prince charmant se pointe.

Faute de prince charmant, je me rabattis sur la tequila. Je sortis trois bières, trois verres à *shooters*, le citron et le sel pendant que Solène monologuait sur la peur de l'engagement du trentenaire moyen en roulant un autre joint. Quand elle se tut enfin pour l'allumer, j'en profitai pour intervenir :

– Solène a raison, Mélanie. Les Québécois ne veulent plus draguer. Et si on tente une approche, ils se sauvent par peur de perdre leur liberté.

– C'est vrai, mais quand même, les Québécois sont les meilleurs gars du monde entier, argumenta-t-elle.

– Pff ! Et les Italiens ? fit Solène en reboutonnant sa chemise qui persistait à s'ouvrir. Il fallait dire qu'elle était très serrée et son soutien-gorge, très pigeonnant. Je servis à chacune un *shooter* de tequila, un quartier de citron et une bière.

– Je les mettrais en deuxième, concéda Mélanie. Ils sont parfaits pour la période qui précède la relation, ils sont si romantiques. Sinon, ils sont machos et en plus pas très fidèles.

Je la coupai :

– Et surtout, il faut que tu te tapes la *mama*, parce qu'en général, ils restent chez leurs parents jusqu'au mariage.

Nous nous esclaffâmes puis on trinqua. Je leur racontai une blague que m'avait apprise un Montréalais d'origine colombienne rencontré à Mexico lors de mon voyage deux ans plus tôt.

– Connaissez-vous la tactique de drague des Latinos dans un bar ?

– Non, me répondirent-elles.

– Faire danser la plus belle fille toute la soirée, la gaver de compliments et lui payer à boire. Et connaissez-vous la tactique de drague des Québécois dans un bar ?

– Non.

– « Heille, s'cuse, t'es assise sur mon *coat*... »

Elles hurlèrent de rire.

– C'est vrai que les Québécois sont un peu lents au démarrage, admit finalement Mélanie.

– Et qu'ils sont allergiques au mariage, intervint Solène.

– Il faut juste les aider un peu, dit Mélanie, optimiste. Toutefois, il faut avouer que nulle part ailleurs sur Terre il y a moyen d'avoir une relation aussi égalitaire avec un homme. Jamais mon chum ne m'a fait sentir qu'il me traitait différemment parce que j'étais une femme. Même chose pour tous mes amis de gars. En couple, ils sont super ! Et comme pères, parfaits. Tout ça, c'est grâce à nos mères.

– Bon, bon, bon, continua Solène. Est-ce l'horloge biologique qui parle ?

Mélanie sembla songeuse un moment, mais elle se reprit rapidement et leva son verre.

– À toutes ces féministes qui ont élevé des maudits bons gars !

Je levai mon verre aussi. Solène le fit de mauvais gré. Nous trinquâmes et Solène en profita pour nous raconter pour la énième fois son voyage en Italie et son idylle romantissime avec Uccio.

– Moi, j'ai quand même l'impression de toujours tomber sur des trous de cul.

– C'est juste un *pattern*. Il faut que tu apprennes à t'en débarrasser, soutint Mélanie.

– Facile à dire ! répondis-je.

Un silence suivit pendant lequel je nous resservis un *shooter* de tequila. Soudain, Mélanie se retourna vers moi ; elle leva son verre d'une façon un peu brusque et la moitié de l'alcool vola sur le tapis.

– Aux Québécois ! baragouina-t-elle, la mâchoire un peu molle.

Nous cognâmes encore une fois nos verres avant de lécher le sel, de caler l'alcool et de sucer le citron. En déposant son citron dans son verre vide, Mélanie proposa :

– Nous devrions jouer à Ouija !

– Oui ! s'exclama Solène en claquant des mains.

– Oh non ! m'écriai-je.

– Allez ! plaida Mélanie.

Je ne comprenais pas leur emballement. Je crois que l'alcool et la fumée avaient beaucoup à voir avec leur enthousiasme.

– Vous êtes folles ! conclus-je.

– Allez ! dit Solène en haussant le ton. On essaie juste de s'amuser, va le chercher ! On sait que tu en as un.

Je m'interrogeai un moment. Cette idée semblait rassembler mes deux amies. En plus, ça ne marchait jamais. Elles allaient certainement se lasser très vite de ce jeu. J'esquissai enfin un sourire et me précipitai vers la garde-robe pendant que mes copines débarrassaient la table et la rentraient.

Ma mère m'avait donné ce jeu à Noël pour mes douze ans. Je dus ouvrir trois boîtes pour le retrouver.

– Tu veux une autre bière ? demanda Solène qui venait de terminer la sienne.

– Non, je vais sortir quelque chose de plus approprié, répondis-je avec un air mystérieux.

– Quoi ?

– Absinthe !

– Ooouuuh ! s'exclama Mélanie.

– Tu as des petits cubes de sucre ? s'enquit Solène qui semblait enfin dans de meilleures dispositions.

Je lui expliquai où ils se trouvaient et elle partit en chasse tandis que je déposais le jeu sur la table. Puis j'allai extirper la fée verte de sa cachette secrète. Solène vidait toujours mes bouteilles alors je les cachais.

– Apporte aussi une fourchette et des verres à *shooters*, Solène !

– Moi, qu'est-ce que je peux faire ? demanda Mélanie qui finissait d'épousseter la table.

– Va chercher le pot à lait et met de l'eau froide et des glaçons dedans.

J'ouvris la bouteille et déployai le jeu. Solène et Mélanie revinrent avec le matériel et on se versa chacune un *shooter* d'absinthe.

– Quelle question vas-tu poser ? demanda Mélanie, déjà très éméchée, en allumant son cube de sucre au briquet.

Pendant qu'on argumentait, je calai un autre *shooter*. Comme je voulais en finir au plus vite avec ce jeu stupide, j'acceptai la première proposition très précise – c'était important, affirma-t-elle – de Mélanie: « Qu'est-ce qui me manque pour avoir une vie personnelle plus épanouissante ? » Puis, de peine et de misère, car nous commencions à être toutes pas mal soûles, je mis les doigts sur la petite tablette trouée et pris quelques secondes pour faire semblant de me concentrer. Elles m'imitèrent. Enfin, je posai ma question en trébuchant sur les mots.

Au début, il ne se passa rien puis, à ma grande surprise, la tablette se mit à bouger. Elle fit : U, N, H, O, M, M, E.

– Vraiment, les filles ! lançai-je d'un air très dubitatif.

– Ce n'est pas moi, répondit Solène en se reculant sur sa chaise. Moi, j'aurais écrit « *des* hommes ».

– De toute façon, je suis certaine que c'est Mélanie, répliquai-je.

Je me tournai vers elle en lui faisant mon imitation de Sherlock Holmes :

– Ce ne serait pas une de tes expériences psychologiques que tu essaies sur moi ?

– Je m'insurge ! sursauta-t-elle en prenant un air offusqué. Je te jure que ce n'est pas moi.

– C'est toi qui voulais jouer ! argumentai-je. En plus, j'ai joué des dizaines de fois et ça n'a jamais bougé.

– Moi, je n'aurais jamais employé le mot « homme », fit valoir Mélanie. J'aurais plutôt utilisé le mot « amoureux ». Je crois que c'est toi qui as pondu ça.

Je restai estomaquée.

– C'est un complexe de Cendrillon refoulé ! affirma Solène.

Mélanie pouffa de rire. Super ! Je les raccommodais, mais c'était pour qu'elles s'en prennent toutes deux à moi.

– Très drôle ! Ce n'est pas moi, alors je sais que c'est l'une de vous deux. Voyons voir ce qu'elle répondra à la question suivante. Je mis mes mains sur la tablette. Elles s'approchèrent à leur tour.

– Comment me trouver un homme ?

La tablette resta immobile.

– Ha, ha ! Vous… commençai-je, mais je m'interrompis car la tablette se mit à bouger.

L, I, V, R, E, O, R, A, C, L, E.

– Livre oracle ? fîmes-nous en chœur.

– Dans quoi vous êtes-vous embarquées, les filles ? demandai-je en me levant pour aller changer de disque et sortir l'eau minérale. Elles m'assurèrent qu'elles n'y étaient pour rien, mais je ne les crus pas.

– Bon, ça ne mène nulle part, dansons, à la place, proposai-je.

La pièce danse déjà, alors pourquoi pas moi ? pensai-je en réprimant un haut-le-cœur.

– Pose une dernière question, au moins. Pour essayer d'éclaircir cette réponse, suggéra Mélanie.

Je soupirai et m'assis lourdement à la table.

– C'est la dernière question ! martelai-je pour être certaine d'être bien comprise.

Mélanie afficha sa face candide. Elle savait que je ne pouvais pas résister à celle-là. Je fis semblant de me concentrer pour lui faire plaisir.

– Où puis-je trouver le livre oracle ?

La tablette bougea tout de suite.

V, I, B, R, A, T, E, U, R, S, O, U, R, C, I, E, R.

Nous restâmes immobiles un moment, le temps de télécharger l'information et, quand on comprit, l'hystérie s'empara de nous.

Chapitre 9

Le vibrateur sourcier

Il nous fallut au moins vingt minutes pour nous remettre de notre fou rire. Ça nous donna l'impression d'avoir couru dix kilomètres. Et ce n'était que pour mieux recommencer, car Solène partit à la recherche de mon vibrateur et le ramena. Deux minutes plus tard, Mélanie revenait avec un foulard pour me bander les yeux. Il faisait encore 29 degrés dehors et elles voulaient que je porte un foulard ! Je perdais le contrôle de ma soirée.

De toute façon, j'étais si soûle que je me laissai faire.

En moins de deux, je me retrouvai les yeux bandés. Elles me firent tourner, elles partirent l'engin et elles s'écroulèrent de rire.

– C'est quoi, vous voulez absolument m'humilier ?

– *Come on*, Ju, on s'amuse !

Je me laissai guider par le vibrateur. J'avançai, mais mon tibia rencontra la table du salon. Je jurai pendant que je me remettais d'aplomb. Je contournai l'obstacle et poursuivis ma route d'un pas prudent. J'arrivai au mur. J'ôtai mon bandeau.

Mélanie s'était approchée pour voir ce que le vibrateur avait rencontré et elle poussa une exclamation intéressée.

– Qu'est-ce qu'il y a, sur ce tableau ? demanda Solène en désignant la toile où le vibrateur avait atterri.

– Il y a justement un livre.

Je m'approchai pour examiner la toile. Effectivement, on voyait un livre, mais il était si petit qu'on ne pouvait rien y lire.

– Wow ! Ça m'épate, continue ! m'encouragea Mélanie.

– C'est juste un hasard, ripostai-je.

Je commençais à en avoir assez.

– Après on danse ! promit Solène.

Je remis le foulard de mauvaise grâce et elles me firent tourner de nouveau. Je commençais réellement à avoir mal au cœur.

Cette fois, ce fut vraiment périlleux. J'allais probablement me retrouver avec de nombreuses contusions à la suite de cette petite expérience. Je faillis même me fendre une arcade sourcilière en faisant une rencontre douloureuse avec ma lampe suspendue. Mes amies, elles, rigolèrent beaucoup. Et je finis par rigoler aussi. Je parvins quand même par tomber sur quelque chose de bon car Mélanie s'exclama :

– Ooouuuh !

J'enlevai mon foulard et je m'aperçus que j'étais devant ma bibliothèque, où je gardais mes ouvrages de cuisine et quelques autres livres que je ne m'étais toujours pas résignée à jeter. J'agrippai le livre que le vibrateur avait désigné et lut le titre : *Comment se trouver un job en cinq étapes faciles.* C'était un livre bon marché qui avait été écrit avant Internet. Je crois que mon père me l'avait donné à mon entrée au cégep.

Mélanie m'arracha le livre des mains.

– C'est étrange, comme coïncidence.

– Laquelle ? demandai-je.

– On a parlé plus tôt de « gérer » sa vie personnelle comme sa vie professionnelle. J'ai même utilisé l'exemple d'une femme qui se cherche un emploi.

– C'est vrai ! approuva Solène en hochant pensivement la tête.

– En tout cas, le message est clair : pour avoir une vie personnelle plus épanouissante, tu dois te trouver un homme en suivant les étapes du livre que tu viens de trouver, trancha Mélanie qui dodelinait un peu sur le canapé.

– Tout de même ! C'est juste un jeu stupide, rétorqua Solène.

Mélanie répliqua, mais je n'écoutais plus. Je repris le livre et le regardai d'une autre manière. Je me sentis aussitôt ridicule, mais le mal était fait. J'avais l'impression de vivre quelque chose d'important. Je devais me prendre en main. Je voulais me reprendre en main. Si *On* m'autorisait encore à vivre, je voulais devenir heureuse. Et si ce que ça prenait, c'était de suivre les étapes d'un livre stupide, je saurais le faire !

Mélanie interrompit ma réflexion.

– Tu es ben blême, tout à coup. Es-tu en train de vivre une épiphanie ?

– Je suis juste complètement bourrée, dis-je en jetant le livre sur la table du salon. Dansons, maintenant.

– Ok ! Avant, je roule un joint, acquiesça Solène en reprenant son matériel.

J'allai mettre les B-52. Une demi-heure de sautillement intense nous remit d'aplomb. L'exercice m'avait presque complètement dégrisée.

– Je peux me faire un thé ? demanda Mélanie.

– Un thé ? Tu es malade. Tu n'as pas déjà assez chaud comme ça ? commenta Solène en s'épongeant le visage avec sa serviette de table.

– Vas-y. Tu sais où sont les sachets. Fais-en aussi pour moi, ajoutai-je. On va manger les sésamandes, on n'a toujours pas touché au dessert.

En fait, je n'avais plus envie de boire de l'alcool. Cela était assez inusité chez moi. Solène se versa un énième *shooter* d'absinthe. Mélanie revint avec mon plus beau service à thé, qui avait encore toutes ses tasses. Un miracle pour une fille maladroite comme moi.

Je nous servis pendant que Mélanie s'emparait du livre et commençait à le feuilleter. Elle tendit la main vers les pâtisseries et cueillit un sésamande dans l'assiette sans lever les yeux du livre. Je mis du Tom Waits et on chantonna jusqu'à ce que Mélanie décide de nous inclure dans sa lecture :

– Il y a des exercices à faire. La première question est : « Quel est le titre de l'emploi idéal pour vous ? »

– L'Homme idéal ! scanda Solène en imitant une présentatrice de prix dans un concours télévisé kitsch.

– C'est ça ! approuva Mélanie avec sérieux. Continuons avec la suivante.

Elle replongea son nez dans le livre.

– C'était juste une blague, tenta Solène.

Mais quand Mélanie était lancée, autant essayer d'arrêter un taureau avec une cuillère en plastique.

– « Décrivez les tâches de l'emploi idéal. »

– Vincent Marissal, criai-je comme si je participais au quiz télé.

– Qui ? demanda Solène.

– Vincent Marissal, chroniqueur politique à *La Presse* !

Solène et Mélanie me dévisagèrent un moment en silence.

– Tu aurais pu choisir Hugh Jackman, George Clooney ou Claude Legault, à la rigueur, si tu es juste intéressée par les produits du terroir, mais Vincent Marissal ? s'étonna Solène.

– Quoi ? Il est *cute* et en plus il est super intelligent ! me défendis-je.

– Je crois qu'il est marié, répondit Mélanie.

– Je sais, et pour moi, les hommes mariés, c'est terminé.

– Je reprends donc, continua Mélanie : « Décrivez les tâches de l'emploi idéal. » Et soyons sérieuses un instant, humm ?

Tom Waits répondit par la chanson *Little Trip to Heaven*. Je fis signe à Mélanie d'écouter la chanson.

– C'est ça que je veux, annonçai-je à la fin de la chanson.

Mes deux amies ne purent s'empêcher de sourire.

– Il faut que tu le verbalises par toi-même, s'obstina Mélanie.

– C'est un bouquin pour se trouver un emploi ! Le parallèle est difficile à faire, argumentai-je.

– C'est absurde, en effet ! appuya Solène.

Mélanie fit une moue d'exaspération. Je voyais bien qu'elle faisait ça pour moi. Pour m'aider. Et la chanson de Tom Waits m'encourageait.

– Bon, d'accord ! capitulai-je. Les tâches de l'homme idéal.

– On notera au rapport de la réunion que Solène, ici présente, déclara-t-elle en se désignant, trouve que c'est absurde. C'est pas comme ça qu'on se trouve un homme.

Mélanie poussa un soupir où perçait son impatience. Je m'empressai de répondre comme je pouvais :

– Il doit avoir un diplôme universitaire, faire beaucoup de *cash*, avoir moins de quarante-cinq ans, une bonne job, intéressante, les cheveux bruns et les yeux pâles, un joli cul, être disponible, bien s'entendre avec mes copines, me faire rire, aimer les voyages et les sorties au restaurant.

– On dirait que tu y as beaucoup réfléchi, commenta Solène avec une pointe d'arrogance qui me déplut.

– J'ai dit la première affaire qui m'est passée par la tête, rétorquai-je. Bon, on peut passer à autre chose, maintenant ?

– En tout cas, tes critères sont pas mal élevés, glosa Mélanie d'un air narquois.

Solène se resservit – encore.

– Troisième question. Ouf! C'est une pas facile, celle-là : « Faites le bilan chronologique de toutes vos expériences de travail passées. »

Solène frappa dans ses mains.

– À quel âge on commence et qu'entendons-nous par « expériences » ?

Au moins, elle pouvait se rendre utile pour cette question.

– Toute relation amoureuse ou sexuelle, proposa Mélanie.

– Ça va en faire beaucoup trop, répondis-je en cherchant l'heure des yeux.

– C'est vrai que t'es une salope ! chuchota Solène d'un ton suffisamment fort pour que je puisse l'entendre.

– Moins que ma mère ! Et moins que toi, assenai-je.

En près d'une heure, on avait terminé la liste. Il y avait cinquante-sept hommes. Il était trop tard pour continuer alors je les mis à la porte. Je me déshabillais en réfléchissant à une méthode de classement des hommes de ma vie quand une question me frappa : dans quoi m'étais-je encore embarquée ?

Chapitre 10

Jésus, mon amour

Dimanche : jour – 1

Je ne pris pas beaucoup de temps pour élucider cette question car je perdis connaissance en posant les fesses sur le bord de mon lit. Le lendemain matin – enfin, après-midi –, même si je m'étais couchée passablement tard la veille, je me sentais reposée et lucide. Toutefois, la question se faisait plus pressante. Dans quoi m'étais-je embarquée ? Le livre m'appelait depuis la table du salon pendant que je déjeunais : « Justiiiine ! Justiiiine ! Justiiiiiine ! »

Et je me sentais ridicule. Comme ma mère avec sa kabbale, son feng shui... Une fois par année, elle découvrait un nouveau gourou qui lui promettait de lui livrer les secrets de l'univers, elle s'investissait dans son mouvement jusqu'à en perdre tout sens de la réalité, elle se mettait à consommer drogues et médicaments pour atteindre le nirvana promis, pour finir en dépression qu'elle allait soigner dans un spa. Je fis une liste des pour et contre, et ce fut cet argument qui me décida à poursuivre l'expérience, finalement. Si je ne voulais pas finir comme ma mère, je devais changer. Si ce livre pouvait m'aider à avoir une vie personnelle plus épanouissante, j'étais prête à essayer. Après tout, qu'est-ce que j'avais à perdre ?

Je décidai de revêtir une jolie robe, de me maquiller et de prendre une grande couverture pour aller lire sur la petite île de l'étang du parc Jarry.

L'île, minuscule, était déjà très occupée par des familles heureuses et épanouies. Je m'installai cependant au soleil et j'entrepris de lire tout en m'efforçant de cacher la couverture du livre. Je parcourus l'introduction, terriblement ennuyante, sans comprendre comment tout ce charabia pouvait m'être utile. Malgré l'insignifiance des propos, j'avais au moins l'impression de faire quelque chose de bien pour moi. Cela témoignait du moins d'un certain espoir concernant mon avenir, lui, incertain.

Vers 17 h 30, je courus au marché pour faire quelques courses pour le souper. La chaleur assommante me donnait envie de me préparer une salade et je voulais de la roquette – une autre de mes dépendances. L'épicier me complimenta sur ma tenue et je me sentis comme sur un petit nuage. Je sortais de la SAQ lorsque je tombai sur Marc et sa femme. Elle m'avait malheureusement déjà repérée.

– Justine ! s'exclama-t-elle avec enthousiasme.

Elle était si enceinte qu'on aurait cru qu'elle allait exploser.

Tout mon petit bonheur s'écroula.

Je vis Marc arriver en vitesse, vert de peur, appréhendant ma réaction.

– Salut, Violaine, balbutiai-je, hésitant sur l'attitude à adopter.

Elle s'empressa de faire la conversation. Que je n'arrivais pas à suivre car une seule pensée allait et venait dans ma tête : pourquoi chercher un homme si c'était pour être trompée ?

Je prétextai un rendez-vous pour courir me réfugier chez moi.

Arrivée à la maison, je décidai de prendre un bain d'eau tiède pour me rafraîchir et surtout me calmer. J'étais au bord de l'hystérie. Cette expérience traumatisante avait eu pour effet de m'enlever l'envie de poursuivre l'expérience initiée la veille.

– Me trouver un homme, pff ! soupirai-je en me déshabillant.

J'avais quand même des sujets beaucoup plus préoccupants en ce moment, non ? Ma mort imminente devrait venir en numéro un. Je poussai un soupir lugubre. Moins de vingt-quatre heures avant la nouvelle. Je me roulai un joint, ouvris une bière et allai m'étendre dans ma petite piscine personnelle.

Je frottais mon vice au bout incandescent de mon briquet quand je fus prise d'un sentiment bizarre. Je regardai le joint d'un air suspect. Merde, et en plus je me sentais coupable de fumer ! Qu'est-ce qui m'arrive ? me demandai-je en tirant une bouffée qui fit voleter des bouts de cendre qui se décomposèrent instantanément en touchant la surface de l'eau. C'est vrai que je n'avais pas beaucoup de volonté quand il s'agissait de ma vie personnelle. Je me laissais plutôt porter par les événements. Mais il semblait que la vie se chargeait de toujours me ramener aux mêmes endroits sur la carte géographique de mes sentiments. Je revenais souvent à Honte et à Humiliation.

J'écrasai mon joint avant d'arriver au goût de carton. Peut-être que j'avais une tumeur au cerveau. Je frissonnai. Décidément, j'ai beaucoup de misère à relaxer, moi, me fis-je remarquer. Je passai un coup de fil à Mélanie.

– J'ai un peu mal à la tête ! répondit-elle en geignant.

– C'est tout ce que tu mérites après ce que tu m'as fait subir hier soir ! tranchai-je.

– Ben, ça a quand même été utile, non ?

Je ne répondis pas. Je savais qu'elle mourait d'envie de savoir si j'avais commencé à lire le livre, mais je voulais la faire mariner un peu. Douce vengeance. Je m'entendis rire comme le Docteur Terreur dans ma tête. Elle flancha immédiatement :

– As-tu commencé le livre ?

– Oui. J'ai lu l'introduction. Mais je ne comprends pas du tout comment c'est censé m'aider à me trouver un homme, grognai-je. En plus, aujourd'hui j'ai rencontré Marc et sa femme au marché.

– Ben merde !

– Tu l'as dit.

Il y eut un court silence.

– À quoi ça sert d'avoir un chum si c'est pour être trompée ?

– Oh ! Chérie ! Les hommes ne trompent pas tous leur blonde.

– Tu crois ? demandai-je d'un ton qui disait : convaincs-moi.

– C'est juste une tentation que t'offre la vie pour s'assurer que ta décision est bien ferme.

– Toi et tes élucubrations ésotériques...

– Insulte-moi pas ! fit-elle, faussement outrée. Élucubrations métaphysiques, s'il te plaît. Pour en revenir à ce que je disais, c'est ça ou c'est toi qui fais de l'autosabotage.

– Je préfère la première raison.

Nous avons continué à bavarder sur la fidélité. Mélanie pensait que son chum ne la tromperait jamais parce qu'il trouvait que mentir était trop compliqué. Elle me fit promettre de l'appeler aussitôt que j'aurais mes résultats et je raccrochai sur un sourire. Mélanie réussissait toujours à me faire sentir mieux. J'étais vraiment chanceuse d'avoir une amie comme elle.

Je sortis du bain d'un seul bond et me jetai sur le livre comme une désespérée. Je démarrai le ventilateur et m'étendis nue et toute mouillée sur le lit. J'entamai l'étape un: «Je travaille donc je suis...»

Je dévorai le chapitre 1 en trois quarts d'heure. La première partie où l'auteur faisait l'histoire du travail depuis l'Antiquité était intéressante, mais sans plus. Le reste du chapitre était un discours à la sauce psycho-pop sur l'importance de bien choisir *son* emploi idéal. Il y avait donc des exercices pour dresser le bilan de ses forces et de ses faiblesses. Puis le chapitre se terminait sur une présentation à propos des manières de faire son CV, où il y avait encore, bien sûr, d'autres exercices à faire.

Si, de façon générale, je voyais les parallèles entre le but que je souhaitais atteindre et le propos réel du livre – job idéal = homme idéal, entrevue = *date*, expériences de travail = relations avec les hommes –, dans le détail, je ne comprenais pas comment transformer les directives en actions concrètes. Par exemple, à la question 4, «Reprenez votre bilan et classez chacune de vos expériences par compétence et par fonction», que voulaient dire «compétence» et «fonction»? Toutefois, durant ma lecture, je me remémorai que j'allais devoir engager un nouvel assistant et cette pensée réussit à me persuader que cette lecture n'était pas aussi stérile que je le croyais. Je cessai de me sentir ridicule et j'y trouvai effectivement des pistes pour évaluer les CV des candidats et quelques bonnes questions à poser en entrevue.

Je me payai le luxe fou de me coucher à 21 heures à peu près sobre. C'est en fermant la lumière que je me remis à penser à l'histoire du travail et à extrapoler vers l'histoire des femmes en général. J'échafaudai la théorie suivante : comme depuis toujours dans l'histoire, jusqu'à il y a à peu près trente ans, les femmes n'avaient jamais eu le contrôle de leur destinée, leur sort ayant toujours été tributaire d'un homme, mari ou père, nous avions en quelque sorte toujours eu l'impression d'être *élue* par l'Homme. Et ce serait la raison pour laquelle j'avais l'impression de ne pas avoir le contrôle sur ma vie sentimentale. Merde ! C'était comme attendre la venue du Messie. Celui qui me sauvera de mon insignifiance. Qui magnifiera mon existence. Je n'avais pas du tout envie d'attendre d'être choisie. J'étais une femme moderne, moi. Moi aussi, je voulais choisir. Où es-tu, Jésus, mon amour ?

Chapitre 11

Enfin des résultats

Lundi : le grand jour

Au petit matin, deux minutes avant que le réveil fasse son office, je me réveillai en sursaut après avoir rêvé qu'une vieille excentrique ressemblant à ma mère, habillée en sous-vêtements à frou-frou en dentelle bleu électrique, me poursuivait avec un couteau de boucher en forme de Télétubbies en criant qu'elle allait me manger. Je l'avais vraiment bien vu. J'avais tout remarqué : sa chair flasque, ses chevilles épaisses, ses varices, le bleu électrique des sous-vêtements qui augmentait l'éclat bleuâtre de sa peau et qui donnait une impression de pourrissement contenu. On aurait dit que mon rêve avait été peint par Rubens.

Malgré mes émotions nocturnes, je me sentais plutôt bien. Je dirais même que je me sentais optimiste. Et il pleuvait ! J'avais presque envie de me prendre en photo pour célébrer l'événement. Je devais me rendre à l'évidence : ce livre me procurait une certaine tranquillité d'esprit. Il réussissait à me distraire de mes pensées morbides. Il fallait dire que j'avais eu d'autres sujets de préoccupation. Je me frappai le front.

– Marc !

J'avais oublié Marc. J'allais devoir l'affronter au bureau et je n'avais pas du tout pensé à la façon dont j'allais lui régler son compte.

Je décidai de partir plus tôt de la maison pour acheter à déjeuner à toute l'équipe et pour avoir le temps de jaser avec Mélanie. Je voulais arriver au bureau la première. Pour bien lui montrer qu'il était sur *mon* terrain. Un instant, je me demandai si je n'allais pas pisser dans tous les coins pour marquer mon territoire. Je ne savais pas du tout quelle attitude adopter. C'était un salaud, certes, mais j'allais devoir continuer de travailler avec lui.

J'allai chercher mon livre pour le mettre dans mon sac et m'habillai en vitesse.

J'arrivai au bureau à 7 h 30. Je sortis les croissants – trois sortes –, les plaçai dans des assiettes de service et fis couler l'abject café filtre que mes collègues s'entêtaient à ingurgiter. Ensuite, je grappillai un croissant au beurre pour tremper ses petites pattes dans mon café au lait et appelai Mélanie sur son cellulaire. À cette heure, j'étais certaine de la rejoindre dans sa voiture, se dirigeant vers son bureau du centre-ville.

– Salut, poussin ! dit-elle en prenant la ligne.

– Salut ! Faut que tu m'aides, lui annonçai-je sérieusement.

– À quoi ?

– Qu'est-ce que je fais quand je rencontre Marc au bureau, tantôt ?

– Huuuummmm ! fit-elle, saisissant instantanément le côté périlleux de la situation.

Elle réfléchit un moment et embraya :

– Tactique usuelle numéro 1 : l'évitement. Possible pour une courte période seulement. Numéro 2 : prétendre qu'il n'est rien arrivé. C'est hors de question. Sinon tu cautionnes son comportement. Numéro 3 : l'ignorer. Impossible car tes collègues finiraient par suspecter quelque chose. Donc la seule tactique envisageable, la numéro 4 : le planter de façon magistrale.

– Qu'est-ce que tu fais de la numéro 5 : hurler à la lune en essayant de conserver un air digne ?

– Hors de prix, madame ! Hors de prix !

– Entre-temps, qu'est-ce que tu ferais à ma place ?

– Je n'aurais jamais pu être à ta place. Moi, je n'aurais jamais eu une aventure avec lui.

– Oh ! Tu m'emmerdes !

– Dis-lui que tu es dans une phase de renouveau spirituel, que tu élimines toutes tes relations nocives et que tu dois donc cesser de le voir hors du bureau, répondit elle entre deux jurons à propos d'un pépé au volant d'une charrette.

– Pas très *magistral*, comme plantage.

– C'est ce que je peux te proposer de mieux. De nous deux, c'est toi qui as le superpouvoir de la répartie.

– Je vais continuer à le côtoyer tous les jours, je ne peux pas tout simplement décider de ne plus le voir.

– Ouais, déjà qu'ils ont viré Karine à cause de toi. En plus, il est le pourvoyeur d'une famille de cinq, tu ne peux pas le faire virer lui aussi.

– Je n'ai rien à voir avec le congéd...

Mélanie m'interrompit en se mettant à vociférer quelque chose de grossier à propos d'un parapluie et du chauffeur qui la précédait.

Elle se calma aussi rapidement qu'elle s'était emportée et poursuivit sans relever mon début de réplique.

– En tout cas, laisse-toi pas avoir par tes ovaires. Sois ferme ! Ne cède pas à ses yeux doux. Tu ne veux pas avoir de relation avec lui, il a déjà une famille et non seulement il te trompe, mais en plus, il n'est même pas mal à l'aise de t'avoir presque refilé une MTS.

Je savais tout ça, mais mis bout à bout cela me fit l'effet d'un coup de pelle dans le front. Je n'eus pas le temps d'encaisser car elle me demanda :

– À propos, as-tu fait tes devoirs ?

– Oui, moman ! Par contre, tu vas devoir venir m'aider. Si tu tiens tant que ça à me faire perdre mon temps avec toutes ces niaiseries, tu vas t'impliquer. Ce soir, on va au resto ! ajoutai-je avant qu'elle n'essaie de se défiler.

Elle se laissa facilement convaincre. Elle me proposa de venir me cueillir au bureau et d'aller souper à L'Assommoir, sur Bernard.

Je terminai l'appel et rangeai mon cellulaire dans ma poche pour être certaine de ne pas manquer l'appel crucial. Justement, Muriel arrivait à l'instant. Elle eut un sourire ravi à la vue des croissants. Je sentais que j'allais devoir me retaper l'histoire de son eczéma.

Marc arriva avec une demi-heure de retard. Il fila directement à son bureau en voyant le comité de réception que nous formions, tous agglutinés les uns contre les autres autour de la table de la cafétéria. Je croyais être la seule à l'avoir remarqué, mais aussitôt qu'il disparut, la conversation baissa d'un cran et prit brusquement le ton de la confidence. Je constatai que tout le monde parlait de lui.

Les commentaires étaient vraiment durs et impitoyables. Étant donné mes antécédents, je devins rapidement mal à l'aise. J'eus envie de m'enfuir vers les toilettes, mais je réussis à me contenir et à faire dévier la conversation vers les projets d'émissions de la prochaine saison.

On continua à jacasser jusqu'à 10 heures et, malgré la pénible irruption de Marc, mon déjeuner fut un succès. J'eus droit à une effusion de remerciements. Maurice vint me féliciter de l'initiative et il proposa même de me rembourser les croissants.

Si, jusqu'à présent, j'ai réussi à éviter de me retrouver seule avec Marc, me dis-je en rejoignant mon bureau après avoir fini de laver la vaisselle du déjeuner, l'évitement est une solution non durable. J'allais devoir lui parler un jour. Et je ne voyais pas du tout comment j'allais l'aborder.

Je venais de poser mon cul sur ma chaise lorsque mon cellulaire se mit à vibrer. Je regardai le numéro affiché et mon cœur fit une embardée quand je constatai qu'il s'agissait d'un numéro inconnu.

– Oui ?

– Bonjour, Justine Roberge ?

– C'est moi.

– Ici la secrétaire du docteur Wells. Vos tests sont tous négatifs. Vous n'avez rien du tout.

Je me sentis soudainement si légère que j'agrippai le bord de mon bureau de peur de m'envoler. J'avais droit à une deuxième chance.

– Allo ? s'inquiéta la dame.

– Merci ! Merci beaucoup ! Bonne journée ! lui débitai-je rapidement d'un ton extatique avant de raccrocher.

Je restai bêtement assise pendant au moins dix bonnes minutes à sourire béatement à mon écran d'ordinateur. Puis je laissai des messages à mes amies et à ma mère et décidai que je n'étais pas obligée de parler à Marc aujourd'hui. Je voulais profiter de la bonne nouvelle que je venais de recevoir au moins quelques heures. Je pouvais aisément réussir à l'éviter pour le reste de la journée. Cette décision prise, je me mis en mode travail. Je sortis les CV que j'avais accumulés au cours des dernières années et commençai à éliminer les trop vieux. J'avais un assistant à engager.

À midi, j'avais fait une présélection de six candidatures et j'avais transmis mon annonce à plusieurs moteurs de recherche d'emploi. Je décidai de sortir dîner seule car je ne pouvais plus supporter les ragots au sujet de Marc et de sa relation extramaritale. Je pris donc le chemin du restaurant viet. Je mangeai une soupe tonkinoise en relisant un des premiers exercices de l'étape 1 où il fallait établir la liste des tâches de l'emploi idéal.

Je pris mon Moleskine et transcrivis la description que j'avais faite samedi soir. « Avoir un diplôme universitaire, faire beaucoup de *cash*, avoir moins de quarante-cinq ans, une bonne job, intéressante, les cheveux bruns et les yeux pâles, un joli cul, être disponible, bien s'entendre avec mes copines, me faire rire, aimer les voyages et les sorties au restaurant. » Je soupirai comme si je voulais complètement me vider de tout l'air qu'il y avait en moi. Si je comparais cette description avec la liste des hommes de ma vie, il fallait avouer que j'avais presque toujours obtenu tout ce que je demandais. Cela ne m'avait toutefois pas empêchée de tomber sur des hommes qui ne voulaient pas s'engager ou sur des salauds. J'allais devoir réviser ma description. Et ne plus décrire l'homme idéal en termes d'attributs, mais plutôt en fonction de ses qualités personnelles.

J'avais l'intention de transformer chacun de ces points en qualités, mais je jetai un œil à l'écran de télé muet qui projetait les nouvelles en direct de LCN. Il était 13 h 30 et je devais retourner au bureau. Je pouvais présumer que tout le monde serait rentré à présent et que Marc aurait probablement gagné son antre.

Contre toute attente, personne n'était encore de retour à part Marc, que je surpris alors qu'il était en train de remplir son immense bock à la fontaine de la cafétéria. Un instant, il eut l'air d'un chevreuil hypnotisé par les phares d'une voiture. J'eus pitié de lui alors, comme j'étais heureuse et que je me sentais magnanime, je marchai à sa rencontre d'un air avenant.

– Mes tests sont négatifs, lui annonçai-je en attrapant un cône en papier.

Il m'ignora totalement et continua de remplir son bock. Je sentis mes joues rougir.

– C'est vrai que pour moi, le condom est essentiel. Ce qui n'est pas ton cas, à ce que j'ai pu constater ! balançai-je.

– Tu trouves pas que t'en as assez fait ?

– Qu'est-ce que *j'ai* fait ? demandai-je en haussant le ton.

– La scène des toilettes... Allo ?

Misérable minable. Non seulement il ne se sentait pas coupable de tromper sa femme et de me tromper, mais en plus il me traitait comme si c'était lui la victime. Je sentis naître en moi une rage incontrôlable.

– Non seulement tu n'es pas foutu d'arriver à une heure décente à tes rendez-vous, mais en plus, tu me trompes alors que je suis à peine à six mètres de toi ?

– Prends-toi pas pour ma blonde, me répondit-il en me regardant enfin dans les yeux. J'en ai déjà une. Je ne veux pas avoir la responsabilité de ton propre bonheur. J'ai déjà celui de ma famille à m'occuper.

Il m'aurait frappée que je n'aurais pas été plus insultée. J'étais en furie. J'aurais voulu le crucifier au mur de la cafétéria. J'entendis mes collègues arriver, qui, je l'appris plus tard, rentraient d'un dîner collectif. Marc retraita lentement vers la porte qui permettait d'accéder à l'étage avec un petit sourire de triomphe qui me fit perdre les pédales. J'attendis que mes collègues soient à portée d'oreille et, juste avant qu'il ne quitte la pièce, je criai bien fort:

– Moi, je ne suis pas hypocrite: je voulais que tu saches que je trouve ça écœurant ce que tu as fait à ta femme!

Mes collègues envahirent la cafétéria. Pendant quelques secondes, j'eus l'impression d'avoir des pouvoirs magiques. C'était comme si avec ces mots j'avais délié les langues. Tout le monde se mit à le houspiller en même temps. Marc se rua dans les escaliers. Hé, hé, hé!

Je passai l'après-midi à chercher des traces de mes candidats sur la Toile. Avec les résultats de mes recherches, je parvins à éliminer deux sujets, une fille, car elle faisait partie d'une secte wiccan et que j'avais déjà assez d'une folle ésotérique – ma mère – dans mon entourage, et un gars, parce qu'il était trop *cute* – j'avais trouvé des photos de lui sur Facebook. J'avais eu une preuve flagrante aujourd'hui qu'on ne pouvait pas me faire confiance à ce sujet. Il valait donc mieux éviter les tentations.

Avant la fin de la journée, j'avais réussi à me sentir coupable d'avoir ostracisé Marc. Mais, bizarrement, je constatai que personne n'avait ramené ce sujet dans la conversation de l'après-midi. Peut-être que mon intervention avait permis de crever l'abcès.

Chapitre 12

Fonctions et compétences

Toujours lundi

– Meuh ! fit Mélanie en suivant le serveur vers la seule table libre. Pis, pis, pis ?

– Il s'est sauvé dans son bureau.

Mon amie se mit à applaudir.

– Magistral ! Bravo !

– Arrête, je me sens coupable.

Mélanie en suffoqua de surprise. Je tentai de lui venir en aide en lui tapant dans le dos. Heureusement, le serveur nous apporta de l'eau avec les menus.

– Franchement ! réussit-elle à couiner.

– En tout cas, je crois que je devrais apprendre à vivre seule plutôt que de chercher un homme. Ce serait plus productif.

– Mélanie ! lança une voix masculine dans mon dos.

Un homme se glissa à ma droite et se pencha vers Mélanie pour l'embrasser. Houuuuuuu !

– Bernard ! s'étonna Mélanie.

– On est dus pour se rencontrer cette semaine, continua-t-il en tournant son regard vert pâle vers moi. Je vais commencer à penser que c'est un signe.

Puis il tira un banc et s'assit avec nous. Mélanie se décida enfin à me le présenter.

– Justine, voici Bernard, on était voisins quand on était jeunes. Nos parents sont encore voisins, d'ailleurs. Habituellement, on ne se voit qu'aux fêtes, mais on s'est rencontrés trois fois par hasard en ville, cette semaine.

Ils échangèrent leurs pensées sur le sujet, mais moi je n'écoutais plus : j'étais en transe. Je détaillais ce beau spécimen masculin sans aucune gêne. Heureusement qu'il ne me regardait pas car je devais avoir de la bave qui coulait aux commissures des lèvres. Mélanie, elle, toutefois, me voyait et elle finit par me faire comprendre de changer de face. C'est que le monsieur avait tout pour me plaire. Les cheveux bruns bien coupés, les traits fins, beau costard – Hugo Boss. Il était mince, mais musclé. Bref, il était très beau. Grrr ! Mais je me secouai. Car s'il me plaisait physiquement, ce n'était pas suffisant. Je tentai de me concentrer sur la conversation. Malheureusement, il se levait déjà.

– Je dois y aller, on m'attend. J'aimerais beaucoup continuer à jaser. Si on soupait ensemble, bientôt ?

Mélanie sauta sur l'occasion comme un militaire américain sur un sosie de Ben Laden.

– Demain soir, si tu veux, mon chum est absent et j'ai justement invité Justine à souper à la maison.

– C'est parfait, répondit-il en me faisant un sourire qui me donna envie de battre des cils.

Il sortit sa carte et la tendit à Mélanie. Puis il m'en présenta une à moi aussi. Mon amie me donna un coup de pied sous la table.

– Envoie-moi ton adresse par courriel, dit-il à l'intention de Mélanie. À demain, ajouta-t-il en disparaissant.

– C'est qui, lui ? C'est qui, lui ? C'est qui, lui ? criai-je presque au moment où la porte du restaurant se refermait sur Bernard. Pourquoi tu ne me l'as jamais présenté ? Pourquoi ?

– C'est un copain d'enfance. C'est pas le genre de gars à rester longtemps sans une blonde. J'ai cru comprendre qu'il vient juste de se séparer de la dernière en date. Lui, c'est un super bon gars.

Elle me regarda dans les yeux et ajouta :

– Ne le sabote pas, celui-là !

Je levai les bras au ciel.

– Ça suffit, le sabotage ! Pourquoi vous me dites toujours que je fais de l'autosabotage ? Je n'ai tout de même pas ce genre de pouvoir sur les choses.

– Oui, répondit-elle d'un ton qui n'admettait aucune réplique.

Je décidai de laisser tomber, c'était de la salive gaspillée. Le serveur vint prendre nos commandes. Comme nous n'avions ni l'une ni l'autre encore ouvert le menu, nous choisîmes nos plats sur l'inspiration du moment.

– Parle-moi de lui, continuai-je une fois que le serveur eut déguerpi.

– Il est vice-président aux finances pour une grosse compagnie de multimédia.

Elle sembla réfléchir un moment.

– Je ne crois pas que c'est un gars pour toi. Il est un peu trop sérieux, ajouta-t-elle à regret.

– Ben quoi, faut-il absolument que je me tape des maniaques ? Je mérite un gars sérieux.

Mélanie sursauta.

– C'est certain, ma chérie ! Je ne disais pas ça pour toi. Je crois juste que tu le trouveras un peu plate.

– Plate comment ? me renfrognai-je, soudainement déçue.

– Il a dû fumer du *pot* deux fois dans sa vie et c'est probablement la chose la plus « rebelle » qu'il ait faite.

– Et puis ? demandai-je en me redressant. C'est parfait : les contraires s'attirent. On va se compléter. En plus, pour une fois que je sors de mon *pattern* de trou de cul, je ne vais surtout pas laisser ce beau spécimen me passer sous le nez sans tenter ma chance.

Mélanie éclata de rire. Puis elle leva son verre :

– Aux gars sérieux !

– Aux gars sérieux ! répétai-je.

Le serveur rappliqua avec nos entrées. Je salivai en voyant la grosse tranche de foie gras au torchon.

– Revenons au programme de la soirée, rumina Mélanie en mâchouillant sa salade. Sors ton livre.

Je sortis plutôt mon Moleskine, où j'avais retranscrit les questions du livre. J'avalai une gorgée de vin pour cacher mes joues rosissantes. Je sentais mes bonnes résolutions ramollir à toute vitesse.

– Continuons plutôt à parler de Bernard, proposai-je pour faire diversion.

– Tu m'as fait venir ici dans un but précis, rétorqua Mélanie. Ne lâche pas maintenant que tu as un *prospect* !

– Bon, ok, maugréai-je.

J'enfournai une grosse bouchée de foie gras pour tenter de retarder l'inévitable.

Mélanie ramassa mon carnet et se mit à le feuilleter. Je le lui arrachai des mains pour lui trouver la bonne page et le lui rendis en lui faisant les chiffres 2 et 5 avec mes doigts. Elle prit une gorgée de vin et lut :

– « Décrivez les tâches de l'emploi idéal. » Et : « Dressez la liste de vos forces et faiblesses en fonction des tâches de votre emploi idéal. »

Elle leva les yeux pour me regarder, mais son regard se fixa sur quelque chose derrière moi. Je me retournai et aperçus Solène qui était en train de garer sa voiture.

– Tu l'as invitée ? demanda froidement Mélanie.

– Je lui ai raconté nos plans, mais je ne l'ai pas formellement invitée. Je lui ai dit qu'on se rencontrait ici pour parler du livre et des exercices. J'étais certaine qu'elle ne voudrait pas venir. Ça a tellement l'air de l'emmerder.

Solène pénétra dans le restaurant. Elle s'approcha de notre table et posa les yeux sur mon carnet. Elle afficha un air déçu.

– Vous êtes encore là-dessus ?

– On commençait, répondit Mélanie, cinglante.

Solène était d'un sans-gêne vraiment horripilant. La colère me monta au visage. Elle sembla enfin noter notre humeur peu engageante.

– J'ai bouclé un gros *deal* aujourd'hui et je voulais fêter ça avec vous. Mes deux meilleures amies, ajouta-t-elle d'un air implorant.

Que répondre à ça ? J'avais monopolisé l'attention du trio dans la dernière semaine et Solène en avait visiblement marre. Même Mélanie sembla soudainement la prendre en pitié car elle lui tira un tabouret entre nous deux. Je savais que Mélanie se sentait coupable des sentiments qu'elle avait envers Solène. Et Solène venait d'appuyer sur le bon piton. Nous la félicitâmes donc avec un enthousiasme un peu feint.

Solène se jucha sur son tabouret et le serveur lui fit une place pendant qu'elle nous relatait sa journée.

– Toi aussi, tu as de quoi fêter. On pourrait aller danser en ville, après le resto ? proposa-t-elle en levant son verre.

– Oh non ! m'écriai-je un peu vivement. J'ai eu assez d'émotions, dernièrement, je veux m'en remettre. Ce soir, je me couche tôt.

– Ça fait longtemps qu'on n'est pas sorties ensemble toutes les trois, plaida-t-elle.

– On va sortir toutes les trois ensemble samedi prochain au garden-party de mes parents, rétorquai-je, affichant un air incorruptible.

Le serveur vint desservir et prendre la commande de Solène, qui s'éclipsa ensuite vers les toilettes.

– Je ne pense pas qu'on va réussir à parler des exercices ce soir, dit Mélanie en fermant sèchement mon Moleskine.

Je me renfrognai. Solène revint. Comme elle n'avait même pas eu le temps de baisser son pantalon, j'en déduisis qu'elle était allée se faire une ligne. Son regard incisif me le confirma. Elle avisa mon carnet fermé et l'agrippa.

– Je veux voir les questions. On est là pour ça, non ?

Je lui repris le carnet d'un geste rageur. Je trouvai la page et elle me l'arracha des mains de la même façon. Elle les lut rapidement.

– On en était rendues à classer tes relations par compétences et par fonctions.

– Ce n'est pas de celle-là que Justine voulait qu'on discute… commença Mélanie.

Je l'arrêtai d'un geste d'apaisement.

– Vous pourriez m'aider à établir les catégories ?

Le serveur vint remplir nos verres et Solène lui commanda une nouvelle bouteille de rouge. J'avais renoncé à faire cet exercice, mais je sentais que c'était la seule façon de garder la paix entre mes deux amies.

– J'ai du mal à faire la conversion. Dans mon cas, qu'est-ce que veulent dire « compétence » et « fonction » ?

– Qu'est-ce que le livre en dit ? demanda Mélanie.

Je lui fis une moue d'impatience.

– C'est le livre oracle ! fit-elle valoir.

– C'est certain que dans le cas d'un emploi c'est facile à comprendre. Les compétences, ce sont les habiletés dont on a à faire preuve pour remplir ses tâches, et la fonction, c'est le titre qui décrit l'emploi.

– Moi, je comprends ! s'exclama Solène en levant la main. Par exemple, pour les aventures d'un soir, les compétences seraient: être belle, désirable, divertissante. Et la fonction: « Catin ».

Je m'offusquai.

– Je l'appellerais plutôt: « Divertissement charnel ». Pour les compétences, je suis d'accord.

Elles pouffèrent de rire.

– As-tu ta liste ? demanda Mélanie.

J'attrapai mon carnet et allai la puiser dans la petite pochette. Je la dépliai et sortis mon crayon. Je mis un gros D à seize endroits.

– Dans les fonctions, j'ajouterais: « Grand Amour » ! proposa Mélanie.

– Ah oui ! m'écriai-je en me jetant sur ma liste.

Je fus déçue de n'attribuer la lettre A qu'à cinq relations, dont deux s'étaient déroulées à l'école primaire et deux à l'école secondaire.

– Et quelles en seraient les compétences ? s'enquit Solène d'un air sarcastique.

– Je ne les ai visiblement pas car aucune de ces relations n'a fonctionné, ironisai-je.

Mes deux amies s'esclaffèrent à nouveau. Puis nos assiettes nous furent servies. Tout avait l'air délicieux. J'avais commandé une côtelette d'agneau. Après une entrée de foie gras ! Décidément, c'était ma soirée carnivore. Heureusement que je n'avais pas de problème de poids. Je n'avais peut-être pas mon « poids santé », mais j'avais mon « poids santé mentale ». Je pouvais manger ce que je voulais sans faire d'exercice, je ne prenais jamais un gramme. Je n'en tirais toutefois aucune gloire personnelle car, comme l'écrivait San-Antonio, « les filles maigres n'impressionnent que les filles grosses ».

Nous continuâmes à « catégoriser » mes relations passées en mangeant. Dans la catégorie fonction, nous avions ajouté « Exploration », dans laquelle j'incluais toutes mes passades prépubères et adolescentes – dix relations. Nous avons aussi ajouté les catégories « Ennui » – quatre relations – et « Complexe du sauveur ou *bad boys* » – sept relations. Et tout ça avec les compétences correspondantes.

Nous fûmes distraites de la conversation par le serveur. Il jeta un regard en biais à Solène. Je ne comprends pas pourquoi tous les serveurs tombent en extase devant elle, songeai-je.

– Dessert, café ? proposa-t-il en ramassant nos verres vides.

Solène et Mélanie cédèrent à l'appel du sucre ; moi, je me contentai d'un allongé.

– Lis-nous la liste de ceux qui n'ont pas encore de catégorie, demanda Mélanie.

Je lui énumérai les neuf noms, qui incluaient notamment celui de Fritz, puis un silence s'installa. J'examinai ma liste.

– Il y en a six que je pourrais mettre dans la catégorie « Erreur sur la personne », tentai-je.

Mes amies rigolèrent. Je m'expliquai :

– J'ai été en amour avec chacun d'eux mais, après une relation courte, intense et très douloureuse, j'ai dû me rendre à l'évidence que la personne de laquelle j'étais tombée amoureuse n'existait pas.

Mélanie et Solène restèrent pensives quelques instants avant de se mettre à ergoter pour établir si « Erreur sur la personne » pouvait être une catégorie. Solène opposa son veto, arguant que de toute façon on ne connaissait jamais vraiment la personne avec qui on était. Ce avec quoi Mélanie était en désaccord le plus total.

Quand les desserts et les cafés nous furent servis, il me restait toujours neuf relations non classifiées et, si Mélanie était prête à poursuivre, Solène, elle, commençait à en avoir assez. Nous goûtâmes toutes aux deux desserts et passâmes nos commentaires. Mais même quand il s'agissait seulement de pâtisserie, Mélanie et Solène ne s'entendaient pas.

– Répète-moi encore les noms, réclama Mélanie entre deux gémissements de pur bonheur.

Je m'exécutai.

– Jean Perrin, je le mettrais dans la catégorie « Vengeance », trancha Solène. Tu es sortie avec lui juste parce que c'était l'ex de ton ancienne patronne, que tu détestais.

– Je le trouvais intéressant, m'écriai-je.

Solène et Mélanie me dévisagèrent en haussant les sourcils.

Le couple à la table voisine semblait trouver que nous parlions trop fort car ils nous envoyèrent tous deux une œillade assassine. Je baissai le ton.

– Mais tu as un peu raison. Même si je trouve ça difficile de l'admettre.

Solène nous demanda nos plans pour le lendemain soir et nous fûmes obligées de lui parler de notre rendez-vous avec Bernard. Elle attendit un moment une invitation qui ne vint pas. Un malaise s'installa. Son regard se durcit. Mélanie préféra regarder ailleurs. Je vidai mon allongé d'un trait et me levai pour aller régler la facture.

Les salutations entre Mélanie et Solène furent plutôt froides. Si elles étaient un couple, je prédirais un divorce imminent. Je devais me rendre à l'évidence : notre trio infernal n'existait plus. Ça me brisait le cœur. Elles étaient ma famille. Le seul élément de stabilité émotionnelle dans ma vie. J'espérais juste qu'elles ne me feraient pas choisir entre elles pour conserver leur amitié. Je ne voulais pas y penser, mais je connaissais au fond de moi-même la gagnante, dans cette éventualité.

Mélanie me raccompagna à la maison. Durant le trajet, nous eûmes le temps d'imaginer deux nouvelles catégories. Selon Mélanie, Fritz, Grégory, Jean et Jean-Louis appartenaient à la catégorie « Plan cinglé » car toutes ces relations avaient un autre but que celui de la relation elle-même. Comme Fritz, avec qui j'avais couché juste pour qu'il s'en aille, ou Jean, avec qui j'avais eu une relation par vengeance, ou Grégory, avec qui j'avais passé la nuit par compassion – il venait de se faire larguer par sa blonde. J'avais voulu classer Émile, Juan, Forrest, Victor et Sébastien dans la catégorie « Grand Amour non réciproque », mais Mélanie y avait opposé son veto et avait décidé plutôt de la nommer « Acharnement thérapeutique ». C'était ça ou « Dépendance affective » et j'étais juste trop fatiguée pour argumenter. De toute façon, nous arrivions au coin de ma rue.

– Voilà ! dit-elle en se garant en face de mon immeuble.

Elle se tourna vers moi.

– Ça fait vingt-cinq ans qu'on se connaît et j'ai encore l'impression d'avoir manqué de temps pour te raconter tout ce que j'avais à te dire. C'est fantastique, non ? Je ne pourrais pas en dire autant de Solène, par contre, ajouta-t-elle.

Je n'avais pas tellement envie de m'étendre sur le sujet. Ça me faisait trop de peine alors je l'embrassai et me roulai hors de la voiture en la remerciant d'avoir fait le détour pour me ramener chez moi. J'ai décidément exagéré avec le gras ce soir, me dis-je. Je n'avais qu'une envie : me déshabiller et fumer un joint sur le divan.

Je grimpai les marches avec difficulté. La porte s'était à peine refermée que j'envoyais valdinguer mes vêtements. Je m'affalai sur mon divan et fumai en songeant aux résultats de l'exercice de la soirée. Je constatai qu'en définitive, j'étais surtout très compétente pour être belle, disponible et divertissante. C'était un peu affligeant. Je fis défiler la liste des hommes de ma vie sur mon écran mental. Allais-je un jour réussir à briser mon *pattern* de trous de cul ? Je repensai à Bernard et un sourire étira mes joues. Avec lui, j'avais peut-être une chance. C'était un bon gars. Je savais qu'il était prêt à s'engager. Il avait à peu près toutes les caractéristiques que j'avais dressées de l'homme idéal et, demain, j'avais rendez-vous avec lui.

Chapitre 13

Bernard(s)

Mardi

Je bondis hors du lit aux premiers assauts de mon réveil matin. Je me sentais excitée comme une adolescente en rut à l'idée de revoir Bernard et je voulais avoir suffisamment de temps pour me déguiser pour l'occasion. Contrairement à mes habitudes, je décidai de déjeuner avant de m'habiller pour prendre le temps de réfléchir à la tenue que j'allais enfiler pour le séduire, mais je me mis plutôt à rêvasser à la rencontre. Avant la fin de mon café, j'avais tout imaginé. Du gros coup de foudre qui rendait con à l'immense déception en découvrant qu'il collectionnait les figurines de *Star Wars*.

Je me fis tout de même le grand jeu. Je me rasai aux endroits stratégiques, me mis du vernis à ongle, me parfumai. J'enfilai mes chaussures à 400 dollars et la robe qui me faisait le plus beau décolleté. Je me maquillai soigneusement. Je préparai un sac avec ma trousse à maquillage, quelques sparadraps – chaussures à 400 dollars – et un string de rechange – au cas. Je m'assurai aussi d'y ranger mon livre oracle pour poursuivre ma lecture.

Je commençai d'ailleurs le chapitre 2, « Réseau, quand tu nous tiens », dans le métro, où je parvins à trouver une place assise. Il y était question de faire savoir à tout mon entourage que je me cherchais un emploi afin de dénicher des postes non encore affichés. Avec Bernard, je me considérais en avance sur mon programme. J'étais plutôt fière de moi !

On me fit maints compliments sur ma robe au bureau. Ça ne faisait pas quinze minutes que j'étais arrivée que tout le monde savait que j'avais un rencard. J'espérais que la rumeur se propagerait jusqu'à Marc.

Je sortis mes dossiers pour me préparer au marathon de réunions de préproduction auxquelles je devais assister les trois prochains jours, mais je manquais de concentration. Je ne pouvais m'empêcher de penser au souper à venir et à mon hypothétique futur avec Bernard. Je n'avais qu'une envie : dessiner des petits cœurs et écrire « Justine + Bernard » au centre. J'avais l'impression d'avoir de nouveau seize ans. À 11 heures, mon cellulaire se mit à vibrer.

– Chériiiiie ?

Elle ne me laissa pas le temps de répondre.

– Attends un peu, je me gare.

Elle s'absenta près d'une minute puis reprit la communication.

– Je reviens d'un séminaire de yoga dans les Cantons-de-l'Est. Une nouvelle sorte. Ça s'appelle le yoga anamnesis. Ils t'enseignent des mouvements pour te remémorer tes incarnations passées. C'était très intéressant. Je me suis souvenue que j'ai été une princesse égyptienne sous Akhénaton. J'ai eu une mort violente. J'ai compris beaucoup de choses à propos de moi-même.

Je me retins pour ne pas exploser de rire.

– Je vais devoir y retourner. Je sens qu'il y a encore plein de choses qui veulent revenir à la surface. Alors, comme ça, tu n'es pas malade ? Que t'avais-je dit ?

– Je…

Je l'entendis parler à une autre personne.

– Jackson, allez chercher mes bagages dans la voiture, s'il vous plaît, dit-elle avant de me revenir. N'oublie pas le garden-paaaarty de samedi soir. Je te laisse, mon bijou, je dois revoir toute la décoration.

Elle m'adressa deux gros bisous qui me vrillèrent les tympans et elle raccrocha. Une princesse égyptienne !

Pendant mon heure de dîner, je poursuivis ma lecture du chapitre 2. L'auteur nous suggérait d'emprunter la technique de vente des publicitaires, l'AIDA, pour nous aider à décrocher un nombre maximal d'entrevues d'embauche. « A », c'était pour attirer l'*a*ttention, « I », pour susciter l'*i*ntérêt, « D », pour provoquer le *d*ésir de me rencontrer, et « A », pour passer à l'*a*ction en me proposant de me rencontrer. J'essayai de retenir l'acronyme dans le but de l'utiliser le soir même pour que Bernard tombe follement amoureux de moi. Hé, hé, hé ! J'avais vraiment seize ans d'âge mental, ce jour-là.

L'après-midi passa avec une lenteur effroyable. J'avais l'impression d'être de retour au secondaire quand, lors d'un cours particulièrement ennuyant – catéchèse : « Voici l'étymologie du mot "Église" » –, je regardais les secondes s'égrener avec le désagréable sentiment que la fin de la journée n'arriverait jamais. J'appelai Solène pour passer le temps, mais elle était en rendez-vous. Quand Mélanie passa enfin me chercher, j'étais pratiquement au bord de la crise de nerfs.

– Tu vas rester habillée comme ça ? demanda-t-elle en m'examinant des pieds à la tête.

– Oui, pourquoi ? fis-je, mi-intriguée, mi-vexée.

– Ben... Bernard est habitué de sortir avec des filles plus...

– Plus quoi ?

Elle sembla chercher le mot juste, puis elle fixa ma robe rose framboise.

– Pastel ?

– Qu'est-ce que tu veux dire ? demandai-je, résolument vexée.

– Poussin, ne te fâche pas, je t'ai avertie qu'il était plate. Il est plate aussi dans son choix de filles.

Je me calmai. Mélanie soulevait un point intéressant. Je comprenais ce qu'elle cherchait à me dire et je craignais qu'elle m'accuse encore de tentative d'autosabotage.

– Tu me trouves trop pitoune ?

– Ne te méprends pas : moi, je te trouve magnifique. Mais sa dernière blonde portait encore des colliers de perles et des épaulettes.

– Je vois ce que tu veux dire.

Nous restâmes silencieuses quelques instants.

– Je vais jouer la carte de la nouveauté, m'exclamai-je soudainement. Ça marche bien, en politique. Mon slogan sera : Ça n'a pas marché avec l'ancienne formule, essayez la nouvelle !

Mélanie se mit à rigoler.

– Ça peut réussir ! plaidai-je.

Je lui racontai ma tactique tirée du AIDA : attirer son attention grâce à mon décolleté vertigineux, susciter son intérêt par ma personnalité fascinante et divertissante, provoquer son désir de me revoir en l'aguichant au maximum et l'inviter à me proposer un souper en tête à tête en me rendant très disponible.

Mélanie s'esclaffa.

– Essaie donc plutôt: attirer son attention en l'invitant à parler de lui, susciter son intérêt en jouant les mystérieuses, provoquer son désir de te revoir en faisant la fille difficile et l'inviter à passer à l'action en lui parlant d'un prétendant prêt à tout pour te mettre le grappin dessus ?

On pleura de rire à force d'inventer de nouvelles définitions farfelues et il me fallut refaire mon maquillage une fois parvenue chez mon amie. Je la rejoignis ensuite à la cuisine et l'aidai à cuisiner le souper. Elle nous avait composé un gueuleton fort appétissant. En entrée, il y avait un carpaccio de bœuf aux copeaux de parmesan, comme plat principal, un ceviche de turbot avec de la guacamole, et pour dessert, des crèmes brûlés à l'érable. Miam !

Bernard arriva à l'heure. Bon point pour lui. Mélanie s'arrangea pour nous laisser en tête-à-tête le plus souvent possible, prétextant devoir s'éclipser à la cuisine pour préparer les plats. On discuta surtout travail. C'était un sujet neutre et facile à gérer. Je lui racontai les aléas de la vie d'une directrice de production et lui me parla de sa boîte. Je crois avoir su lui démontrer mon intelligence par des commentaires judicieux. Toute la soirée, il se montra curieux à mon endroit, me demandant mon avis sur plusieurs sujets. Je devais toutefois me rendre à l'avis de Mélanie. Il était un peu plate. Cependant, c'était un plate rassurant. Ce que je trouvais très attirant, pour une fois. Il était poli, bien dans sa peau et semblait sain d'esprit. Cela me changeait un peu de mes partenaires habituels.

À la troisième bouteille de vin, je commençai à me sentir à l'aise alors nous échangeâmes sur des sujets plus personnels. Il me confia les problèmes qu'il avait eus dans ses relations précédentes et je ne ratai aucune occasion de me faire valoir à ses yeux en lui racontant, exemples à l'appui, comment je me démarquais de ses dernières liaisons.

Il tenta de partir pour la première fois vers 22 heures, arguant qu'il avait une réunion à 8 h 30 le lendemain, mais je parvins à le retenir encore une heure. J'essayai de le convaincre de poursuivre la soirée dans un bar du centre-ville près de chez lui en espérant qu'il m'invite à passer la nuit – j'avais vraiment envie de voir ses pectoraux en personne –, mais mes tentatives échouèrent lamentablement. Il partit vers 23 heures en me disant « À la prochaine », ce qui me laissa perplexe quant à notre avenir commun.

– Pis, comment l'as-tu trouvé ? me demanda Mélanie après l'avoir reconduit à la porte.

– Il me donne le goût de faire des tartes, répondis-je après quelques secondes de réflexion.

– C'est parce que tu n'as pas encore couché avec ! pouffa Mélanie.

– Tu as l'air de me trouver vraiment superficielle ! sifflai-je, froissée. C'est peut-être le grand amour de ma vie !

– C'est pas ça, reprit-elle. Je ne crois pas qu'il soit en mesure d'apprécier ta... candeur.

– Ma candeur ?

– Je comprends que tu aies envie de te caser, poursuivit-elle, mais je ne crois pas que c'est la bonne personne pour toi.

– Il a à peu près toutes les caractéristiques de l'homme idéal, plaidai-je.

Mélanie se leva et se mit à desservir. Il commençait à être tard et elle avait visiblement envie d'aller se coucher. Moi, comme j'étais plutôt survoltée, j'appelai Solène et nous convînmes de nous rejoindre au Baldwin Barmacie pour prendre un dernier verre.

– Le grand amour, pff! C'est quoi, t'as lu trop de magazines de filles? demanda Solène avec suffisance après que je lui eus raconté ma soirée.

– C'est pas ça, Solène, j'ai juste envie d'avoir une relation exclusive avec un homme, en ce moment. Il n'y a rien de bizarre ni de honteux là-dedans.

Solène ne répondit pas car elle semblait hypnotisée par les fesses d'un homme qui passait près de nous. J'avais oublié à quel point elle pouvait être chiante, depuis quelque temps.

– Tu as exactement le même comportement que les hommes que tu détestes!

Je la vis virer au rouge même sous l'éclairage tamisé de l'endroit. Je devais m'attendre à des représailles.

– Et toi, tu vas finir par devenir comme Mélanie, une vieille conservatrice de banlieue.

Je me levai.

– Tu peux m'insulter autant que tu veux, mais laisse Mélanie en dehors de ça. Je crois que je vais rentrer, maintenant.

Solène se mit à rire.

– Je blague, voyons! Va t'acheter un sens de l'humour.

Je me rassis, mais l'ambiance avait changé. Solène se leva à son tour.

– Viens, on va aller se poudrer le nez.

Je l'accompagnai même si j'en avais peu envie. Je me sentais lasse. Par contre, au retour, on se commanda quelques *shooters* de tequila en échangeant des souvenirs du bon vieux temps.

– Allo!

C'était un peu mince comme *pick-up line*, mais comme en général on se plaignait que les hommes ne faisaient pas d'efforts, on n'allait pas les revirer comme des malpropres. De toute façon, ils avaient l'air tout à fait corrects. Corrects ascendant ennuyants, je parierais. Solène et moi dévisageâmes les complets qui osaient s'aventurer dans notre bulle.

– On peut vous offrir un verre en toute amitié ?

Un instant, j'eus l'impression qu'ils étaient des témoins de Jéhovah, mais je me rappelai que ceux-ci ne buvaient pas, alors je me dis : pourquoi pas ?

– Je m'appelle Bernard ! se présenta complet A, qui avait un visage poupin.

– Et moi Michel, poursuivit complet B, un blond avec une forte pilosité.

Nous nous présentâmes et on entama la conversation en échangeant des banalités du genre « Venez-vous souvent ici ? » et « Que faites-vous dans la vie ? » Nous apprîmes que Bernard était courtier en valeurs mobilières, et Michel, conseiller en finances personnelles. On passa le reste de la soirée à discuter avec eux et, à la fermeture, Solène choisit Michel. Je me ramassai donc à l'appartement de Bernard numéro 2. Après tout l'alcool que j'avais englouti depuis le début de la soirée, je trouvais très marrant de finir la nuit avec Bernard alors que c'était ce que j'avais souhaité toute la journée. Malheureusement, ce n'était pas le bon.

Chapitre 14

Quiproquo

Mercredi

Bernard 2 m'avait proposé de terminer la nuit chez lui, mais j'avais refusé. J'avais dû rentrer en taxi vers 4 heures, alors, ce matin, j'avais l'impression d'avoir le cerveau qui grinçait. Ma tête était parcourue d'éclairs douloureux. D'une certaine façon, c'était presque mieux ainsi. Si j'étais plus en forme, je pourrais culpabiliser alors que là, toute mon énergie était dépensée juste pour garder mes yeux ouverts.

J'arrivai donc encore en retard au bureau. Heureusement, la réunion ne débutait qu'à 9 heures et aujourd'hui, c'était la journée des producteurs. Je n'aurais donc pas à intervenir.

La réunion était interminable. Il n'était que 10 h 30 et j'avais l'impression que j'étais là depuis l'époque jurassique. C'était tellement plate que j'aurais préféré me faire faire un traitement de canal à froid plutôt que de continuer à écouter la présentation Powerpoint de Jean-Louis. Pourquoi lisait-il exactement ce qu'il y avait sur sa foutue présentation ? Il devait bien savoir que savions tous lire depuis le primaire. Ensuite, pour se détendre (?!?), Maurice nous présenta une vidéo de son associé torontois sur l'avenir de la production télé. La vidéo était tellement mal tournée – ce qui était franchement lamentable pour un producteur – que je ne voyais que les mauvais cadrages, les problèmes de son, le montage déficient… Et, surtout, je ne pouvais pas m'empêcher de penser aux Bernards. Je me demandais si le premier allait me rappeler et pourquoi je m'étais tapé le deuxième. Dans mon délire postéthylique, je voyais Bernard 1 comme Joseph – le père de Jésus, bien sûr –, celui qui viendra me guérir de mes déviances comme Joseph sauva Marie de la déchéance parce qu'elle était tombée enceinte avant le mariage. Ce n'était pas très romantique, tout ça, mais c'était ce qui m'arrivait quand on me torturait à coup de réunions qui n'en finissaient plus.

Vers 11 heures, j'en étais rendue à détester ma job. Je voyais ces producteurs, dont la moitié étaient carrément incompétents, récriminer contre tout et je me persuadai que je pourrais faire un bien meilleur travail qu'eux. À 11 h 15, je pris la résolution de devenir productrice avant la fin de l'année et, vingt minutes plus tard, j'avais ébauché un plan d'attaque. 1) Engager et former mon assistante pour qu'elle gère une partie de mes dossiers pendant que j'irais suivre ma formation. 2) Trouver une idée d'émission géniale. 3) La proposer à Maurice pour qu'il m'offre ma chance. Mon plan d'attaque me galvanisait. Je me sentais maintenant prête à passer à l'offensive. Mais, ah oui, la réunion.

À midi, je n'en pouvais plus. Je me trouvai une raison pour aller dîner seule de mon côté et gagnai un restaurant japonais à deux coins de rue du bureau, heureuse de pouvoir enfin me livrer tout entière à mes fantasmes sur ma relation éventuelle avec Bernard 1 et sur ses pectoraux, que j'imaginais puissants et velus.

On venait de me servir mes sushis quand mon cellulaire se mit à vibrer : un numéro inconnu.

– Justine, c'est Bernard.

Mon cœur fit un bond.

– Alloooo ! répondis-je très enthousiaste. Je pensais justement à toi.

– Je sais que je n'ai pas attendu les trois jours réglementaires avant de t'appeler, mais je me suis dit : « Soyons fous, soyons vrais. »

– Tu as bien fait, j'espérais que tu m'appelles, en fait.

– Ah oui ? fit-il, ravi.

Mon sourire sécha sur mes lèvres. J'eus un horrible soupçon. Était-ce le Bernard 1 ou le Bernard 2 ? J'étais peut-être en train d'encourager le mauvais Bernard à me poursuivre de ses assiduités. Comment faire pour savoir ?

– Heu… Tu es au bureau, présentement ?

– Oui.

– Je suis déjà au téléphone avec ma copine, mentis-je, je peux te rappeler dans deux minutes ?

– Certainement, tu peux me rejoindre au 555-1210, c'est ma ligne directe, répondit-il avant de raccrocher.

Merde, moi qui espérais passer par la réceptionniste. Ça m'aurait permis de savoir à qui j'avais affaire. Je devais donc trouver un autre moyen pour l'identifier. Pense vite, Justine ! m'interpellai-je. Je ne pouvais pas faire référence au bar où j'avais rencontré Bernard 2 pour ne pas compromettre mes chances avec Bernard 1. J'allais donc devoir lui poser des questions sur sa job. J'espère qu'il s'agit bien du bon Bernard ! priai-je. Je composai son numéro de téléphone.

– Me revoilà !

– Rebonjour.

Je ne lui laissai pas le temps de poursuivre :

– Alors, que fais-tu aujourd'hui, au boulot ?

– Je fais du service client.

– Ce qui veut dire ?

– J'appelle mes clients pour leur résumer leur position sur le marché.

Merde, remerde, merdissimo ! Il continuait :

– Je me demandais si tu ne voudrais pas souper avec moi, vendredi soir.

Je voulais mourir.

– Je suis désolée, mais je reçois la visite d'une vieille amie du secondaire pour trois semaines à la maison. Je t'appelle quand elle sera partie. Je dois te laisser, maintenant, on m'attend.

– À bientôt, alors, fit-il.

– À bientôt, marmonnai-je en me mordant les lèvres pour ne pas hurler.

Aussitôt libre, je composai le numéro de Mélanie.

– *Yo babe!* claironna mon amie.

Je lui répondis par un hurlement de désespoir.

– Qu'est-ce qu'il y a, poussin ?

Je lui racontai ma *date* de la veille en omettant de lui dire que j'avais couché avec. Elle allait probablement finir par l'apprendre tôt ou tard, mais le plus tard possible, j'espérais, car je devinais le tsunami de reproches dont elle allait m'accabler.

– C'est génial ! Pourquoi tu n'as pas accepté de souper avec lui ?

Je restai bouche bée.

– Parce que c'est Bernard 1 qui m'intéresse.

Je l'entendis discuter avec quelqu'un d'autre.

– Écoute, Justine, je vais devoir te laisser, j'ai une journée malade.

– Peut-on se voir ce soir ? miaulai-je.

– Je ne peux pas, j'ai déjà fait des plans avec Sophie. On va faire un cinq-à-sept au Café Sarajevo. Elle a l'air gigadéprimée. Je t'appelle ensuite, si tu veux, promit-elle en raccrochant.

Sophie ! L'autre meilleure amie de Mélanie. Dire qu'elle et moi on ne s'entendait pas très bien était un euphémisme. Elle travaillait pour un organisme humanitaire qui venait en aide aux femmes dans le besoin et, par conséquent, elle se croyait bonne pour la canonisation alors qu'elle était un monstre d'égoïsme avec sa famille et ses amis. Elle ne parlait que de son travail et nous passait sans cesse des commentaires sur nos comportements « non équitables ». En plus, elle nous regardait toujours de haut comme si par rapport à elle ce que nous faisions n'avait absolument aucune valeur. Elle m'énervait au plus haut point.

Je constatai que j'avais terminé mon repas sans m'en rendre compte. Moi qui adorais les sushis, je n'en avais même pas profité. Il n'était même pas encore 13 heures et j'avais oublié mon livre à la maison. Je jetai un œil sur la une du journal qu'un client avait abandonné à la table voisine, mais elle faisait référence à une série d'articles sur la malbouffe dans les écoles. Je repoussai le journal. Si les journalistes n'avaient pas encore épuisé le sujet, ce n'était pas le cas de mon intérêt. De plus, j'avais un peu trop peur de succomber à une *overdose* de mauvaises nouvelles. Je décidai plutôt de retourner au bureau.

La réunion reprit vers 13 h 30. J'avais envie de m'ouvrir les veines juste pour avoir une bonne raison de ne pas y participer. J'essayai de m'y intéresser en me disant pour m'encourager que c'était important pour obtenir ma promotion, mais j'étais si fatiguée que je n'arrivais pas à me concentrer. De plus, j'étais incapable de penser à autre chose qu'aux Bernards. Vers 14 heures, notre réunion fut interrompue par Jeanine.

– Justine, m'interpella-t-elle en faisant cliqueter son dentier, tu as reçu un bouquet. Je crois que tu devrais venir voir. Je l'ai mis sur ton bureau.

Je sentis mes joues devenir écarlates. Je me tournai vers Maurice qui m'invita à aller satisfaire ma curiosité d'un sourire. Je décollai délicatement mes cuisses du cuir du fauteuil où j'étais assise et me dirigeai vers mon bureau où m'attendait un bouquet – plutôt un bosquet, tellement il était gros – de roses rouges. Mon cœur se mit à battre la chamade. Je me jetai sur l'enveloppe, l'ouvris d'un coup de ciseau rageur et hurlai en voyant le seul mot écrit: Bernard.

Je retournai à la réunion de fort mauvais poil pour faire face aux blagues de mononcles de mes collègues masculins. Comment savoir quel Bernard m'a envoyé le bouquet? me demandai-je. Je sentais que si je n'avais pas de réponse à ma question rapidement, j'allais littéralement coller au plafond.

Je passai le reste de la réunion à glisser d'un état d'euphorie surexcitée à un état de découragement abyssal. Professionnellement, j'étais proactive et dynamique. J'avais un objectif de carrière, un plan. Je ramais fort, mais ça rapportait des résultats. Pourquoi n'étais-je pas capable d'avoir cette même attitude avec mes problèmes personnels? Pourquoi le moindre petit pépin me jetait-il à terre? Et quel pépin? J'avais reçu des fleurs! Malheureusement, même si je ne voulais pas me l'avouer, j'étais certaine qu'elles provenaient de Bernard 2. Et lui, il ne m'attirait pas. Je regrettai de m'être posé ces questions, alors j'essayai plutôt de voir le tout sous un éclairage positif. Peut-être que je me trompais. Je tentai d'analyser la situation sous tous les angles et j'en arrivai à la conclusion que la seule façon de savoir était de demander à Mélanie d'appeler Bernard 1. Je décidai d'aller la rejoindre au Café Sarajevo.

– Salut! débitai-je à mon arrivée. Mélanie me regarda avec surprise.

Je leur laissai à peine le temps de me saluer que j'étais lancée. Je les ensevelis sous une diarrhée de paroles:

– Je suis vraiment découragée. J'ai reçu un mégabouquet de fleurs de Bernard, mais je ne sais pas duquel. Je vais avoir besoin que tu appelles Bernard 1 pour le cuisiner. Essayer d'apprendre si c'est lui qui me l'a envoyé ou l'autre. Je ne peux pas appeler Bernard 2 parce que je ne veux pas l'encourager. Le pire, c'est que je suis certaine que c'est Bernard 2. Je suis tellement pas chanceuse avec les hommes, je crois que je vais appeler le *Livre Guinness des records* pour m'y inscrire.

Sophie leva les yeux au ciel d'un air méprisant et ramassa ses affaires.

– Bon, je crois que je vais y aller. Je n'ai pas tellement envie d'entendre les pauvres *petits* drames d'une *petite* princesse montréalaise.

Et vlan dans les gencives.

– Qu'est-ce qui te prend? lui demandai-je, surprise.

– Il me prend que j'ai passé la journée à consoler des filles qui n'ont aucun passé, pratiquement pas de présent et encore moins d'avenir, alors tes histoires d'ongles cassés, ça me fait chier. Tu ne te rends vraiment pas compte à quel point tu es superficielle? C'en est époustouflant.

La fureur m'envahit en même temps que la honte. Mélanie, elle, semblait chercher un abri pour faire face à la tempête.

– Heille, mère Teresa, tu as l'air de penser que parce que tu travailles pour un organisme sans but lucratif tu as le monopole de la vertu. Laisse-moi te détromper là-dessus, ma vieille. Tu voles peut-être à la rescousse de la veuve et de l'orphelin, mais au détriment de tes propres amis et de ta famille.

En disant cela, je savais que j'allais trop loin car je trahissais les confidences que Mélanie m'avait faites à propos de Sophie. Mais sur le coup, je voyais tellement rouge que toutes les stratégies me semblaient bonnes pour mettre la *bitch* K.O.

– Qu'est-ce que tu veux dire ? demanda-t-elle, soudainement blême. Je compris que j'avais frappé au bon endroit, ce qui m'encouragea à poursuivre.

– Combien de fois as-tu refusé d'aider Mélanie, qui, d'après tes propres mots, est ta meilleure amie, parce que tu étais trop occupée à rendre service à des étrangers ? Ceux qui te font te sentir bien parce que, eux, ils ont des *vrais* problèmes. Des problèmes que tu peux ensuite mettre sur ton beau CV et te permettre de raconter à tout le monde pour te vanter de ton extraordinaire générosité. Tu te souviens de son trentième anniversaire ? On lui avait organisé un surprise-party monstre et toi, tu as préféré aller à la fête d'une fille que tu avais rencontrée la veille parce que, elle, elle faisait vraiment pitié. Mélanie a passé une partie de la soirée à pleurer, et puis, il y a aussi la fois où ta mère mourante...

– Justine ! cria Mélanie.

Sophie s'effondra sur la table, en larmes. Je me tournai vers Mélanie et lui mimai : elle l'a cherché !

– Je m'excuse, Sophie, mais je n'aime pas trop me faire dire que je suis superficielle par quelqu'un qui ne me connaît à peu près pas. Ça fait quoi ? dix ans qu'on se fréquente ? Et j'ai toujours l'impression que tu me fais une faveur quand tu m'adresses la parole. Jamais tu ne m'as posé de question sur moi, mon emploi, rien. Et tu crois me connaître ? Moi, je suis peut-être superficielle, mais toi, tu es méprisante !

– C'est vrai, Sophie. On admire ce que tu fais, mais ce que tu as dit à Justine était injuste, plaida Mélanie.

– Excuse-moi, Justine, hoqueta Sophie en se remettant à pleurer. J'ai eu une dure journée. Aujourd'hui, une de mes protégées préférées, une jeune Indienne de treize ans, s'est suicidée parce que son père et ses frères lui ont brûlé le visage à l'acide parce qu'elle s'était fait violer.

Paf ! Au tapis !

Ma gorge se serra si fort que j'avais de la difficulté à respirer. Meeeerde ! J'aurais voulu me frapper. Ma montée de lait semblait tellement hors de propos, à présent. Surtout qu'il était vrai que j'étais un peu superficielle, je le savais. Voilà ! C'était moi qui me sentais mal, à présent. Ce qui était pire, car je prononçais beaucoup plus d'âneries sous l'emprise de la gêne que de la colère. Un silence embarrassant s'était installé pendant que Sophie se mouchait dans sa serviette de table.

– D'ailleurs, je ne suis pas aussi superficielle que tu le penses. Je m'implique, moi aussi. (Ah oui ?) Je voulais justement avoir ton avis sur un projet que je compte déposer à mon patron sur…

Je me mis à réfléchir à toute vitesse. Je me souvins des gros titres des journaux sur la malbouffe dans les écoles et j'improvisai :

– … sur un show télé hebdomadaire qui aiderait les écoles avec le problème de la malbouffe.

Sophie se montrait intéressée alors je poursuivis sur ma lancée :

– Une fois par semaine, un chef réviserait le menu de la cafétéria d'une école publique et enseignerait la cuisine aux élèves.

Ben merde, le pire, c'était que mon idée avait du sens. Mélanie me regarda en fronçant les sourcils. Elle me connaissait si bien qu'elle savait que j'improvisais.

– C'est une très bonne idée. Mais c'est pas vraiment pour ça que je t'ai... agressée.

Sophie se remit à pleurer. Je me tournai vers Mélanie et haussai les épaules en mimant les mots: je ne comprends pas.

Elle se moucha de plus belle.

– Moi non plus, je n'ai pas d'homme dans ma vie, continua-t-elle. Et je me sens tellement insignifiante de me sentir triste pour ça après toutes les histoires d'horreur dont je suis témoin.

Elle sanglota. Nous nous approchâmes pour la réconforter.

– Et, en plus, je me sens coupable de ne pas être parfaitement heureuse parce que moi j'ai tout! Mais comment puis-je m'accorder le droit d'être heureuse alors qu'il y a des gens qui ont des vies si pénibles?

Je passai mon bras autour de ses épaules.

– Justement! Tu *dois* être heureuse. Juste pour leur prouver que c'est possible, lui répondis-je. Si toi, tu ne l'es pas, pourquoi continueraient-ils de se battre?

Elle me regarda d'un air bizarre. Comme si elle me voyait pour la première fois.

Je pris une bière avec elles et me sauvai pour les laisser seules. Mélanie me promit de m'appeler le lendemain matin et elle me recommanda de poursuivre les exercices du livre. Je sentais qu'elle m'en voulait un peu d'avoir assené ses quatre vérités à Sophie, mais elle semblait aussi soulagée.

Je me mis à pleurer en arrivant à la maison. Je pensais à la jeune Indienne et au désarroi de Sophie. Je comprenais mieux son attitude agressive, maintenant. Elle ne pourra jamais être heureuse si elle attend que la terre entière le soit avant elle. Au moins, elle, elle avait une raison légitime de s'empêcher d'être heureuse. Alors que moi, c'était quoi, ma raison ? Je me remémorai ce que je lui avais répondu. Je me demandai pourquoi je me permettais de donner des conseils de vie alors que je ne savais que rater la mienne.

Je pris un bain en vitesse et me couchai après avoir avalé un tranquillisant. J'avais urgemment besoin de dormir. De me désintégrer entièrement. M'anéantir dans le noir absolu.

Chapitre 15

Walking After Midnight

Jeudi

Je crois que la détresse de Sophie était contagieuse. Le souvenir de la jeune Indienne s'imposa à mon esprit dès le réveil ; toutefois, je n'avais pas envie de me poser la question si je méritais d'être heureuse. Au moins, quand je faisais des crises de panique, je pouvais prendre un antidépresseur et mon désarroi disparaissait comme par enchantement, mais maintenant, qu'est-ce que je pouvais faire ? En prendre un pareil ? Bonne idée !

Je décidai donc de pousser ma culpabilité bien au fond, de l'oublier et de me concentrer sur la seule question vraiment cruciale : qui m'avait envoyé le bosquet de fleurs ?

À 8 heures, je me sentais prête à user de tous les subterfuges auprès de Mélanie pour la convaincre de faire l'espionne pour moi. Je l'appelai et la trouvai dans sa voiture. Elle fut beaucoup plus réceptive que je ne l'aurais espéré. Je pensais qu'elle m'en voudrait de ma prestation de la veille auprès de Sophie mais, si c'était le cas, elle le cacha très bien. Elle me promit de tâter le terrain et m'invita au hammam dans la soirée pour me faire son rapport. J'aurais dû me méfier du fait qu'elle avait agréé à mes supplications sans aucune opposition. Mélanie était généralement plus combative, mais il était encore tôt et je n'avais pas l'esprit tout à fait alerte.

Si j'avais douté de la véracité de la théorie de la relativité générale d'Einstein, j'en avais maintenant la preuve : il y avait un bureau dans le centre-ville où le temps passait dix fois moins vite que partout ailleurs dans l'univers. Et c'était malheureusement à cet endroit que mon patron avait décidé de faire notre réunion de préproduction annuelle. Même si aujourd'hui c'était la journée des réalisateurs, aucun ne parvenait à capter mon attention de façon à me distraire de mon unique préoccupation du jour : Bernard 1. Même le fait que, demain, c'était moi qui devrais prendre le relais ne réussissait pas à détourner le cours de mes pensées. Car j'avais toute confiance en mon pouvoir de baratinage. Je faisais ce boulot depuis huit ans et j'étais au sommet de mon art. J'eus donc le temps de vivre en imagination la relation de Bernard 1 et moi au complet, plusieurs fois. Pourtant, autant d'obsession pour un homme que j'avais rencontré deux jours plus tôt à peine commençait à me troubler. Je fus sauvée par le jeune Daniel Germain, qui m'obligea à répondre pour lui car il n'était pas prêt. Il se fit sévèrement réprimander par Maurice. Ce fut mon seul divertissement de la journée.

Lorsque je me rendis au hammam à 17 heures, je m'étais un peu calmée. L'hôtesse me tendit une robe de chambre et me désigna les vestiaires. Je remarquai un groupe de femme déjà en robes de chambre en train d'échanger des plaisanteries en buvant du thé. C'était quand même démocratique, la robe de chambre. Tout le monde se ressemblait, il n'y avait plus de couches sociales. C'est certain que quand tu passes ton temps à avoir peur de te ramasser à poil devant tout le monde, ça incite à l'humilité, me dis-je. J'aperçus Mélanie qui arrivait. Elle me repéra et me rejoignit.

– Pis, l'as-tu appelé ? m'écriai-je.

– Oui, je vais bien, et toi ? répliqua-t-elle d'un ton fortement ironique avant de se retourner vers l'hôtesse, qui lui tendit à elle aussi une robe de chambre.

– Excuse-moi, tu as eu une bonne journée ?

– Ben oui.

Elle m'entraîna vers la salle de bain et s'enferma dans une cabine pour se changer. Je voyais bien qu'elle était hésitante, mais je continuais malgré tout à espérer. Je m'engouffrai dans la cabine contiguë.

– Ce n'est pas lui, c'est ça ?

– Je ne l'ai pas appelé.

Je n'eus pas eu le temps de la bombarder de questions car une préposée clama notre nom. Je me déshabillai en vitesse et elle nous escorta vers la salle d'enveloppement au rassoul. Elle nous expliqua ensuite en quoi consistait le traitement, mais je ne compris rien car j'étais concentrée sur ma déception.

– Pourquoi ne l'as-tu pas appelé ? lui demandai-je une fois que la préposée fut repartie.

– Parce que je lui ai demandé comment il te trouvait lorsqu'il est parti de chez moi après le souper.

– Et ? couinai-je.

– Il m'a répondu : « *She's not girlfriend material.* »

Je restai abattue par sa réponse. Je comprenais maintenant pourquoi Mélanie avait tenu à m'inviter au spa. *Not girlfriend material.*

Deux techniciennes apparurent avec la glaise.

– Quelle sorte de « matériel » suis-je, alors ? *Just fucking material ?* crachai-je.

– C'est un peu ce que tu projettes, Justine, avoua Mélanie d'une toute petite voix.

Mes yeux s'emplirent de larmes. Toutes les réponses cinglantes restèrent bloquées dans ma gorge. Mélanie soupira et attendit que les deux techniciennes aient terminé leur cirque.

– Ça a bien débuté et il semblait t'apprécier mais, au bout d'une heure à peine, tu étais déjà ivre. Tu avais une ligne de vin rouge autour des lèvres. Je t'ai fait signe d'aller t'arranger à plusieurs reprises, mais tu me regardais à peine. Tu avais l'air complètement hypnotisée par lui, c'en était gênant. Tu as semblé finir par comprendre mais, quand tu es revenue des toilettes, tu avais empiré le problème en ajoutant du rouge à lèvres que, ça me fait de la peine de te le dire, tu avais mis tout croche. Mais si ce n'était que ça ! Tu as passé le reste de la soirée à lui vanter tes qualités de grande buveuse et de grande sorteuse. Et tu n'as pas arrêté de te pencher en avant pour qu'il contemple ton décolleté.

– C'est beau, Mélanie, j'ai compris, réussis-je à articuler.

Je pleurai tout le long du massage qui suivit. J'entendais Mélanie qui essayait de m'encourager, mais je ne l'écoutais pas. En fait, je n'entendais et je ne voyais plus rien. *Not girlfriend material.*

Je laissai le thé et les pâtisseries orientales à Mélanie, qui avait l'air dévastée par mon état. À présent, tous ces produits étiquetés à la main, tout cet ordre méticuleux, cette propreté, cette musique débilitante me donnaient mal au cœur. J'avais plus besoin d'un scotch et d'un mégajoint que de me faire taponner par quelqu'un qui s'adressait à moi en chuchotant. J'avais plus envie d'être dans un antispa. Je pris donc un taxi et me jetai sur la boîte à *pot* dès mon arrivée. Je me roulai un joint, me servis quatre doigts de scotch et mis du Patsy Cline 🎧.

Heartache. À la première toune, je me remis à pleurer. J'en avais plein le cul. N'étais-je bonne qu'à être baisée ? Était-ce tout ce que j'avais à offrir à un homme ? Qu'est-ce que j'avais tout court ? J'avais trente-deux ans, je n'avais aucun bien à part mes meubles, mes vêtements et quelques babioles, aucun lien sentimental, presque pas de famille et mes amitiés avaient connu de meilleurs jours. Je n'avais aucun *prospect* sérieux et ça faisait près de cinq ans qu'un homme m'avait dit « je t'aime ».

She's Got You. Je me servis encore un autre scotch. Pourtant, j'avais de sérieux atouts. J'étais assez jolie, mince, des seins certifiés bio, une « bonne situation ». Mais si j'en croyais mes amies, tout ça, c'était de ma faute. Je sabotais moi-même toutes mes relations.

Crazy. Je me resservis un troisième scotch. Étais-je damnée ? Damnée par qui, de toute façon ? J'étais athée. C'était bien moi, ça. Je remerciais le ciel quand tout allait bien et j'étais athée dans le malheur. Je devais avoir un gros crédit au dépanneur cosmique.

I Fall to Pieces. Qu'est-ce que j'avais fait à la vie pour qu'elle me traite de cette façon ? J'avais l'impression de ne pas être dans le bon destin. Et voilà ! Je venais de repenser à la jeune Indienne. Merde ! Je ne pouvais même pas m'apitoyer sur mon sort tranquillement. Cette histoire me donnait des envies de justice brutale à la œil pour œil. Ça me donnait envie de faire mal, de tuer, me défouler, m'autovomir. J'allai vomir tout court.

Walking After Midnight. Plutôt que me laver les dents, je me tapai un quatrième scotch. Ce fut le moment que Solène choisit pour me rendre visite.

Chapitre 16

Métro, boulot, black-out

Vendredi

À 6 h 30, quand mon réveil se décida à s'acharner sur mon sort, tout ce dont je me souvenais c'était que Solène m'avait dit: « Mélanie m'a appelé. Habille-toi, on sort! » Après, c'était le néant intersidéral. Je snoozai une première fois en présumant que j'avais repoussé l'offre de Solène et décidé de rester à la maison. Quand elle était débarquée, j'étais déjà salement éméchée, alors je ne m'en fis pas trop quand je remarquai que la radio jouait dans le salon. Mais lorsque j'entendis la douche partir, je me levai de mon lit, le cœur battant. Ce fut à ce moment que je découvris les pantalons noirs et la chemise sarcelle soigneusement pliés sur la chaise de ma chambre.

– Meeeeerde! soufflai-je.

Déjà que je trouvais que j'avais une vie dissolue et maintenant en plus je me mettais à ramener des inconnus à la maison. Je constatai que j'avais toujours mes sous-vêtements. Je poussai un soupir de soulagement.

Je venais de partir le café quand la douche s'arrêta. Je me postai au bout du couloir pour découvrir avec qui j'avais passé la nuit. Allais-je avoir une belle ou une mauvaise surprise ?

La porte s'ouvrit et je retins mon souffle.

– Salut, princesse, dit Bernard 2 avec un sourire satisfait.

Merde et ouf !

– Euh, salut.

– Je dois partir maintenant car je veux arriver au bureau à 7 h 30.

– Ah, ok, super.

Il vint pour m'embrasser, mais je reculai. Il sembla prendre la chose avec philosophie.

– Je t'appelle plus tard ?

– Barre la porte en partant, je vais prendre ma douche.

Je me lavai en vitesse et m'assurai qu'il était bien parti avant de sortir de la salle de bain. Je me composai un smootie pour déjeuner : banane, fraises, framboises, jus d'orange, anxiolytique, antidépresseur, Tylenol, Gravol. Je me tapai ensuite deux cafés en essayant de me remémorer ma soirée de la veille. Je ne pouvais plus continuer comme ça. Il allait réellement falloir que je me reprenne en main.

– Ça va ? me demanda Maurice avec un air soucieux en me voyant arriver dans la salle de réunion. Tu n'as pas l'air dans ton assiette.

– Ouais, lui répondis-je d'un air absent.

Malgré plusieurs couches de maquillage, j'avais quand même l'air d'un zombie. Mes collègues de travail aussi avaient remarqué que j'avais quelque chose de différent, mais ils avaient conclu que j'avais fait la fête – « Comme d'habitude ! » avait même ajouté Muriel. Ce matin, leurs suppositions sonnaient comme une condamnation. Je n'avais pas très envie de leur confier que j'avais l'impression d'être brisée à l'intérieur.

Je fis mes présentations dans un état proche de la catatonie. Je voyais bien que Maurice s'inquiétait pour moi, mais comme mon travail était irréprochable, personne ne pouvait rien dire. À l'heure du dîner, je me réfugiai dans les toilettes du troisième où, après y avoir collé une feuille sur laquelle j'avais écrit «Hors d'usage», je fermai la porte à clé. Je m'étendis ensuite au sol et y dormis jusqu'à 13 h 30.

Je terminai ma présentation en vitesse et Maurice a clos la réunion à 15 h 30. Je consultai mon portable et constatai que Mélanie m'avait laissé cinq messages. Je ne la rappelai pas car je n'avais pas envie de lui parler. En fait, je n'avais envie de parler à personne. Je rentrai donc chez moi et me fis à souper, c'est-à-dire que je me débouchai une bière. Je m'installai à la fenêtre pour regarder dehors. Vers 20 heures, on frappa à la porte, mais je ne répondis pas. Quelques minutes plus tard, j'entendis mon cellulaire sonner. Je le contemplai avec indifférence.

– Je sais que tu es là, Justine, cria Solène du couloir. Je viens d'entendre ton cellulaire.

Merde ! Déjouée. Je me levai pour aller lui répondre. Elle pénétra chez moi en coup de vent.

– Ça va ?

– Super ! rétorquai-je, sarcastique.

– C'est toujours Bernard 1 ? demanda-t-elle, comme si l'événement s'était passé six mois plus tôt.

– Peux-tu, s'il te plaît, me laisser digérer le rejet au moins vingt-quatre heures ?

– Je croyais que Bernard 2 te le ferait oublier.

– C'est toi qui as arrangé tout ça, hier ?

– Ben oui. Qu'est-ce que t'aurais fait, à ma place ?

Je rugis.

– En tout cas, je n'aurais pas sorti ma meilleure amie dans un bar en plein black-out.

– Fais-en pas tout un plat, un gars ne veut pas sortir avec toi, *big deal*! *Get over it.*

Get over it! Je vis rouge.

– T'as pas compris ce que je fais, depuis une semaine ? J'essaie de changer de vie et c'est tout le soutien que t'es capable de me donner ?

Le visage de Solène se crispa.

– C'est quoi, le problème, avec ta vie ? Elle est belle, notre vie, comme ça, il me semble. Qu'est-ce que tu as besoin de changer ?

– J'ai besoin de plus de sens !

Elle pouffa de rire. C'en était trop.

– Écoute, Solène, j'ai vraiment pas le goût de ça en plus ce soir.

– Ben voyons, Justine ! Allez, on va sortir, ça va te changer les idées.

– Ça va aller, merci, lui répondis-je durement en la raccompagnant à la porte.

Sur le seuil, elle plongea la main dans son sac et en sortit deux sachets remplis de poudre blanche. Elle en jeta un sur le plancher.

– Tiens, j'en avais acheté un pour toi.

Puis elle tourna les talons et disparut. Je contemplai le sac et le repoussai d'un coup de pied rageur. Il fut projeté jusque sous l'armoire du salon.

J'allai mettre Mazzy Star dans le lecteur CD, m'ouvris une nouvelle bière et me roulai un joint. Je me mis nue et retournai regarder dans le vague. Je me sentais complètement vide.

À 22 heures, après cinq bières, deux tequilas et trois joints, je crus apercevoir Bernard 1 qui passait dans la rue. Je plissai les yeux et constatai que c'était effectivement lui. Quelle coïncidence ! J'eus bêtement l'impression que c'était ma chance de lui prouver que j'étais tout à fait *girlfriend material*, alors je sautai sur mes pieds, je ramassai un drap pour me couvrir et je me ruai dans les escaliers. Je ne m'y rendis jamais car je glissai sur le carrelage du vestibule de mon immeuble et m'étalai de tout mon long, me cognant durement la tête sur le plancher. Autre black-out.

Je me réveillai à l'urgence avec une méga-migraine et un trou de plusieurs heures dans mon emploi du temps. J'avais l'impression que mon crâne allait se fendre en deux. Puis je me rappelai soudain la course folle dans les escaliers et ma chute, et je songeai que j'aurais finalement aimé mieux ne pas me remémorer. Je me sentais si au-delà du pathétique que je me mis à rire. Un rire frisant l'hystérie. Ce fut sans doute ce qui alerta l'infirmière de garde car elle apparut au même moment.

– Comment allez-vous ? me demanda-t-elle, pleine de sollicitude.

– À part la migraine, je crois que ça va, mentis-je en pensant que je n'avais vraiment pas de chance. Avec un tel coup à la tête, j'aurais pu me retrouver amnésique.

– Vous avez fait une mauvaise chute, expliqua-t-elle en prenant mon pouls. J'ai cru comprendre qu'on vous a retrouvée dans le lobby d'un immeuble. Comme vous n'aviez rien sur vous, on n'a pas pu appeler personne. Vous voulez que je contacte quelqu'un ?

– Non, merci.

Je me demandai qui m'avait découvert.

– On vous a fait des radios. On devrait avoir les résultats d'ici peu et, si tout est beau, vous pourrez rentrer chez vous. En attendant, je vous amène des Tylenol pour soulager votre migraine.

Elle me fit un gentil sourire et disparut derrière le rideau.

Elle, elle était du genre *girlfriend material*. Je me remis à pleurer. Je repensai à la soirée chez Mélanie et, soudain, toute l'absurdité de ma conduite m'apparut. Comment me serais-je comportée si ce rendez-vous avait été une entrevue pour un emploi ? Certainement pas de cette façon. Je me souvenais, à présent, que j'avais essayé de l'attirer grâce à mon physique comme si c'était mon seul atout. J'aurais, moi-même, assurément évité d'embaucher quelqu'un qui se serait comporté comme moi lors d'une entrevue. Je n'avais pas été la hauteur. Surtout à cause de l'alcool. Si lui avait toutes les caractéristiques de l'homme idéal, moi, je n'étais pas du tout la femme idéale.

J'entendis des pas approcher. Je me tournai vers le rideau, qui s'écarta sur une jeune hispanophone. Elle semblait plus jeune que moi. Je m'essuyai discrètement les yeux.

– Bonjour. J'ai parlé à l'infirmière. Il semblerait que vous n'aviez rien sur vous pour vous identifier. Quel est votre nom ?

– Justine Roberge, répondis-je. Je m'aperçus que je n'avais plus mal au crâne. Je peux vous donner mon numéro de carte de la RAMQ, je le sais par cœur.

– Très bien ! répondit-elle, impressionnée. Mais vous devrez nous envoyer une photocopie de votre carte. Vos scans sont parfaits, vous pouvez partir.

– Alors si j'avais eu une tumeur au cerveau, vous l'auriez vue ? demandai-je, intéressée.

– Oui.

– Merci !

Je vais prendre ça comme une bonne nouvelle, me dis-je. C'était tout ce que j'avais pour l'instant.

Chapitre 17

Akhénaton et compagnie

Samedi

Je me fis réveiller à 11 heures par une Mélanie pas très contente. Elle était inquiète. Et elle ne fut pas rassurée quand je lui racontai ce qui m'était arrivé.

– Et tu es certaine que c'était vraiment lui ? demanda mon amie.

Je réfléchis un moment. J'étais passablement givrée et, maintenant, je n'étais plus du tout sûre que c'était bien lui. Cette pensée me donna le cafard.

– Je ne sais plus, lui répondis-je d'une voix étranglée.

– Pauvre poussin ! cria-t-elle.

Merde, elle commençait à me redonner l'envie de brailler.

– De toute façon, c'était pas un gars pour toi. Je te l'avais dit. Il y en a un quelque part qui t'est destiné, j'en suis sûre. On va au garden-party de tes parents, tout à l'heure. Peut-être va-t-on y rencontrer quelqu'un d'intéressant.

– Il va juste y avoir les amis de mes parents, des vieux baby-boomers sur le déclin.

Mélanie ricana.

– Alors tu t'en choisiras un et tu t'exerceras sur lui.

– Je ne sais pas si j'ai quelque chose à offrir à un homme.

Mélanie resta bouche bée.

– Mais, chérie, bien sûr ! s'exclama-t-elle. Tu es chaleureuse, généreuse. Tu es imaginative, créative. Tu es vivante, tu as le sens de la répartie. Tu es intelligente, loyale, organisée...

Là, je pouvais juste me remettre à chialer alors je me levai et me dirigeai vers la cuisine.

– En tout cas, si tu diminuais ta consommation d'alcool et de drogue, je suis certaine que tout te semblerait plus facile, articula-t-elle, hésitante.

Je m'immobilisai dans le couloir.

– Je sais. Mais pour cela, il faudrait que j'arrête de fréquenter ma mère et Solène. Et on les voit toutes les deux à 15 heures cet après-midi, justement.

J'allai me préparer du café. Nous parlâmes jusqu'à midi et demi. Et, finalement, elle me persuada que j'avais de quoi être optimiste : j'avais mon nouveau projet d'émission sur la malbouffe. Sophie avait trouvé que c'était une excellente idée. Lundi prochain, j'allais commencer à faire passer des entrevues – étape 1 de mon plan d'attaque. Et je devais également continuer à lire mon livre et faire les exercices stupides qu'il proposait.

Je mis du Joséphine Baker et me versai un troisième café. Je chantai et dansai dans mon salon pendant près d'une heure. Puis je retournai dans mon lit pour lire la fin du chapitre 2 sur les techniques d'entrevues. Outre les éternelles tenue appropriée, haleine fraîche et poignée de main ferme, il était conseillé de questionner le représentant de l'employeur pour soutirer plus d'informations sur le poste, pour répondre principalement en fonction de ce que *ce* représentant trouvait important. Donc, pour moi, ça équivalait à le faire parler de lui. De ce qu'il attendait de *la* femme.

– Pff ! fis-je en m'enfonçant la tête dans les oreillers. Pourquoi je ne me trouve pas un passe-temps plus productif ? Genre, apprendre l'espagnol, prendre un cours de peinture…

De toute façon, il était près de 14 heures. Je délaissai donc mon livre car je devais m'habiller pour le gaaaaarden-party. Je me levai et choisis une petite robe sexy. Toutefois, j'ajoutai un châle en soie qui me cachait les épaules. Je choisis aussi des boucles d'oreilles discrètes et ne me maquillai que légèrement. Pour laisser briller ma personnalité. Je me rappelai subitement qu'il y avait un sachet de coke sous le meuble de l'entrée.

Il y avait déjà au moins cinquante personnes à mon arrivée. J'explosai de rire quand je découvris le thème de la soirée : Égypte ancienne. Draperies, plantes exotiques, torchères, plateaux de fruits et surtout plusieurs sculptures d'Akhénaton – probablement – créaient l'ambiance. Je me frayai un chemin vers le « jardin sur le Nil », comme un charmant écriteau le proposait. Je sursautai quand j'arrivai face à face avec un serveur à tête de chacal.

– Anubis, pour vous servir ! se présenta-t-il.

Je lui pris un verre de champagne, amusée. Du grand Jocelyne Deschamps.

Je croisai mon père, qui me prit brutalement dans ses bras.

– Je me sens comme Don Corleone, ce soir, murmura-t-il à mon oreille.

Le Parrain était son film préféré. Il m'embrassa sur les deux joues ; je ne savais pas si je devais prendre ça comme une menace. Mon frère apparut et il m'entraîna vers la porte d'entrée.

– Tu t'en vas déjà ?

– Oui, je dois aller chercher Camille à ses cours de tennis et... Trop d'alcool pour moi.

Je désignai la décoration.

– Tu as entendu parler de ses dernières lubies ?

Il leva les yeux au plafond d'un air excédé.

– Oh que oui ! Et même que je suis payé pour en entendre parler.

– Qu'est-ce que tu veux dire ?

– Maman se fait poursuivre par le conservateur du Musée des beaux-arts pour harcèlement.

– Hein ?

– Oui, elle voulait absolument emprunter leurs artefacts égyptiens pour la fête.

Je m'esclaffai, mais il me jeta un regard noir qui réprima mes envies de rire.

– Je te passe les détails, ajouta-t-il en sortant dans le stationnement, mais quand il a refusé de les lui prêter, elle lui a dit que, de toute façon, tout ça lui appartenait car elle était une princesse égyptienne.

– Qu'est-ce qui va se passer ?

Il ouvrit la portière de sa Mercedes et s'appuya dessus à la manière désinvolte des mannequins. Il était très beau et le savait.

– J'ai rendez-vous lundi avec le conservateur. Je lui ai déjà parlé au téléphone et je crois pouvoir le convaincre de retirer sa plainte. C'est un party qui va avoir coûté pas mal cher. Et qui va payer ? Papa.

– Elle le faisait pour lui, me surpris-je à défendre ma mère.

Il m'embrassa, ferma la porte et fit rugir le moteur de son bolide. Il ouvrit sa fenêtre et me détailla.

– Bravo ! Tu es habillée d'une façon décente, pour une fois, approuva-t-il rapidement en reculant pour rejoindre la rue.

– Va chier ! lui criai-je, ce qui attira les regards désapprobateurs des voisins.

Ma mère apparut sur le seuil de la porte.

– Ah, te voilà !

Et elle m'entraîna vers la cour pour me présenter aux invités, que je connaissais déjà à peu près tous. Je fus secourue par Solène.

– Ta mère est déchaînée, me souffla-t-elle une fois échappée des griffes maternelles.

J'aperçus Mélanie qui se pointait par la porte arrière. Je tirai Solène pour aller à sa rencontre. Nous nous retranchâmes dans un coin près d'une statue d'Isis en plâtre.

– C'est quoi, son délire égyptien ? demanda Mélanie. On dirait qu'on est dans un film de Fellini. J'ai failli mourir de peur en voyant les serveurs. On dirait vraiment qu'ils ont des têtes de chiens empaillés sur la tête.

Nous hurlâmes de rire.

Je leur racontai les dernières lubies de ma mère. Ensuite, on dépêcha Mélanie à la recherche d'une bouteille de champagne et Solène et moi, on en profita pour grimper au bureau de mon père nous faire une ligne.

Quand je revins, Mélanie était en grande conversation avec un homme. Je ne le reconnus pas immédiatement car il était de dos et il portait un panama, mais c'était George-Étienne Paré, mon ancien prof de philo au Cégep du Vieux Montréal.

– Justine Roberge ! s'écria-t-il en m'apercevant. Il se jeta sur moi et me fit un baisemain.

– George-Étienne Paré, saluai-je laconiquement pendant que je le détaillais minutieusement. Complet de lin, chapeau et sandales en cuir. Il était trop vieux et un peu grassouillet, mais il avait du style.

Je me souvenais que, dans le cours de philosophie que j'avais eu avec lui, il nous avait fait faire un travail sur les idéologies. Nous étions censés prendre un courant de pensée et le définir en fonction des structures de base d'une idéologie. J'avais fait mon travail sur les systèmes financiers et j'avais réussi à prouver qu'ils répondaient en tous points aux huit structures de base communes aux réalités idéologiques. J'avais obtenu un A+. Je le revoyais en train de me rendre ma copie. Il m'avait dit qu'il avait été fort impressionné. Il avait essayé de me séduire, d'ailleurs. Il avait échoué.

– Que deviens-tu ?

Je lui fis un court topo en m'en tenant au côté professionnel et je lui renvoyai la question.

– Je suis toujours prof de philo et j'écris des livres. Je rédige présentement mon cinquième.

– Quel en est le sujet ? demanda Mélanie.

– L'amour, répondit-il, sûr de son effet. Philosophie de l'amour.

Ma mère vint monopoliser la conversation. George-Étienne y alla d'un nouveau baisemain qui enchanta celle-ci. Mélanie en profita pour me donner un coup de coude discret et me souffler doucement :

– Parfait pour t'exercer.

Puis ma mère entraîna G.-É. P. de force.

– Vous croyez que je devrais aller le sauver ? demandai-je.

– Laisse-le se débrouiller tout seul. S'il revient, tu sauras qu'il s'intéresse à toi, suggéra Mélanie.

Des jeunes femmes habillées en prêtresses égyptiennes, portant uniquement quelques bouts de voiles et de longs colliers, apparurent et se mirent à servir des bouchées, pour le plus grand plaisir des invités.

Effectivement, au bout de cinq minutes, G.-É. était de retour. Il arriva par l'arrière, je ne le vis donc pas approcher. Il m'aborda discrètement et me susurra à l'oreille :

– Le titre complet, c'est *Philosophie de l'amour, une étude ontologique*. Je me cherche justement un cobaye pour la partie empirique de ma thèse. Voudriez-vous me servir de sujet ? Être ma muse ?

On pouvait dire qu'il allait directement au but. Je pris le parti d'en rire. Mélanie et Solène s'aperçurent de sa présence.

– Une méthode empirique pour une étude ontologique ? Si je me souviens, ça ne va pas très bien ensemble, non ? répondis-je sérieusement.

Il éclata d'un grand rire tonitruant.

– Je suis démasqué. J'adore les femmes d'esprit, s'exclama-t-il.

– Quel baratineur, persifla Solène.

George-Étienne se tourna vers elle et lui fit une révérence. Puis il reporta son attention sur moi.

– Déjà au cégep, j'avais remarqué ton esprit raffiné, poursuivit-il.

C'était n'importe quoi, mais je ne pouvais pas m'empêcher d'être flattée.

– À quelle maison d'édition vas-tu être publié ? l'interrogeai-je pour faire diversion.

– Au Seuil, répondit-il, visiblement fier de lui-même.

J'arrêtai Anubis pour réquisitionner une bouteille de champagne. Comme j'avais déjà un verre, mon sac et mon châle qui ne cessait de tomber, je me répandis en tendant à chacun un petit quelque chose. Je nouai ensuite mon châle autour de mon cou et agrippai la bouteille de champagne. George-Étienne repéra un petit bout d'épaule qui dépassait de mon châle-écharpe. Il ne me vit pas l'observer et je détectai un regard assoiffé de désir qui me dégoûta. C'était certainement ce que je devais avoir l'air avec Bernard 1. Je me sentis rougir. Je décidai d'aller nous dénicher une table.

En moins de deux, nous étions tous assis. George-Étienne s'arrangea pour se placer à côté de moi. Il nous servit des bulles pendant que Solène me faisait signe d'essayer de me débarrasser de lui quand il avait le dos tourné. J'avais l'impression qu'elle avait encore envie d'aller faire une ligne. Moi, je ne voulais pas exagérer. Si je voulais m'entraîner à l'art subtil de la séduction, je devais m'imposer une certaine sobriété.

J'examinai mon ancien prof de philo. Pourrait-il être mon homme idéal, malgré son âge ? À vue de nez, il avait beaucoup des caractéristiques que j'avais dressées de celui-ci. Mais il ne m'attirait pas. Et il semblait plutôt imbu de lui-même. Pourtant, ça n'avait aucune importance, car je devais juste m'entraîner. Il était seulement supposé être mon cobaye, mon sujet d'étude. Dire qu'il m'avait demandé exactement la même chose. Je sentis mon estomac gargouiller. En premier lieu, je devais m'occuper des priorités.

Je me levai.

– Je vais aller demander à ma mère si on va réellement bouffer quelque chose bientôt.

Et je m'évanouis dans la foule. Je repérai ma mère.

– À quelle heure on mange ? lui demandai-je.

– À 20 heures, ma chérie. Méchoui d'agneau et de porc avec plein de vert, des lentilles et du quinoa.

Je regardai ma montre : 17 heures et je n'avais toujours rien avalé de la journée. J'allais mourir de faim. Je me dirigeai vers le réfrigérateur, où je trouvai un reste de pâtes que j'ingurgitai rapidement. Solène me rejoignit. Elle se jeta sur le récipient en plastique mais, malheureusement pour elle, j'avais presque léché le contenant alors il n'y avait plus rien. Elle arrêta une prêtresse égyptienne et lui confisqua son plateau de canapés. J'agrippai une bouteille de champagne et l'entraînai vers la pyramide de méditation de ma mère.

Dans les années 1970, ma mère s'était fait construire une pyramide de méditation dans une des pièces du sous-sol. Elle l'utilisait presque uniquement le matin pour sa séance de méditation quotidienne de dix minutes. J'aimais beaucoup cet endroit, quand j'étais petite. C'était mon refuge quand elle piquait ses crises, mon igloo, mon tipi indien, ma cabane dans la forêt, ma grotte sur le bord du rivage... C'était dans cette pièce que j'avais été le plus moi-même.

On s'installa par terre, Solène et moi. Je pris une gorgée de champagne à même la bouteille et la regardai se faire une ligne en mangeant des canapés.

– T'en veux pas ?

– Non, peut-être tout à l'heure.

Elle me regarda avec suspicion, mais jugea bon de changer de sujet.

– George-Étienne te sort le grand jeu.

– Oui, j'ai cru remarquer.

– Il est vieux.

– Je sais, répondis-je. Je vais juste le séduire pour m'exercer.

Solène éclata de rire. Je ne pus m'empêcher de rire aussi.

– Je crois que c'est déjà fait !

Solène termina les canapés et nous rejoignîmes les autres convives. Je laissai Solène pour aller m'assurer que j'avais toujours l'air décente, comme disait mon frère. Je décidai d'utiliser les toilettes de la chambre de mes parents pour être certaine de n'être pas dérangée. Je me roulai un minuscule joint que je fumai en m'examinant dans le grand miroir sur pied. J'essayai de me remémorer les techniques d'entrevue que j'avais lues plus tôt. Ah oui : tenue appropriée, haleine fraîche, poignée de main ferme et recherche d'informations sur sa version de la femme idéale. Je me contemplai dans le miroir et rajustai mon écharpe. Je lissai ensuite ma robe et replaçai mes cheveux. Tenue appropriée: ok. Haleine fraîche: bof! Poignée de main ferme: ok. Il ne me restait qu'à poser les bonnes questions. Son livre constituait le point de départ idéal. Je pris une dernière bouffée du joint et le jetai dans les toilettes. Par contre, je n'étais plus très sobre. J'allais donc devoir m'assurer qu'il était au moins aussi intoxiqué que moi. Il ne devrait pas être très difficile à corrompre.

Je retrouvai Mélanie, Solène et George-Étienne près de la piscine.

– Ça a l'air super intéressant, son livre! m'annonça Mélanie à mon arrivée.

Elle n'eut pas le loisir de m'en dire davantage car ma mère réclama le silence en frappant bruyamment dans ses mains. Le flot d'invités s'immobilisa, tout ouïe.

– Mes cheeeers amis, nous sommes bien heureux, mon mari et moi, de vous recevoir à la maison pour célébrer sa nomination à la Cour supérieure.

La foule applaudit longuement. Nous en profitâmes pour nous éclipser vers l'autre côté de la maison, où la foule était moins dense.

– J'ai l'habitude de faire des gros partys, vous le savez... continuait ma mère.

Nous gagnâmes la pergola située sur le côté est de la maison. Je découvris que ma mère l'avait transformée en temple. Elle avait fermé la structure de bois avec des voiles et l'avait illuminée de nombreuses chandelles. La table moderne avait été remplacée par une statue en plâtre de taille humaine. Les chaises avaient aussi disparu. À leur place, nous trouvâmes des coussins. Je pris possession de l'endroit et invitai mes amis à s'asseoir à mes côtés.

– C'est Amon ! annonça George-Étienne, qui observait la statue.

– Ce qui est bizarre si elle prétend qu'elle a été princesse sous Akhénaton et qu'elle est morte assassinée, car ce sont les prêtres d'Amon qui se sont débarrassés du pharaon et de sa cour, commenta Mélanie.

– C'est vrai ! approuva George-Étienne. Akhénaton voulait instaurer le culte d'un dieu unique. Ce qui était toute une révolution, pour les Égyptiens de l'époque.

Ces deux-là semblaient un peu trop sobres à mon goût. Je remplis donc le verre de tout le monde et roulai un joint format famille nombreuse. Je demandai à George-Étienne où il vivait et il se mit à nous parler de « son domaine », une vieille grange transformée en atelier-loft près de Saint-Jean-sur-Richelieu. À la façon dont il nous décrivait les lieux, ça semblait sublime.

Il apprécia la qualité du *pot* et la perfection avec laquelle j'avais roulé le joint. Puis, fatalement, il m'invita à visiter « son domaine » le vendredi suivant. Je refusai. Je ne voulais que m'entraîner. Je décidai de revenir à mon projet et fis dévier la conversation vers son livre.

– Dans ton livre, est-ce que tu étudies le mythe de la femme idéale ? demandai-je en feignant de chercher les mots exacts, comme si cette question venait juste d'apparaître à mon esprit.

– D'une façon détournée, en étudiant la figure de Psyché. J'utilise le mythe d'Éros et de Psyché comme trame narrative de mon essai, expliqua-t-il en se frottant le visage.

Il devint soudainement très pâle.

– Je reviens, fit-il brusquement. Puis il se leva, sortit de la pergola et disparut derrière un bosquet.

– J'espère que tu l'as pas tué avec ton *pot* de sauvage, grogna Mélanie.

Je me sentis inquiète jusqu'à ce que George-Étienne revienne. Il semblait en meilleure forme et nous annonça que le repas était servi. Nous nous élançâmes vers le buffet, qui était sublime. Je m'empiffrai pendant que G.-É. continuait à m'inviter chez lui et à me gaver de compliments. Cela fit un bien fou à mon ego, qui en avait grand besoin. Et pourtant, malgré toute cette flatterie dégoulinante, ce fut surtout par lassitude que je flanchai et acceptai ledit rendez-vous. Je voulais juste qu'il cesse de m'inviter. Et, de toute façon, je pourrais toujours annuler plus tard.

Chapitre 18

Your next interview will result in a job

Dimanche

Je me levai à 11 heures pour constater que mon appartement était devenu une poubelle. Je me cuisinai un vrai petit déjeuner copieux – toast, œufs, bacon –, que je mangeai en feuilletant les chapitres 1 et 2 de mon livre et en relisant mes réponses aux exercices. Je m'activai vers midi et demi et entrepris un grand ménage en me demandant pourquoi je ne pouvais pas être attirée par des hommes comme George-Étienne ou Bernard 2 qui, eux, s'intéressaient à moi. Pour parler comme le livre, on dirait que je cherchais des emplois que j'étais certaine de ne pas obtenir. C'était comme si je ne voulais pas vraiment travailler. J'essayai de retraduire, mais le sens me paraissait impénétrable.

Je ne savais pas si c'était le mélange de produits ménagers que j'avais utilisés, l'activité elle-même ou mes lectures, mais je reçus l'illumination entre deux brassées de foncé. C'était moi qui avais peur de m'engager. Je recherchais des relations qui n'allaient nulle part par peur de ne pas être à la hauteur.

J'attendais l'homme idéal, mais j'étais loin d'être la femme idéale. Mes attentes étaient irréalistes. Au moins, la solution était simple. Je n'avais qu'à réviser ma réponse à la question 1 : « Quel est le titre de l'emploi idéal pour vous ? » Enfin, c'était ce que j'aurais aimé croire.

Je me couchai après avoir procédé à un récurage complet de ma personne, assez satisfaite de ma journée et complètement sobre. Je fis quand même un rêve absurde dans lequel je découvrais une déchirure dans le ciel qui laissait entrevoir une gaine de métal comme si la Terre était prisonnière d'une boule. Je fus réveillée à 5 h 30 par le téléphone.

Lundi

– Madame Justine Roberge ?

Je grognai un oui à peine audible.

– Je suis Lucienne Rompré, je suis infirmière à Saint-Joseph. Votre nom est sur la liste d'appel en cas d'urgence d'un M. Yves Deschamps et d'une Mme Estelle Deschamps.

Ma grand-mère et mon grand-père maternels. Leur évocation me réveilla d'un coup sec.

– Qu'est-ce qu'ils ont ? la coupai-je.

– Rien de grave. Juste un petit accident, ils vous l'expliqueront eux-mêmes. Les pompiers viennent de finir de les... déprendre, on les amène à l'hôpital Notre-Dame en ambulance.

– Je vous remercie, madame.

Les pompiers ?

Je les trouvai rapidement. Je ne pouvais pas voir mon grand-père car il était en encore aux soins intensifs alors je m'empressai de rejoindre la chambre de ma grand-mère. Elle dormait, à mon arrivée. Elle avait l'air minuscule, perdue dans ce lit qui paraissait immense.

– Je m'excuse de t'avoir inquiétée, ma chérie, bafouilla ma grand-mère en s'éveillant en sursaut.

Sa présence emplit la pièce.

– Je ne voulais pas te réveiller.

– Je suis si contente de te voir ! fit-elle avec un grand sourire.

Elle mit le lit en position assise d'un geste professionnel.

– Tu vas bien ? m'enquis-je, inquiète.

– Oui, oui, ricana-t-elle en rosissant. Je suis désolée qu'on t'ait dérangée pour cela.

Je l'aidai à arranger ses oreillers.

– Ce n'est pas grave. J'ai juste été surprise car je ne savais pas que j'étais sur la liste d'appel.

– Tu sais, ta mère n'est pas très fiable. Et elle est souvent partie dans des spas ou des retraites. Tu vois ce que je veux dire.

Oh ! « Ta mère n'est pas très fiable. » C'était comme si toute ma vie avait été de guingois et qu'en un instant elle venait de se redresser. Ma vie entière défila devant mes yeux, version *director's cut*. Avec ces quelques mots, ma grand-mère avait réussi à exprimer le malaise que je ressentais envers ma génitrice. Je savais depuis longtemps qu'elle n'était pas une personne à qui on pouvait faire confiance, mais je ne savais pas que cet avis était légitime.

– J'espère que ça ne t'embête pas, continuait ma grand-mère.

– Mais non, mais non, l'assurai-je. Et grand-père, que lui est-il arrivé ?

– C'est une longue histoire.

Et elle se mit à ricaner de plus belle. Un rire de petite fille prise en faute.

– On est restés pris.

– Hein ?

Elle soupira et regarda au ciel, un grand sourire sur le visage. Puis elle planta ses yeux dans les miens :

– Ton grand-père et moi, on voulait faire l'amour. À cause de son dos, on est obligés de le faire assis sur une chaise. Comme notre chaise habituelle était dans l'autre pièce, on a décidé d'essayer le fauteuil de notre chambre, qui a des accoudoirs. On a enlevé nos couches...

Je protestai :

– Trop de détails, Granny !

– C'est un détail qui a son importance pour la suite de l'histoire, ma chérie. Veux-tu la savoir, oui ou non ?

– Oui, lâchai-je avidement.

– Il a fallu que je passe mes jambes dans les accoudoirs. Pour entrer, ça s'est fait sans mal, mais, après notre...

Je pouffai de rire, comprenant subitement la situation.

– C'est beau ! hurlai-je en me bouchant les oreilles.

Elle éclata de rire.

– Ton grand-père et moi avons dû attendre qu'un préposé nous découvre. Ils se sont mis à plusieurs pour nous dépêtrer, mais c'était trop douloureux. C'est pourquoi ils ont dû appeler les pompiers. Deux petits vieux, tout nus, couches aux chevilles, entourés des pompiers ; la scène était tellement grotesque. Nous avons tant ri que ton grand-père en a fait un arrêt cardiaque.

Je me sentis blêmir.

– Ne t'inquiète pas, tout va bien, me rassura-t-elle. Je suis certaine qu'il en rit encore.

Son sourire disparut soudainement.

– Dans ma tête, j'ai encore l'impression d'avoir vingt-deux ans. Mais nous sommes vieux, dit-elle en contemplant ses mains d'un air triste. On ne peut plus faire de galipettes. Quelquefois, on l'oublie.

Un sourire illumina à nouveau ses traits.

– J'espère qu'on n'a pas réveillé ton cavalier avec nos pitreries, ajouta Granny avec un sourire enjôleur.

Je pensai à Fritz à cause du mot « cavalier », mais cette scène me semblait s'être déroulée il y avait fort longtemps.

– Non, je n'ai pas de « cavalier », comme tu dis, répondis-je en essayant d'avoir l'air détachée. Je n'ai pas absolument besoin d'un homme.

Pourquoi lui mentais-je ? Pourquoi me sentais-je honteuse, tout à coup ?

– C'est normal de penser ça quand on est jeune. Mais tu dois penser à l'avenir. Tu vas le regretter si tu es toute seule à mon âge.

– Oh, tu sais, grand-mère, c'est rendu pas mal compliqué, de nos jours.

– En tout cas, attends pas trop tard ! Et choisis-en un bon, martela-t-elle. Trouve-toi un gentil garçon qui va t'aimer et te respecter.

Tiens ! Voilà ma réponse à la question 1. Un gentil garçon qui va m'aimer et me respecter. C'est quand même plus raisonnable que « l'homme idéal ».

– Si, en plus, il avait de jolies fesses, je serais une femme comblée, Granny.

Elle se mit à rire.

– Oh, tu sais, les fesses, ça tombe en vieillissant.

Je m'esclaffai à mon tour.

– Ne tarde pas trop, ma belle. Moi, je ne sais pas ce que je ferais si je n'avais pas ton grand-père. C'est mon meilleur ami depuis cinquante ans.

Mon cœur se serra. C'est vrai qu'ils formaient un beau couple. Après tout, peut-être n'y avait-il pas que du mauvais dans l'héritage de ma famille.

Une fois sortie de l'hôpital, je m'effondrai sur un banc public pour appeler Mélanie. Je lui racontai ma visite matinale à l'hôpital.

– Je comprends pourquoi ils t'ont mise sur la liste d'appel. C'est vrai que ta mère n'a jamais été très fiable.

Encore une fois, j'étais sidérée. Mes amis avaient toujours trouvé que mes parents étaient si « cool » et « ouverts » que j'en étais venue à me persuader que c'était moi qui ne savais pas apprécier leurs excentricités et que j'étais un monstre d'ingratitude.

– À propos de parents, continua Mélanie, mes parents viennent justement souper, demain soir.

– Est-ce que je peux m'inviter ? Ça fait tellement longtemps que je ne les ai pas vus.

Elle resta muette un moment.

– Mélanie ?

– Je suis là, mais bien sûr que tu peux t'inviter. C'est que j'espérais t'inviter à dîner demain, car je vais au garage et je dois passer près de ton bureau pour m'y rendre.

– Je crois que je peux parvenir à t'endurer durant le dîner aussi.

– Alors c'est parfait. Je t'appellerai demain matin et on décidera où on va manger.

– Ok.

– Justine ?

– Quoi ?

– Je t'aime, tu sais ?

– Moi aussi, je t'aime !

Un regard à l'horloge de mon cellulaire me prouva que j'avais suffisamment procrastiné pour la journée, alors je me secouai et me dirigeai vers la file de taxis.

Comme j'avais dû repasser par la maison pour me changer, j'arrivai au bureau encore en retard. J'entrepris d'accéder à la boîte courriel que j'avais ouverte spécialement pour le poste d'assistant et, à mon grand désarroi, je constatai que j'en avais reçu 378. Je soupirai.

En télé, on reçoit toujours une quantité effarante de CV de personnes qui espèrent être découvertes et devenir la prochaine vedette. La moitié des dossiers étaient remplis de fautes. Il y en avait même un, Jérôme, qui avait commis l'erreur d'adresser sa lettre à une compagnie de production rivale. Je découvris plusieurs candidatures comiques. Pétronille, dans sa lettre de présentation, m'indiquait que, récemment, dans un restaurant « japonais », elle avait reçu un *fortune cookie* dont le message indiquait : « *Your next interview will result in a job.* » J'espérais qu'elle avait postulé ailleurs. Nicola, lui, me renvoyait à sa vidéo de présentation personnelle sur YouTube, où il rappait son CV. Il donnait plusieurs détails personnels non nécessaires comme le fait qu'il s'épilait entièrement et qu'il avait un piercing sur le pénis. Une Johanny m'écrivait dans sa lettre qu'elle aimait tous les projets qui étaient « le fun » et avait colorié des tas de petits cœurs avec une encre qui brillait. Elle avait joint à son document un portrait d'elle et une lettre de recommandation de sa mère.

J'éliminai donc facilement 312 candidatures. Comme il m'en restait encore un trop grand nombre, je refis une deuxième sélection basée sur la formation et l'expérience.

Quand je quittai le bureau à 16 h 30 pile, j'étais parvenue à ramener le nombre à 36. Je prévoyais de passer la journée du lendemain à réduire ce nombre à quinze et à faire des entrevues téléphoniques des candidats sélectionnés. J'estimais être en mesure de les recevoir en entrevue jeudi et vendredi.

J'avais faim. J'arrêtai donc au marché acheter de la bavette marinée et une bouteille de vin et, aussitôt rentrée à la maison, je me précipitai sur le barbecue. J'étais si affamée que je mangeai mon assiette debout au comptoir.

Une fois repue, je me ruai sur ma boîte à *pot* pour me rouler un joint. Je m'installai sur le balcon pour le fumer. Il y avait encore des enfants qui jouaient dans la ruelle. Je me détendis enfin. J'avais l'impression de ne pas avoir relâché mes épaules depuis des années. « Ta mère n'est pas très fiable » avait tourné dans ma tête toute la journée. Je ne comprenais pas pourquoi cette phrase me troublait autant.

Ce furent pourtant ces mots qui me servirent d'outils pour creuser au fond de mes émotions. Des mots qui me permirent enfin de voir ma mère telle qu'elle était : comme un être humain avec ses forces et ses faiblesses. Les crises d'anxiété, les histoires glauques, la drogue… c'était ma mère. Si j'avais les mêmes comportements qu'elle, c'était parce que je les avais hérités d'elle. Par mimétisme. Comme les petits louveteaux apprenaient à être des loups, moi, j'avais appris que ma mère avait des pouvoirs magiques qui ne fonctionnaient jamais à cause de mon manque de foi en elle. Me faisait croire que boire des sodas aux herbes qui goûtaient le vomi réalignaient mes chakras. Que je n'étais pas responsable de ce qui m'arrivait car tout avait été prévu par les planètes. Et bizarrement, je sentais que cette nouvelle perspective me redonnait le contrôle sur ma vie. Me rendait enfin libre d'être quelqu'un d'autre, d'être enfin moi.

Un enfant hurla. Il faisait sombre, je voyais plutôt mal, mais quelques secondes plus tard, une mère jaillit d'une des cours adjacentes et elle se jeta sur son fils pour le consoler.

Je me couchai un peu assommée. J'étais sur le point de m'endormir quand je me relevai pour aller démarrer une nouvelle liste dans mon Moleskine que j'intitulai « Points à régler ». Je notai rapidement : « projet livre », « histoires glauques », « dépendances », « devenir productrice » et « Solène ».

Chapitre 19

Baby blues

Mardi

Je me réveillai en sursaut, les mains sur le cœur. Cette fois, c'était moi qui portais le déshabillé bleu électrique. Moi qui brandissais un couteau en forme de Télétubbies. Moi qui poursuivais la vieille femme en criant que j'allais la manger. Toutefois, quand j'étais enfin parvenue à l'immobiliser au sol, elle avait gueulé que je ne pouvais pas la tuer car nous étions la même personne. De répulsion, je l'avais poignardée en plein cœur, mais ça avait été comme si je m'étais frappée moi-même et c'était la douleur qui m'avait éjectée du sommeil. Je me rallongeai en soupirant de soulagement.

Je restai au lit encore un moment car il était encore tôt, mais je fus incapable de me rendormir. Je repensais à mon rêve et, si j'avais une vague idée de ce qu'il signifiait, je n'avais pas très envie de le disséquer car, pour une fois, je me sentais vraiment heureuse. Je dirais même sereine. Même si je savais que j'avais une grosse pelote de nœuds psychiques à démêler, j'éprouvais un optimisme inébranlable.

Je pris le temps de me faire un café et déjeunai sur mon balcon en écoutant Yves Montand.

En posant le pied sur le trottoir, je décidai de changer mes petites habitudes et de prendre l'autobus plutôt que le métro. Durant le trajet qui me mena à l'arrêt, je croisai des dizaines de poussettes. Plusieurs poupons réjouis me firent salut de la main. Il me semblait que le monde entier était différent, ce matin-là. Que tout était plus beau, plus lumineux. Il me vint encore des airs de *La Mélodie du bonheur.* Je pestai en silence. Pourquoi ? me demandai-je. Je ne croyais pas l'avoir jamais regardé, ce fichu film.

Tandis que j'attendais sous un soleil déjà fort, j'appelai ma grand-mère. Elle me rassura sur l'état de Papy et je lui promis de passer les voir plus tard dans la semaine.

Il y avait bel et bien quelque chose d'inhabituel dans l'air car le chauffeur d'autobus répondit à mon sourire et je trouvai même un siège libre ! C'était jubilatoire. Je lévitai de bonheur jusqu'au bureau. Muriel, la première, me jeta un regard soutenu.

– Tu as l'air différente, aujourd'hui. As-tu changé quelque chose ?

– Non, lui répondis-je avec un sourire.

– Tu as une nouvelle couleur de cheveux, proposa-t-elle malgré tout.

– Non.

– Tu t'es fait blanchir les dents ? continua-t-elle.

– Non.

– Tu as rencontré quelqu'un !

Et ce fut comme ça toute la journée.

Je relus les dossiers des trente-six candidatures retenues la veille et, après une visite sur Facebook, je parvins à faire une courte liste de quinze personnes à qui je comptais faire passer une brève entrevue téléphonique. S'ils savaient tous la moitié de ce qu'ils prétendaient, ils devraient être en mesure d'assumer les responsabilités du poste. Le plus important, qui était de savoir si j'allais parvenir à endurer la personne trente-cinq heures par semaine, était le plus difficile à évaluer.

Avant de me lancer sur le téléphone, je décidai de relire la description de tâches que j'avais rédigée. Ensuite, j'attrapai mon livre fétiche et retrouvai la page où débutaient les exemples de questions d'entrevue. J'espérais y dénicher quelques idées pour m'inspirer. Je repérai les notes que j'avais laissées lors de ma première lecture, mais comme aucune question ne se prêtait à un bref entretien téléphonique, je les relus toutes en diagonale. Je choisis finalement la 54: « Parlez-moi de votre emploi actuel. » Leurs réponses devraient me fournir tous les éléments pour prendre la décision de les rencontrer en personne ou non. Ce dont les candidats allaient choisir de parler en premier serait très révélateur. Ensuite, en répondant à d'autres bonnes questions qui me viendraient au fil de la conversation, ils seraient forcés de me parler de leur méthode de travail, de leurs forces et de leurs faiblesses. Je rédigeai une liste de ces points pour me guider durant l'entrevue.

Je donnai quelques coups de fils qui se soldèrent par des visites dans une boîte vocale. Je parlai ensuite à six candidats plutôt interchangeables. J'en conviai trois pour une entrevue jeudi. Les trois autres m'avaient tutoyée d'emblée et ça m'avait fait mauvaise impression. J'étais tellement réactionnaire à propos de ce genre de chose. Je sentis mon cellulaire vibrer.

– Où va-t-on dîner ?

– Chez Wilensky ?

– Pourquoi ? C'est loin et ils ne servent que des sandwichs au baloney accompagnés de soda et de Cracker Jack.

– C'est pas vrai, t'as le choix entre le *Special* et le *Special with mustard.* Et puis il y a un cornichon, aussi. Allez !

– Ça reste un sandwich au baloney, fit Mélanie avant de grogner : C'est pas très écologique, tout ça ! Mais ok !

Mélanie me cueillit à l'heure, sur le coin de la rue. Je sentis immédiatement une tension dans l'air que je mis sur le compte de la densité de la circulation.

– Et l'assistant ? demanda-t-elle après les bisous.

– Ce n'est pas très concluant. Il y en a toujours neuf à qui je n'ai pas parlé, mais je préférerais embaucher quelqu'un que je connais. Tu devrais passer le mot autour de toi.

– Je comprends. Après tout, tu vas passer l'essentiel de ta vie éveillée avec cette personne.

Je souris.

– Je vais envoyer un courriel cet après-midi, ajouta mon amie.

– Merci. Je t'avoue que je trouve ça plus difficile que je pensais.

Un bref silence s'installa. Un malaise obscur jetait définitivement une ombre sur la conversation.

– Et où en es-tu avec les exercices du livre ? continua-t-elle.

– Pas plus loin que la dernière fois qu'on y a travaillé ensemble. J'ai été passablement occupée.

Elle plissa les yeux et prit un air soupçonneux.

– Je vais continuer ! m'exclamai-je.

Il y avait décidément quelque chose.

– Qu'est-ce qui se passe ? attaquai-je.

Elle prit une grande inspiration qui confirma mes soupçons.

– Il y a quelque chose que j'ai omis de te dire. Et comme mes parents seront là ce soir, il est possible qu'ils y fassent allusion, alors, je voulais...

– Accouche !

– Simon et moi, on essaie de tomber enceints.

Je restai muette.

– Tu ne dis rien ? balbutia Mélanie.

– Depuis quand ?

– Un an.

– Pourquoi tu ne m'as rien dit ? lui demandai-je d'un ton boudeur. Je suis ta meilleure amie, non ?

– Ça n'a pas adonné. Toutes les fois où je suis venue pour te le dire, tu avais quelque chose de plus important et...

Elle laissa sa phrase en suspens. C'est vrai que la conversation tournait souvent autour de mon nombril, ces derniers temps. Je devais me rendre à l'évidence : je n'étais pas une très bonne meilleure amie.

– Je m'excuse, Mélanie.

– Pourquoi tu t'excuses ?

– Je passe mon temps à parler de moi et de mes petits problèmes et je m'aperçois que je ne te donne pas beaucoup d'attention.

– C'est pas grave.

– Oui, c'est grave. Toi, tu es toujours là pour moi. Moi aussi, je veux être là pour toi. Recommence.

– Recommence quoi ?

– À m'annoncer la nouvelle.

Mélanie me jeta un regard interrogateur, mais s'exécuta malgré tout.

– Simon et moi, on essaie de tomber enceints.

Je hurlai si fort qu'elle faillit en percuter le camion à ordures qui se trouvait devant nous. Je l'embrassai avec effusion en criant :

– Je vais être matante, je vais être matante !

Mélanie se mit à rigoler. Elle me résuma sa dernière visite chez son gynéco. Elle m'expliqua que Simon et elle l'avaient consulté pour déterminer les raisons de leur échec. Ils l'avaient persuadé de leur faire passer des tests de fertilité. Ils avaient rendez-vous trois semaines plus tard. Vive les cliniques privées!

– Et qu'est-ce que vous allez faire si un de vous deux est incapable de...

Je ne terminai pas ma phrase car je voyais mon amie se fragiliser à vue d'œil juste à l'évocation de cette possibilité.

– On envisage sérieusement l'insémination artificielle, mais on n'a pas pris de décision à ce sujet encore.

Nous arrivions en face de chez Wilensky. Il y avait un trou minuscule entre deux voitures en face du restaurant et Mélanie parvint à y glisser sa Mini.

– Alors, tu préférerais un garçon ou une fille? lui demandai-je en prenant place au comptoir.

– Un garçon. Et après, une petite fille. En fait, je m'en fous, c'est juste que j'ai toujours voulu avoir un grand frère.

Nous commandâmes chacun un *Special with mustard* avec des sodas à la cerise.

– J'en reviens pas que tu ne m'en aies pas parlé! la taquinai-je en lui faisant une chiquenaude sur l'épaule.

– Ouch! Martyrise-moi pas.

Elle resta silencieuse une seconde pour rassembler ses pensées.

– Au début, c'était un truc entre moi et moi. Est-ce que je voulais avoir des enfants ou non? Puis j'en suis venue à la conclusion que oui.

– Pourquoi?

– Tout simplement parce que je ne veux pas mourir sans avoir fait cette expérience. Pour moi. Vaut mieux regretter quelque chose qu'on a fait que quelque chose qu'on n'a pas fait. Ensuite, c'est devenu un truc entre mon chum et moi. Et comme on ne voulait pas se mettre de pression et que le monde se permette de me demander quand j'ovule, on a décidé de garder ça pour nous deux. Puis, au fil des mois, comme je ne réussissais pas à tomber enceinte, on a fini par se demander si c'était normal. Alors on a posé des questions aux membres de nos familles respectives, qui ont tout de suite deviné les raisons de notre interrogatoire.

Mme Wilensky nous servit nos sodas.

– Et j'ai voulu te le dire aussi, mais...

– Ça n'a pas adonné, complétai-je en brassant le sirop avec ma paille. Chez Wilensky, ils en étaient encore aux sodas avec sirop.

– Et on avait raison de vouloir garder ça pour nous parce que depuis que les gens le savent autour de moi, c'est devenu infernal. On examine tout ce que je fais, tout ce que je mange... Mon corps est devenu un sujet d'intérêt public, continua mon amie avec un air dégoûté. Et je ne suis pas encore enceinte. Si ça continue, je vais finir par frapper quelqu'un.

– Pauvre chérie !

Je la pris dans mes bras dans un grand mouvement mélodramatique. Elle se mit à rire et elle me repoussa en me tirant la langue.

– En tout cas, si j'écoutais ce que les gens me disent à propos de leurs enfants, je n'en ferais jamais. Au mieux, ils les représentent tous comme s'ils étaient de petits tyrans.

Elle me jeta un regard en biais.

– Bon, assez parlé bébé, maintenant. J'ai assez peur de finir comme ma belle-sœur qui n'a aucun autre sujet de conversation depuis qu'elle a eu Érik.

– T'en fais pas. Je ne te laisserai jamais te rendre là.

On nous servit nos sandwichs, que nous attaquâmes voracement. En six minutes, nous avions terminé. Nous achetâmes un sac de Cracker Jack comme dessert et, comme il y avait toujours une surprise à l'intérieur, j'enfouis ma main dans le pop-corn collant. J'en retirai un petit plongeur en plastique avec tuba et masque. En l'examinant, je me rappelai la lettre de présentation au *fortune cookie*. Je relatai l'anecdote à Mélanie.

Nous regagnâmes ensuite sa voiture. J'attachais ma ceinture quand mon amie affirma :

– Tu as quelque chose de changé, aujourd'hui.

– Tu vas pas t'y mettre toi aussi !

– Dis-moi c'est quoi, insista-t-elle.

– Je me sens différente, c'est tout, répondis-je dans un souffle.

– J'ai un livre de Jung qui pourrait t'intéresser, suggéra Mélanie.

– Laisse faire les livres. J'en ai déjà un qui m'occupe à temps plein, la coupai-je.

Elle hurla de rire et m'imita en train de marcher, les yeux bandés, un vibrateur à la main.

Dans l'après-midi, je rencontrai les régisseurs des séries *Cannibale cité* et *Tout pour moi* pour discuter des aspects techniques du tournage. Ensuite, je bûchai sur ma présentation pour Maurice. Je comptais lui présenter mon projet dès le lendemain. Je jetai sur papier le concept de l'émission et je fis une liste des chefs potentiels que je pourrais approcher. J'avais eu une journée parfaite jusqu'à ce que celui-ci vienne me voir à mon bureau.

– Tu veux des billets pour aller à la première du film de Frédéric Gauvain demain soir ? Il doit y avoir au moins quelqu'un de la boîte. J'espérais que tu me remplacerais : Dominique doit aller à l'hôpital et je veux l'accompagner.

Je retins mon souffle. J'adorais la femme de Maurice. Pour moi, elle était la quintessence de la femme. Elle était devenue une romancière reconnue tout en élevant ses trois garçons et en faisant du bénévolat pour un organisme venant en aide aux enfants dans le besoin. En plus, elle était belle. Elle avait tout. Elle était brillante, généreuse, affectueuse... Si j'avais pu choisir ma mère, je crois que c'est elle que j'aurais désignée.

– Elle va pas ?

– Elle a de la misère à respirer depuis quelque temps. On va aller consulter.

– Je vais te remplacer à la première. Tiens-moi au courant.

Je fus pris d'un élan d'affection pour lui et le serrai dans mes bras.

Je devins mal à l'aise à l'instant où il était trop tard pour reculer. Je me sentis soudain horriblement gênée mais, quand je me retirai, je découvris qu'il avait les larmes aux yeux. Ce qui me donna le moton à moi aussi. Il tourna les talons sur un « merci » gêné.

Et moi, j'eus la bonne idée d'inviter Solène.

En fin de journée, j'étais parvenue à m'entretenir avec cinq autres candidats, que j'avais tous conviés à une rencontre vendredi. À 17 heures, je descendis attendre Mélanie et Simon qui passèrent me prendre. Je félicitai Simon pour leur projet bébé.

– Il faut que je vous avertisse, dit Mélanie. Ma mère a invité son amie Lorraine.

– Ah non ! fit Simon d'un air excédé.

– Quoi, qu'est-ce qui se passe ? les interrogeai-je.

– Elle est un peu franche et directe, expliqua Mélanie.

Simon grommela une réponse incompréhensible.

– Qu'est-ce qu'il y a ? demanda Mélanie.

– Rien ! répondit Simon.

Je rentrai à la maison vers 23 heures, exténuée. Lorraine étant sociologue de la santé et spécialiste des méthodes de conception alternatives, elle nous avait donné un cours magistral de trois heures sur l'insémination artificielle. On avait découvert au cours du repas que c'était Solange, la mère de mon amie, qui avait arrangé le souper. Pour que Lorraine puisse expliquer les tenants et aboutissants de la conception *in vitro* à Mélanie et Simon. Pauvre Mélanie ! Ses parents étaient devenus des monstres affamés de bébés. Je m'inquiétais un peu pour la santé mentale de mon amie.

Je me mis au lit, mais ne parvins pas à m'endormir. Je réfléchissais aux remarques de Lorraine. Au dessert, elle avait conclu son exposé en soulignant que la vraie question était : « Doit-on faire des enfants parce qu'on le peut ? » Et ses digressions s'étaient étendues à un sujet plus vaste : la médication à outrance. « C'est toute la société qui est aliénée, maintenant. Juste au Québec, le nombre de prescriptions pour les antidépresseurs a doublé dans les dix dernières années. Et je ne parle pas de l'utilisation des psychotropes en général. On vit dans une société dont le mal-être est devenu chronique et, pire, normal. Où chaque émotion négative est suspecte. Où on essaie de normaliser tous les comportements. D'ailleurs, si on ne freine pas cette tendance, on va finir par y perdre notre humanité et notre âme. » Si je me fiais à mon propre cas, j'étais plutôt d'accord avec elle pour dire que le mal-être était devenu chronique. Toutefois, je ne savais pas si je devais me sentir encouragée par le fait que tout le monde était aussi nul que moi.

Chapitre 20

Jobacadémie

Mercredi

Finalement, je crois qu'après tout ça me rassurait de savoir que tout le monde était aussi nul que moi. Car ce matin, je me sentais toujours aussi bien. Mais avec la chance que j'avais, j'étais certaine que ça n'allait pas durer. Alors je me mis à angoisser. Ça ne pouvait que dégénérer.

Je me poupounai à contrecœur. Ce soir, j'avais une première.

Je passai l'avant-midi à répondre à mes courriels et à régler des problèmes d'intendance. Je parvins à joindre les quatre derniers candidats. J'eus une conversation intéressante avec Martin et Marguerite, qui me semblèrent non seulement qualifiés, mais très sympathiques. Je les conviai tous les deux à me rencontrer, mais aucun n'était disponible avant lundi.

Je mangeai à mon bureau en feuilletant les notes que j'avais prises lors de la lecture du livre afin de m'inspirer pour les entretiens du lendemain. Je n'avais pas mené beaucoup d'entrevues en tant qu'employeuse au cours de ma vie, mais j'en avais passé plusieurs comme postulante. Et je savais qu'il n'y avait rien de plus facile que de leurrer un inconnu sur ses compétences par de belles paroles. Je fis une liste de questions potentielles, mais je me sentais insatisfaite. Aucune question ne me permettrait de savoir quelle serait l'attitude du candidat une fois embauché. Je fus interrompue dans mes réflexions par mon cellulaire qui se mit à vibrer. Un numéro inconnu. Quoi encore ?

– Oui !

– Bonjour, Justine, c'est George-Étienne.

Je l'avais oublié, celui-là.

– Allo !

– Alors, on se voit toujours vendredi ?

Je pensai me défiler, mais Marc traversa mon champ de vision et je m'ordonnai de lui laisser une minuscule chance. Surtout qu'il était « un gentil garçon », comme dirait ma grand-mère. Il était professeur, écrivain et en plus il me trouvait hautement intelligente.

– Oui.

– Voudrais-tu que je passe te chercher après mes cours ?

Je réfléchis. Je ne voulais pas me ramasser à Saint-Jean-sur-Richelieu à la merci du bon vouloir de George-Étienne. Je souhaitais pouvoir m'enfuir si j'en avais envie.

– Je vais essayer d'emprunter la voiture de Mélanie. Laisse-moi ton numéro, je vais te rappeler.

Je notai et je raccrochai. Je composai ensuite le numéro de mon amie.

– Yo !

– Pourrais-tu me prêter ta voiture vendredi soir ?

– Mmmm, fit-elle en réfléchissant. Pour faire quoi ?

– Aller chez George-Étienne.

– Oh, oui ! Ton souper à la grange du bonheur avec le philosophe de l'amouuuuur.

– C'est ça ! répondis-je en riant.

– Pas de problème. Je ne sais pas encore ce qu'on va faire en fin de semaine, mais si on a à sortir, on prendra la voiture de mon chum. Comment veux-tu faire ça ?

Elle s'engagea à venir me prendre vendredi en rentrant du boulot. Je devrais ensuite la reconduire chez elle avant de poursuivre mon chemin jusqu'à Saint-Jean-sur-Richelieu. Je rappelai G.-É. Il m'expliqua comment me rendre chez lui et me fit ses recommandations sur le trajet à emprunter.

Je raccrochai et contemplai le foutoir qui encombrait mon bureau. Je décidai d'aller interroger Maurice à propos de ses techniques d'entrevue.

Maurice ne me fut d'aucune utilité. D'ailleurs, je me demandais même pourquoi j'avais pensé le consulter quand je me remémorai la pitoyable entrevue qu'il m'avait fait passer lors de mon embauche. Il avait parlé de la boîte et des productions en cours durant tout l'entretien et, au total, je lui avais posé plus de questions qu'il m'en avait posé lui-même. Je retournai donc à mon bureau pas plus éclairée sur la façon de sélectionner le candidat ultime. J'avais besoin de quelqu'un de débrouillard, d'intelligent, qui avait de l'initiative et de l'entregent et qui était capable de s'adapter rapidement aux changements. De plus, il devait savoir bien rédiger en français. Pourquoi c'était si compliqué ? Comment ne pas me retrouver avec une autre Karine ?

Il faudrait que je les soumette à des tests pratiques à leur insu, songeai-je. Une sorte de Jobacadémie qui permettrait de révéler leur vraie personnalité. Que pourrais-je leur concocter comme épreuve ? Je m'installai confortablement dans mon fauteuil, me déchaussai et appuyai mes pieds sur mon bureau. Deux thés verts plus tard, j'avais imaginé tout un scénario. Épreuve 1 : après avoir accompagné le candidat à mon bureau, je feindrais un problème urgent à régler et je prétendrais attendre un coup de fil de la plus haute importance. Je demanderais aux candidats de prendre le message durant mon absence. But : estimer leurs capacités d'adaptation aux changements. Épreuve 2 : je réclamerais ensuite l'aide de Muriel pour appeler à mon bureau afin de s'informer si l'échéancier de production était prêt. J'aurais bien sûr pris soin de laisser le document bien identifié ainsi qu'un mot à ce sujet griffonné sur mon bureau au préalable. But : évaluer la débrouillardise. Épreuve 3 : à mon retour, en m'introduisant, je renverserais mon pot à crayon, juste pour observer leur réaction. But : estimer la capacité d'initiative. Épreuve 4 : je leur ferais ensuite corriger la lettre accompagnant ledit échéancier. But : déterminer le niveau de maîtrise de la langue française. Je terminerais par le cirque habituel. Je leur présenterais la compagnie et je leur poserais les questions d'usage. Hé, hé, hé. Je notai mon plan d'action.

Comme il n'était que 15 h 45 et que j'étais en avance sur mon programme de la journée, je décidai de jeter un coup d'œil à mon projet d'émission. Je le relus en entier et corrigeai quelques fautes. Il était temps d'aller tâter le terrain. Je retournai au bureau de mon patron.

Il m'accueillit aussi gentiment que d'habitude. Maurice était toujours de bonne humeur. C'était une de ces personnes qui ont le bonheur facile. Je l'enviais.

En deux mots, je lui rappelai les promesses qu'il m'avait faites lors de notre récent entretien et lui fis un bref résumé de mon idée. Il prit mon document.

– Je vais le lire ce soir et je t'en reparle demain matin, promit-il avec un sourire.

Je regagnai mon bureau ravie après lui avoir souhaité bonne chance avec le médecin.

J'allai rejoindre Solène dans le Hall des Pas perdus à la Place-des-Arts. Ils avaient installé le tapis rouge à l'entrée du théâtre. Le gratin artistique montréalais et français – coproduction oblige – se faisait la bise à tout va. Je repérai Solène qui m'attendait à l'entrée.

– Ça va ? fit-elle en m'embrassant sur les deux joues.

– Oui, toi ?

– Oui.

– Ça fait longtemps que tu es là ?

– Non, je suis allée prendre une bière au TNM en t'attendant. On va se faire une ligne ?

– Je représente la boîte, Solène, il n'est pas question que je fasse de la poudre dans les toilettes de la Place-des-Arts.

Solène se renfrogna. Merde, elle ne pouvait pas se retenir deux minutes ? Je compris soudain pourquoi j'avais ajouté Solène dans ma liste des points à régler.

Nous allâmes chercher nos billets à la table d'accréditation. Le coproducteur français me reconnut et me fit un signe de la main. Il parlait avec Christophe Grignon, l'acteur principal du film. Solène me donna un coup d'épaule.

– On va les rejoindre ?

– Il n'en est pas question. Christophe Grignon est insupportable. Il se baiserait le cul lui-même s'il en était capable.

– C'est pas grave, il est tout à fait consommable. On pourrait essayer de se faire inviter au party qu'il doit y avoir après la représentation.

Je levai les yeux au ciel. Il n'y avait rien de mieux que d'avoir son nom au générique pour émoustiller la gent féminine. Je la tirai par le bras.

– Viens, on va aller prendre un verre, à la place.

– Ok, fit-elle, soudainement docile.

J'étais vache. Je profitais de ses *addictions* pour la contrôler.

Je bus un verre de vin rouge trop chaud pendant que Solène se sifflait deux vodka/Guru en commentant tous les beaux gars qui passaient à notre portée. C'était devenu notre seul sujet de conversation, depuis quelque temps. Heureusement, le signal d'appel retentit et nous nous dirigeâmes vers nos sièges. Après les remerciements des producteurs et du réalisateur, le film débuta sous les applaudissements.

Le film n'avait rien de remarquable, mais c'était un divertissement honnête. Le réalisateur avait choisi un scénario un peu conventionnel – un trio amoureux qui tournait au sanglant – et le film avait tous les défauts d'un premier long métrage ; cependant, il portait une signature. On pouvait affirmer que le cinéaste avait du potentiel. Tout dépendrait de ses choix futurs. D'ailleurs, Frédéric Gauvain avait semblé soulagé de la réaction du public. La foule s'était levée pour l'applaudir. Toutefois, ça ne voulait rien dire. Ici, au Québec, on avait le *standing ovation* plutôt facile.

– On prend un dernier verre avant de partir ? me demanda Solène en sortant de la salle.

Je m'apprêtais à refuser quand je repérai Jean-Nicolas qui se dirigeait vers moi avec un sourire. Lui, il était *boyfriend material*. À vue de nez, il avait plusieurs caractéristiques de mon emploi idéal. C'était un jeune cinéaste qui avait réalisé un très bon documentaire l'année d'avant sur les plus vieux magasins de Montréal. Il avait d'ailleurs consacré une partie de son film au restaurant Wilensky. On s'était rencontrés lors d'un *wrap party* bien arrosé.

– Allo ! dit-il en m'embrassant sur les deux joues.

Je lui présentai Solène. Elle le détailla comme s'il s'agissait d'un steak. Je me sentis gênée. Je comprenais maintenant ce qu'avait dû ressentir Mélanie lors de la soirée catastrophique avec Bernard 1.

– As-tu aimé le film ? demandai-je à Jean-Nicolas pour attirer son attention.

Il fit une moue. Il paraissait peu impressionné.

– Surtout la bande sonore, répondit-il avec un sourire charmeur.

– C'est vrai, j'ai beaucoup aimé l'utilisation de la chanson d'Arthur H.

Il s'approcha imperceptiblement de moi. Ça allait bien. Il avait l'air de me trouver de son goût. Il allait peut-être m'inviter à poursuivre notre discussion ailleurs... Mais Solène torpilla ma conversation :

– Tu te souviens quand on a fait de la poudre avec Arthur H ?

Je restai pétrifiée un court instant. Elle exagérait. Je lui jetai un regard haineux. Je vis sa mâchoire se contracter. Une pépette boostée profita de la brèche pour s'introduire auprès de Jean-Nicolas, l'attirant à part. J'agrippai Solène par le bras et la traînai à l'extérieur. Elle se dégagea d'un geste violent, mais elle me suivit. Parvenues sur le trottoir, elle s'emporta :

– Qu'est-ce que t'as ?

– Pourquoi aller dire qu'on a fait de la coke avec Arthur H ?

– Pourquoi est-ce que t'as honte de ça ?

– J'en ai pas honte, mais je n'en suis pas fière non plus. Ce n'est pas ce que je veux que les gens retiennent de moi comme première impression.

– T'as tellement besoin de te faire aimer que tu préfères cacher qui tu es ! rétorqua-t-elle sur un air de celui-qui-le-dit-celui-qui-l'est très puéril.

– Parce que je suis plus que ça, justement! Pourquoi, j'ai la sensation que tu l'as fait exprès?

Elle me regarda d'un air dégoûté.

– Parce que tu es folle.

Là, c'en était trop.

– En tout cas, toi, c'est vrai que tu ne fais vraiment aucun effort pour te faire aimer.

Je tournai les talons et partis en quête d'un taxi. J'étais furieuse et je devais lutter contre les larmes qui menaçaient de déborder sur mes joues. Je hélai une voiture mais, au moment de lui donner mon adresse, je changeai d'idée et lui filai plutôt celle du Karma.

Je dansai jusqu'à minuit, poussée par un sentiment d'urgence mélancolique étrange. Je ne parlai à personne ni ne regardai personne et je rentrai chez moi pas trop bourrée. Je me déshabillai, me roulai un joint et me servis un scotch.

On aurait dit que le monde conspirait pour me faire retomber dans mes vices. Je me rejouai ma chicane avec Solène. Je nous entendais en boucle dans ma tête. Elle qui m'envoyait « T'as tellement besoin de te faire aimer que tu préfères cacher qui tu es! » et ma riposte: « Parce que je suis plus que ça, justement! » J'avais l'impression qu'elle m'emprisonnait dans une ancienne version de moi à laquelle je ne correspondais plus. À laquelle, à bien y penser, je n'avais jamais correspondu. « Tu préfères cacher qui tu es! » Encore faudrait-il que je sache qui je suis, songeai-je. Et cette constatation m'ouvrait la porte sur les profondeurs abyssales de mon désarroi émotionnel.

Je sentis une coulée de lave monter dans mon œsophage. Je regardai mon scotch avec dédain et laissai le reste de mon verre sur la table du salon pour aller prendre un antiacide, un antidépresseur et un tranquillisant: la mort, aller-retour.

Chapitre 21

You're Nobody Till Somebody Loves You

Jeudi

Dire qu'hier je me sentais si bien. J'avais enfin l'impression d'avoir réussi à syntoniser la fréquence de la joie de vivre, mais ce matin-là je ne la retrouvais pas. Je tentai de recréer mon bien-être en mettant du Dean Martin, mais après *Everybody Loves Somebody Sometimes*, mon iPod me proposa la mauvaise chanson: *You're Nobody Till Somebody Loves You* 🎧 et je restai avec mon humeur morose et les réminiscences de ma chicane avec Solène. Avais-je réagi trop fortement? Solène avait le don de me faire revenir en arrière. Comme si elle refusait que je change. J'avais vraiment pris son commentaire comme une attaque personnelle contre mon équilibre mental. Et pourtant, je l'avais bien perdu, mon nouvel équilibre mental.

Je résistai à l'envie de prendre un antidépresseur, mais je transférai néanmoins la bouteille dans mon sac.

À l'arrêt d'autobus, je pris mon cellulaire pour appeler Mélanie qui, après un bref rapport, s'empressa de prendre mon parti.

– Qu'est-ce que tu vas faire avec Solène ? me demanda-t-elle.

– Rien.

– Comment ça, rien ?

– Qu'est-ce que tu veux que je fasse ? C'est elle qui s'arrange pour nous repousser.

– Écoute, Justine, Solène est alcoolique et toxicomane. Tu es sa seule amie. Je crois qu'elle aurait besoin de l'entendre. Elle te voit comme une menace parce que tu essaies de changer. Si tu y arrives, elle sera obligée de se dire qu'elle devrait essayer de changer aussi. Elle serait alors contrainte de voir le problème : qu'elle est incapable d'arrêter de boire et de faire de la coke.

Je repensai à la bouteille d'antidépresseurs qu'il y avait dans mon sac. Mélanie poursuivait :

– Je crois que tu devrais lui parler. Moi, je ne peux pas. Elle n'accorde plus aucune crédibilité à mes opinions depuis que je sors avec Simon. D'ailleurs, je suis certaine qu'elle va penser que je t'ai conseillé de ne plus lui parler.

– Tu crois ?

– Oui. Parle-lui !

– OUI, OUI ! criai-je en montant dans l'autobus.

Je relatai à Mélanie mon plan pour les entrevues. Elle me fit promettre de la rappeler pour lui raconter comment ça s'était passé. Comme j'allais raccrocher, elle se mit à crier :

– J'allais oublier de te dire la nouvelle ! Sophie s'est trouvé un chum.

Une boule se forma dans mon œsophage et je repensai encore aux antidépresseurs qu'il y avait dans mon sac. Elle me rapporta son coup de foudre pour un avocat en environnement, ce qui m'acheva complètement.

– Justine ? fit Mélanie en constatant mon silence.

– Quoi ?

Elle comprit à mon ton de voix.

– Pour toi aussi ça va bien, poussin ! Tu as une *date* demain, tu as ton projet, tu vas t'engager un assistant et tu vas devenir productrice.

C'est vrai, Maurice devait me donner son avis ce matin.

– Ouin, répondis-je de mauvaise foi. Mais il y a ma mère, mon père, Solène.

– Parle-lui. Dis-lui que tu vas changer parce que c'est ça que tu veux et que tu exiges qu'elle te respecte dans ta démarche. Et profites-en pour lui confier tes inquiétudes au sujet de sa consommation.

– Je vais y penser. Je dois te laisser. J'ai mal au bras.

On se fit des bisous et on se souhaita bonne journée. Je descendis de l'autobus.

En marchant vers le bureau, je me repassai ma relation avec Solène en marche rapide et je vis clairement le *pattern* de l'alcoolisme apparaître. Je savais ce que c'était, mes deux parents l'étaient. Mélanie avait raison, je devais lui parler. Surtout si je ne voulais pas finir comme elle.

Une fois au bureau, je décidai de prendre le taureau par les cornes et d'appeler Solène. Elle ne répondit pas alors je laissai un message sur sa boîte vocale lui demandant de passer chez moi plus tard pour discuter. Quand je raccrochai, mon cœur battait la chamade.

Je révisai le plan pour les entrevues que j'avais fait hier. Mon premier rendez-vous n'était qu'à 11 heures, j'avais le temps de me préparer. J'entrepris de relire les CV des candidats que j'allais rencontrer. Le téléphone de mon bureau sonna.

– Justine, peux-tu passer me voir, s'il te plaît ? articula Maurice.

J'y courus aussi vite que mes talons me le permettaient.

Il débuta en me disant qu'il avait trouvé mon projet très intéressant et bien documenté, alors je m'attendis à un « mais ».

– Mais c'est un trop gros projet pour toi.

Je voulus m'exprimer, mais il me fit le geste de patienter. Je me croisai les doigts en signe de soumission.

– Si tu avais dix ans d'expérience derrière toi comme productrice, je te dirais encore que c'est trop gros. Ça prend des tas de contacts pour nouer tant de ficelles ensemble.

Je voyais bien qu'il avait raison, mais j'aurais tellement eu besoin d'une bonne nouvelle.

– Cela dit, c'est une excellente idée. Jean-Louis pourrait faire ce genre de projet.

Il remarqua ma grimace et sourit.

– Garde-là, cette idée. Tu la réaliseras dans quinze ans quand tu seras à sa place. Ça va être ta chance, bientôt. Continue à venir me voir avec tes idées.

Je le remerciai et lui demandai des nouvelles de sa femme.

– On s'est fait une grosse peur pour rien. C'est une réaction allergique, mais on ne sait pas à quoi. Elle va devoir refaire les tests d'allergie.

Je décidai que ce serait ma bonne nouvelle de la journée. Je sortis de son bureau et me dirigeai résolument vers Muriel.

– Muriel, j'ai besoin de ton aide.

Elle se tourna vers moi et m'offrit son air le plus attentif.

Je lui expliquai ma mise en scène et elle se montra ravie d'y participer. Je gagnai ensuite la réserve pour remplir mon pot à crayons, que j'allai placer sur le bord de mon bureau. Puis j'imprimai quatre exemplaires de mon échéancier de production et de la lettre d'introduction avec fautes, et j'en déposai une bien en évidence sur mon bureau. J'y collai un

Post-it sur lequel j'écrivis : « Prêt, reste juste à corriger. » Je me sentais comme un scientifique dans son laboratoire s'apprêtant à plonger une souris dans un immense labyrinthe. Moouaaa, ah, ah, ah, ah !

– Bonjour, madame Gendron, je m'appelle Justine Roberge, on s'est parlé au téléphone, lui dis-je en l'accueillant dans mon bureau.

La fille me jeta un regard d'incompréhension totale pendant quelques secondes. Puis elle sembla avoir fini de télécharger l'information et me fit un sourire.

– Bonjour.

– Voudriez-vous m'excuser quelques instants, je dois aller régler un détail de toute urgence et j'attends une communication très importante. Si mon téléphone sonne, pourriez-vous prendre le message pour moi, s'il vous plaît ?

Elle me jeta un regard vide... puis agréa. Elle n'était pas encore passée en haute vitesse, cette fille-là. J'avais cru remarquer le délai de réponse au téléphone, mais je l'avais mis sur le compte de la mauvaise qualité de la ligne.

J'allai retrouver Muriel. Je pris le téléphone du cubicule voisin et Muriel nous mit en conférence. Elle signala ensuite le numéro de mon poste. Le téléphone sonna trois fois avant qu'elle ne décroche. Muriel me jeta un regard étonné.

– Elle n'est pas vite-vite, expliquai-je.

– Oui.

– Bonjour, Justine Roberge, s'il vous plaît, fit Muriel, très dans son rôle.

– Elle a dû s'absenter pour une urgence, je peux prendre le message ?

– Je voulais savoir quand l'échéancier de production de *Tout pour moi* serait prêt.

– Un instant.

Elle ne nota pas la présence de l'échéancier sur mon bureau. Il faut dire que ça lui prit presque cinq minutes pour trouver un crayon. Et il y en avait un pot plein juste devant elle ! Muriel lui donna enfin ses coordonnées et je rejoignis ma candidate, peu impressionnée.

– Pardonnez-moi ! lui dis-je en réintégrant ma chaise. Je fis semblant de faire un faux geste et je renversai mon pot de crayon au sol. Elle resta figée. Je comptai jusqu'à trois, puis elle se pencha. Elle ramassa tous les crayons en m'expliquant qu'on m'avait téléphoné et que je trouverais les coordonnées de la personne sur mon bureau. Je repérai une page rose avec des petits chats. Elle avait griffonné les coordonnées fictives de Muriel sur son carnet personnel. Un bon point pour elle. Pour le ramassage des crayons, pas pour le papier à chats.

Ce qui était malgré tout une assez bonne performance parce que, sur les trois postulants rencontrés ce jour-là, non seulement aucun n'avait trouvé le document sur mon bureau mais en plus, il y en avait un, Martin Roger, qui avait laissé les crayons au sol et qui avait justifié sa paresse en prétextant que le service d'entretien allait s'en occuper. Les deux autres candidates, Nathalie Gendron et Nancy Théodore, avaient répondu aux questions de façon assez typique. Elles avaient toutes deux sursauté quand je leur avais demandé quelle était leur réaction aux ragots. Elles avaient répondu ne pas y participer, mais je savais qu'elles mentaient. Ça va peut-être me prendre plus de temps que je pensais, songeai-je en raccompagnant Nancy aux ascenseurs.

Le résultat total de ma journée était déprimant. Il n'était que 14 h 30 et j'avais déjà envie de me flinguer. Une margarita, à la rigueur, pourrait faire l'affaire. Je me remis à penser à Solène. Je constatai qu'elle m'avait laissé un message me disant qu'elle allait passer chez moi vers 18 heures. Dire qu'elle avait l'air bête était un euphémisme. Pourtant, Mélanie avait raison. Je devais lui parler.

Je bossai avec acharnement jusqu'à 17 heures pour reprendre le retard dû à ma séance d'entrevues. Ensuite, je rentrai chez moi bien sagement, l'âme en peine, anticipant la confrontation à venir.

Je lui offris à boire. Je pris une grande inspiration pour me donner le courage d'expulser la première phrase.

– Écoute, je n'ai pas du tout aimé ce que tu as fait hier.

– Je suis un peu déçue, je croyais que tu m'avais invitée pour t'excuser! répondit-elle d'un air effronté.

Je lui tendis son verre. Elle en prit une gorgée et resta surprise.

– T'as rien mis dedans?

– Oui, ça s'appelle du jus.

Elle se leva et se dirigea vers mon bar. Elle en retira la bouteille de vodka.

– En fait, c'est de ça que je voulais te parler.

Je la vis froncer les sourcils.

– C'est-à-dire?

– Je trouve que tu commences à avoir le party pas mal triste.

Elle s'immobilisa et se retourna lentement vers moi.

– C'est Mélanie qui t'a dit de me dire ça.

– Je suis capable de penser par moi-même.

– C'est vrai! cracha-t-elle. Elle a dû te conseiller de cesser de me voir.

– Au contraire! C'est elle qui m'a convaincue de te parler. C'est drôle, elle savait que tu dirais ça.

Bizarrement, cela sembla la confirmer dans sa conviction du contraire. Je décidai de passer à l'attaque.

– À quelle heure as-tu commencé à boire, hier?

– J'ai dîné avec des clients, j'ai pris trois verres de vin.

Elle se redressa soudain et ajouta:

– De toute façon, c'est pas de tes affaires!

– Plus la bière au TNM, les deux vodka/Guru, ce que tu as dû sniffer avant de venir me retrouver et tout ce que tu as dû consommer ensuite, tu ne trouves pas que ça fait beaucoup, pour une journée?

– C'est pas de tes affaires, répéta-t-elle plus fort.

Elle accusa quand même le coup. Je poursuivis ma charge:

– Oui, c'est de mes affaires. On dirait qu'on ne peut plus rien faire avec toi s'il n'y a pas de possibilité de boire ou de faire de la poudre. En plus, tu deviens désagréable. Le party, l'alcool, la drogue, c'est ben l'fun, mais on n'a plus dix-huit ans.

– J'en ai pas soixante-dix-huit, en tout cas! C'est quoi? C'est ton horloge biologique qui sonne?

– Je commence juste à en avoir assez, Solène. J'ai envie de passer à autre chose.

Ses mâchoires se crispèrent. Je vis ses doigts blanchir autour de la bouteille de vodka, puis elle sembla reprendre ses esprits.

– C'est toi qui veux passer à autre chose. M'embarque pas là-dedans. J'ai rien à y voir.

– Ben oui, justement. Parce que j'ai l'impression que tu essaies sciemment de m'empêcher de le faire.

Solène déposa sèchement la bouteille.

– Tu n'as pas besoin de moi pour ça. Tu sais très bien t'autosaboter toi-même.

Je sentis la colère monter en moi, mais je tentai de rester calme.

– C'est pas moi qui ai parlé d'Arthur H, hier, en tout cas.

– Le monde ne tourne pas autour de ton nombril, Justine. J'aime vivre intensément. Je suis bien comme je suis. Je ne vais pas me censurer parce que tu as décidé de changer. Ce n'est pas moi qui ai un problème.

Elle resta silencieuse un moment, puis elle poursuivit :

– D'ailleurs, je ne suis pas certaine d'aimer beaucoup ça, ton changement. Tu es en train de devenir *straight* et ça m'emmerde.

Je sursautai. Pour Solène, traiter quelqu'un de *straight*, c'était le signe du mépris suprême. Elle me renvoyait au rang des parasites. Elle était manifestement prête à tout pour continuer à nier son problème. Je me radoucis.

– T'es ben méchante, je suis ton amie. C'est pour ça que je t'en parle. Je crois que tu as développé...

Je cherchai un mot pas trop péjoratif.

– ... un problème de dépendance. Je m'inquiète pour toi. Je sais ce que c'est, mes parents sont...

– Non, t'es plus mon amie. Je ne sais pas pour qui tu te prends depuis quelque temps, mais je ne te reconnais plus. T'es rendue une connasse qui juge. Tu devrais commencer par t'occuper de ton propre cas.

– C'est ce que j'essaie de faire.

– Ah oui, c'est vrai. Ton livre à la con. Heille, réveille ! C'est un livre pour se trouver un emploi.

– Je le sais pertinemment, Solène, mais j'essaie de devenir une adulte. Mon histoire avec le livre, c'est du délire, mais je sens quand même que ça m'aide. Ce n'est peut-être pas le meilleur moyen pour y arriver, mais je suis prête à faire un effort de volonté pour améliorer ma vie.

Elle éclata de rire.

– C'est quoi, tu t'es trouvé un gourou comme ta mère ? T'as trouvé la vérité et maintenant tu veux l'imposer à tout le monde ?

Je sentais que la partie était perdue.

– Ben tu peux certainement pas t'attendre à ce que je change de vie parce que toi tu...

– C'est pour ça que je crois qu'on devrait peut-être arrêter de se voir.

Ma dernière réplique tomba comme une sentence. Je croyais que ce commentaire allait la calmer et l'obliger à négocier, mais je me trompais. Elle attrapa son sac et quitta l'appartement sans refermer la porte. En quinze minutes, j'avais bouleversé ma vie à jamais. J'appelai Mélanie pour éviter de me mettre à chialer.

– Ça s'est mal passé ?

– Assez, ouais. Elle l'a plutôt mal pris.

Je lui narrai notre conversation.

– Tu as fait ta job d'amie.

– Elle m'a dit de commencer par m'occuper de mes propres problèmes.

– Oh !

– Qu'est-ce que t'en penses ? Tu crois que je suis comme elle ? demandai-je d'une voix rétrécie.

– Es-tu capable de passer une journée complète sans consommer ?

– Oui.

– Alors, non, je ne crois pas que tu sois alcoolique ni toxicomane.

– Et j'ai diminué, dernièrement.

– Tu vois ?

Mélanie parvint à me remettre vaguement de bonne humeur. C'était loin de la quasi-félicité que j'avais expérimentée quelques jours avant, mais je me sentais traumatisée. Ce qui était plutôt normal. Je venais de briser définitivement une relation qui avait été très importante dans ma vie. C'était coté très haut sur l'échelle de stress. Je me roulai un joint que j'allai fumer sur le balcon. J'imagine que, pour aller de l'avant, il faut faire certains sacrifices, pensai-je. Encore un mois et je serai enfin en vacances pour quatre semaines. J'étais censée partir quelque part avec Solène. Qu'est-ce que j'allais faire, à présent ?

Je me dirigeai vers le réfrigérateur. J'avais présumé que Solène et moi, on irait manger quelque part pour célébrer notre réconciliation, alors je n'avais rien de bien excitant à me mettre sous la dent. Je me préparai donc un sandwich, me débouchai une bière et allai m'allonger sur le divan pour regarder *Persona*, d'Ingmar Bergman, à la télé. Ce n'était peut-être pas le bon film à regarder quand on venait de casser avec sa meilleure amie, mais j'avais vraiment envie de le revoir et j'espérais qu'il me distrairait de mes préoccupations.

Je me traînai jusqu'à mon lit vers 23 heures. J'essayai de me masturber quelques fois pour parvenir à m'endormir, mais ce fut peine perdue. J'aurais pu avaler un tranquillisant, mais j'avais envie de me désintoxiquer un brin. Ma dispute avec Solène m'avait rendue méfiante envers mes propres *addictions*. Ce fut toutefois difficile de résister car, aussitôt que j'avais les yeux clos, je sombrais dans un maelström vertigineux de pensées toutes plus macabres les unes que les autres. Je ressassais ma dispute avec Solène. Aucune des séparations amoureuses que j'avais vécues ne m'avait fait aussi mal. Je ne voyais malheureusement pas comment cette relation aurait pu tourner autrement. J'espérais qu'après un certain temps, je pourrais recommencer à la voir sur une autre base. Toutefois, elle ne serait plus jamais ma meilleure amie et cette pensée me fendait le cœur.

Alors je me relevai et je préparai mes bagages pour mon escapade à la campagne, tout en évitant d'anticiper le déroulement de ma *date* avec G.-É. P. Je ne voulais surtout rien imaginer, car je ne voulais pas me créer d'attentes. C'était la seule façon de ne pas être déçue. Je songeai à la façon dont j'avais obsédé sur Bernard 1 et cette évocation me fit frémir. Je ne voulais plus être cette fille avide d'amour et de tendresse. Au moins, George-Étienne ne provoquait pas ce genre de passion en moi. Ce qui n'était cependant pas très prometteur. Toutefois, je n'avais aucun autre *prospect*. Et ce n'était pas un mauvais parti. Il méritait que je lui donne sa chance.

Je me recouchai vers minuit. Je me retournai dans mon lit, cherchant le sommeil et, à un certain moment où j'étais mi-éveillée, mi-endormie, je me mis à délirer : Mélanie tombait enceinte, je ne la voyais plus et je finissais seule, ne sortant que le dimanche soir pour aller souper chez mes parents, qui auraient définitivement adopté le mode de vie des Égyptiens de l'Antiquité.

Chapitre 22

Le domaine

Vendredi

Ce matin-là, malgré tout, j'avais l'impression d'avoir pris la bonne décision à propos de Solène et je me sentais d'attaque. Par contre, je savais que si je ne bridais pas un peu mon imagination, j'allais encore me mettre à divaguer en inventant des scénarios catastrophes qui allaient finir par envenimer mes états d'âmes. Je décidai donc de me concentrer sur les entrevues au programme de la journée et d'essayer de trouver du temps pour lire le chapitre 3 : « L'information, la denrée de l'avenir ».

Je le commençai en déjeunant et je poursuivis ma lecture tout le long du trajet de bus. Le but du chapitre consistait à élaborer une stratégie pour dénicher les entreprises qui offraient le genre d'emploi que l'on recherchait et à les contacter. J'imaginais que pour moi ça voulait dire qu'il fallait que je trouve les endroits où je pourrais rencontrer le genre de gars que je cherchais. Il faudrait que les hommes portent une pastille de couleur comme les vins à la SAQ, ça simplifierait la vie.

Ma première entrevue était à 9 h 30. J'allai prévenir Muriel dès mon arrivée. Elle fut enchantée d'avoir une chance de me parler de ses deux chats. Elle me fit défiler ses nombreuses photos que je commentai de « oh » et de « ah » approbateurs. Quand je revins à mon bureau, mon café était froid. Merde !

La première candidate, Céline, obtint une note parfaite. Elle avait repéré l'échéancier sur mon bureau. Elle avait annoncé à Muriel qu'il était prêt et que j'allais certainement le lui faire parvenir sous peu. Et elle avait aussi ramassé les crayons.

Ce fut par contre la seule à noter la présence du document. Aucun des cinq candidats rencontrés ne se démarquait vraiment des autres. À part Céline, qui avait la fougue de la célèbre chanteuse du même nom. Et je sentais que ça allait rapidement m'exaspérer en ration quotidienne.

Écouter les réponses des candidats était la plupart du temps une tâche fort ennuyeuse. Alors, pour passer le temps, je m'étais amusée à imaginer mes candidats lors d'une *date*. Je voyais Céline poursuivre des hommes qui se révélaient immanquablement être gais. Samuel, lui, visiblement gai, semblait mal l'assumer. On sentait qu'avec lui, il fallait parler sur la pointe des pieds. Il avait l'air de n'avoir jamais eu de relation sexuelle. Ce qui m'avait été presque confirmé quand il m'avait avoué toujours habiter chez ses parents. Nathaniel, lui, avait jeté un regard de prédateur à mon décolleté ; ça m'avait donné une bonne idée de ce que devait être sa tactique de drague : foncer dans le tas. J'imaginai Claire, qui avait semblé si réservée et calme qu'elle sursautait à chaque fois que je prenais la parole, habillée en déesse sado-maso. Et sainte Hélène, la dernière, avait l'air si grano qu'elle ne devait faire l'amour qu'avec des hommes totalement végétaliens.

Il n'était que 14 h 45 et je ne voulais plus rien entreprendre. Alors après avoir remercié Muriel de son aide, je gagnai les toilettes du troisième et je pénétrai dans la dernière cabine. Je m'écroulai sur le siège. J'avais l'impression de peser deux tonnes. Encore une journée perdue ! Je soupirai de désespoir. Je ressortis de la cabine et me dirigeai vers les lavabos. J'aimerais ça que les choses soient faciles, un peu, pour une fois. Je m'aspergeai le visage avec de l'eau froide. Mon cellulaire se mit à sonner. Je m'essuyai le visage en vitesse. Je devrais changer de sonnerie. Je me jetai un coup d'œil rapide dans le miroir. Je devrais peut-être aussi changer de coupe de cheveux.

– Allo ?

– Justine Roberge ?

– C'est moi.

– Je m'appelle Oscar Garneau, je connais Sophie Richard. Elle m'a fait parvenir votre annonce.

Oscar ? Oscar avait la voix d'une femme. Je restai interdite.

– Eh oui, je m'appelle Oskare avec un « k » et un « e ». Mes parents étaient un peu *freak*. Votre amie Mélanie a envoyé l'offre d'emploi à Sophie, qui me l'a transférée.

Sophie ! L'autre meilleure amie de Mélanie. Celle qui venait de trouver l'homme de sa vie.

– Ouiiiii !

Elle fit un rapide survol de ses expériences de travail et je dus admettre qu'elle avait toutes les qualifications qu'il fallait pour accomplir le travail. De plus, elle était plutôt charmante. Je lui donnai rendez-vous lundi matin.

Je retournai à mon bureau beaucoup plus optimiste. Je notai le rendez-vous à mon agenda et m'installai dans mon fauteuil pour relaxer. Je m'autorisai enfin à penser à ma soirée chez George-Étienne. Je soupirai d'appréhension. Je ne savais pas trop à quoi m'attendre. Je me répétai une nouvelle fois: je n'ai aucun *prospect*, c'est un bon parti, il mérite que je lui donne une chance. Au moins, j'avais la voiture de Mélanie. S'il devenait trop pénible, je pourrais revenir à la maison dès ce soir.

– Oscar Garneau?

Mélanie prit un air de réflexion intense qui allait certainement lui devoir plusieurs séances de botox dans l'avenir.

– Avec un «k» et un «e». C'est une fille.

Son visage s'illumina comme si elle venait de découvrir l'alignement qui permettrait aux Canadiens de gagner la Coupe Stanley.

– Oskare Garneau! Oui, je sais de qui tu veux parler. Ce n'est pas à proprement parler «une amie» de Sophie car je crois qu'elle a à peu près la même opinion d'elle que toi...

– Un bon point pour elle.

– ... mais c'est le genre de fille dont Sophie aime s'entourer.

– Qu'est-ce que tu veux dire par là?

– C'est une *superwoman*.

– Hein?

– Tu sais, le genre de fille à côté duquel on a l'air arrêté.

Je me mis à rire nerveusement.

– Elle a trois enfants. Elle a quand même réussi à faire un bac en cinéma et quelques courts métrages qui ont à peu près tous gagné des prix, et elle s'implique bénévolement tous les ans dans l'organisation du festival de films pour enfants. Elle est franchement énervante, tu trouves pas?

– Es-tu en train de me dire qu'elle va me piquer ma job?

Ce fut à son tour de rire.

– T'inquiète pas. Ce n'est pas une carriériste. Avec son mari, ils ont un arrangement. Seulement un des deux travaille pour faire vivre la famille. Les dix dernières années, c'est lui qui a travaillé pendant qu'elle développait ses projets de films. Maintenant c'est au tour de son mari. Il veut démarrer son entreprise.

– Quel genre de fille est-elle? demandai-je, curieuse.

– Elle a un style bien à elle, ça c'est sûr.

– Qu'est-ce que tu veux dire?

– C'est comme... Elle réfléchit quelques secondes. Son âme déborde de partout. Tu vas comprendre ce que je veux dire quand tu vas la rencontrer. En tout cas, c'est une fille hypersympathique. Je suis certaine que tu l'aimeras.

– Wow! J'aimerais ça qu'on parle de moi comme ça. J'ai bien hâte de la rencontrer.

– En fait, ajouta Mélanie, ce serait plutôt moi qui devrais avoir peur que tu tombes trop en amie avec elle et que tu n'aies plus de temps pour moi.

Je lui fis une « bine » sur l'épaule en la traitant de grande niaiseuse. J'avoue que le portrait était très flatteur. J'avais un préjugé positif envers elle, à présent.

– Alors, ta *date*?

Je pris une grande inspiration, mais rien ne vint.

– Wo! fit-elle, alarmée. Si tu n'en as pas le goût, vas-y pas. T'auras juste à dire que j'ai eu besoin de ma voiture à la dernière minute.

– Non, je veux y aller. C'est juste que je ne veux pas me créer d'attentes.

– C'est normal d'en avoir. C'est juste qu'il ne faut pas que tu les laisses influencer tes actions.

– Qu'est-ce que tu veux dire?

– Ben, donne-lui une chance, mais si ce n'est pas le bon, n'essaie pas de forcer les choses.

– J'y vais pour voir son « domaine ». Je n'ai pas souvent l'occasion d'aller à la campagne. Je crois que ça va me faire du bien.

– En tout cas, tu n'es pas obligée de coucher avec lui pour ça.

Je m'esclaffai.

– Non, non, c'est pour ça que j'ai pris ton auto.

– Alors ne bois pas trop ! Je ne voudrais pas que tu te tues au volant.

– Promis !

Après l'avoir déposée chez elle, je pris la direction de Saint-Jean-sur-Richelieu. De nombreux Montréalais avaient aussi eu l'idée de s'enfuir à la campagne car la 10 s'était métamorphosée en stationnement. Il devait faire 41 degrés à l'extérieur et le bitume fumait. Heureusement que Mélanie avait l'air climatisé dans sa bagnole.

Je trouvai le rang conduisant au « domaine » au bout de la rue principale. À partir de là, le chemin devenait bucolique. La route de terre zigzaguant dans les bois composés d'arbres matures me mena à la grange. La grange ! Ce n'était pas tout à fait une grange. Ça avait dû l'être un jour, la maison en possédait toujours la structure, mais c'était devenu autre chose. De larges fenêtres perçaient la façade nord sur deux étages. À l'ouest, une pièce entièrement en verre avait été ajoutée. De l'extérieur, on pouvait apercevoir la table de la salle à dîner et un coin lecture à travers le gros cube transparent. Ces objets semblaient flotter au beau milieu de la nature. C'était la plus belle maison que j'avais vue de toute ma vie.

En ouvrant la portière, je me fis agresser par la chaleur et un concert de grillons. Je respirai à pleins poumons. George-Étienne sortit sur le perron, un linge à vaisselle sur l'épaule et un verre de vin rouge à la main. Ça commençait plutôt bien.

Nous échangeâmes bisous, remerciements et autres bla-bla d'usage en cours chez les êtres humains: la température et les transports. Puis, il ramassa mon sac, me tendit le verre de vin et m'entraîna à l'intérieur.

– Viens que je te fasse visiter mon domaine.

En fait, il avait raison d'appeler ça un domaine. Cette maison était magique. L'intérieur, tout en bois foncé, était éclairé par de nombreux puits de lumière. Il y avait un demi-étage où se trouvaient les chambres. Et le rez-de-chaussée était constitué d'une grande pièce qui servait de bibliothèque, de bureau et de cuisine. Celle-ci s'ouvrait sur la cour par des portes françaises. J'y découvris un spa dans un jardin d'eau japonais où fleurissait encore un pommier. C'était fantastique. Tout à coup, George-Étienne me sembla beaucoup plus intéressant.

– Suis-moi, je vais te montrer la chambre d'amis.

Je sursautai imperceptiblement et il le repéra. Il m'entraîna dans l'escalier menant au deuxième.

– J'ai l'intention de réussir à te persuader de coucher avec moi ce soir, mais au cas où tu voudrais avoir la paix...

Il me présenta une chambre ravissante. Il était vraiment un gentleman. Après tout, les hommes plus vieux avaient leur charme.

– As-tu faim? me demanda-t-il en me mangeant des yeux.

Il ne faisait aucun effort pour dissimuler son désir.

– Oui.

Je m'extasiai sur sa maison pendant près d'une heure. Il en fut ravi. C'était son frère, architecte, qui avait transformé la grange en maison. George-Étienne me raconta que celui-ci était mort l'année précédente d'un infarctus foudroyant.

– Mais ne devenons pas sinistres, conclut-il avec un air de grand seigneur en jetant les pétoncles sur le gril extérieur.

Il alla mettre Nina Simone, puis nous servit les pétoncles sur un caviar de mangue et de poivrons rouges accompagnés d'une salade de roquette. Je crois qu'il m'aurait offert une rivière de diamants que je n'aurais pas été aussi émue. Il alluma une longue guirlande de petites lumières blanches et nous nous installâmes sur la terrasse.

– Alors, ton livre, ça avance ? lui demandai-je, abandonnant enfin le badinage.

– Ça avance bien. J'ai eu une phase difficile avec le chapitre 2 qui traite du côté psychologique de l'amour, mais j'en suis sorti.

– Pourquoi c'était si difficile ?

– Parce que je suis philosophe. C'est complètement une autre façon de penser l'être humain.

– Pourquoi aborder ce côté-là dans ton livre, alors ?

Il se recula, l'air flatté. Il aimait parler de lui. En tout cas, il semblait me trouver bon public.

– Le sujet même m'y oblige. Le côté émotif de l'amour. On ne peut pas évacuer les conclusions des recherches de la psychologie quand on cherche les motivations de l'Homme.

C'était parfait. Moi aussi, je recherchais justement les motivations de l'homme.

– Et qu'as-tu déduit de tes recherches ?

– En fait, je ne me suis intéressé qu'aux recherches comportementales. Principalement, il semblerait que les conceptions d'une personne sur l'amour se cristallisent entre zéro et six ans et sont donc issues de l'exemple donné par l'entourage de l'enfant.

– Tu ne t'es pas intéressé à la psychologie jungienne ? L'inconscient collectif, ça aurait pu être intéressant pour ton sujet.

– Sornettes ! La philosophie est bien mieux armée que la psychologie pour appréhender ces phénomènes, fit-il en ponctuant sa phrase d'un grand geste de la main. Je traite de l'inconscient collectif en étudiant le mythe d'Éros et de Psyché.

– Ça me dit vaguement quelque chose. Mythologie grecque ?

Merci aux sœurs qui m'ont éduquée.

– C'est ça ! J'utilise la version d'Apulée, un auteur du deuxième siècle de notre ère, pour démontrer que la représentation actuelle de l'amour repose encore sur une symbolique très ancienne.

Il se mit à me raconter le mythe d'Éros et de Psyché et à m'expliquer comment il entendait développer sa thèse. Ce qui fait qu'on atteignit rapidement le fond de la deuxième bouteille de vin. George-Étienne se leva pour aller en chercher une autre dans son cellier.

Je respirai un grand coup. Je me sentais tellement bien, chez lui. Cette maison me mettait dans un état de calme et de paix indescriptible. En plus, j'aimais bien discuter avec lui. Il flattait mon intelligence.

Il revint avec une nouvelle bouteille de rouge et un minisac contenant une matière grise.

– Champignons, expliqua-t-il en voyant mon air interrogateur.

Un instant, je fus prise d'un sentiment de panique. Puis le démon tentateur de la curiosité montra le bout de son nez.

– C'est du vrai ou c'est juste un champignon pourri shooté au LSD ?

– C'est du vrai.

Je le regardai d'un air soupçonneux.

– Je les ai cueillis moi-même au Costa Rica.

– Ah oui ? fis-je, impressionnée.

– Oui, minauda-t-il.

– Comment as-tu fait pour en trouver ?

– J'étais avec un copain qui habite là-bas. Il sait où il y en a. Le plus dur, ça a été de trouver les premiers. Après, on en a mangé un peu et, au bout de vingt minutes, les autres nous appelaient.

J'éclatai de rire.

La soirée fut mémorable. Il alluma un feu dans une cuve située plus loin sur son terrain. On apporta des chaises, des couvertures, nos verres, les champignons et le dessert près du brasier. Les champignons avaient un goût abominable qu'on fit passer avec du melon à la vodka. On passa donc le reste de la soirée à rire de tout et de rien. Mon hôte était très en verve. Il ne ratait aucune occasion d'étaler ses connaissances ou de me faire un compliment. Toutefois, après tout l'alcool et les champignons, je n'étais plus du tout en état de coucher avec lui, même si je l'avais voulu. Et j'aurais peut-être voulu. Je ne le trouvais pas particulièrement séduisant physiquement, mais il était gentil, intelligent et drôle. Ce qui était déjà beaucoup plus que mes dernières conquêtes.

Chapitre 23

George-Étienne et moi, *The Music-Hall*

Samedi

Je me levai vers 8 heures, éveillée par le silence auquel, en bonne citadine, je n'étais pas habituée. Je me préparai un café, piquai un croissant et sortis. Au bout d'une heure, je commençais à cuire alors je décapotai le spa et allai enfiler mon bikini. Je contemplai le ciel. La journée s'annonçait ensoleillée. Je pourrais m'arranger pour qu'il m'invite à rester encore ce soir. Et je pourrais aller faire des courses et cuisiner quelque chose à mon tour.

Je fis trempette pendant une heure. Je me voyais déjà vivant ici avec lui. Je devenais productrice d'une série télévisée qui remportait l'assentiment général et lui, il raflait de nombreux prix grâce à son livre. Nous devenions le couple Sartre-Beauvoir du Québec. Puis, je finis par me remémorer que je ne le connaissais pas vraiment et qu'il était un peu tôt pour me jouer « George-Étienne et moi, *The Music-Hall* ». Que j'étais en train de me créer des attentes et des déceptions. Alors je décidai que j'avais suffisamment déliré et sortis du spa. Ensuite, je me séchai et passai dans son bureau. Rien de mieux pour jauger une personne que d'aller examiner le contenu de sa bibliothèque, m'encourageai-je.

Évidemment, j'y découvris de nombreux ouvrages de philosophie. J'y trouvai des poètes grecs et latins, les classiques de la littérature française, des romans sur la mafia, de nombreux livres d'art et des livres sur l'Inde. Mon père aussi était amateur de romans sur la mafia et de livres d'art. Cela ne me troubla pas outre mesure mais, lorsque je vis que sa discographie et sa vidéographie étaient identiques à celles de mon paternel, mon enthousiasme se refroidit quelque peu. Ce ne fut que lorsque je marchai sur ses pantoufles, de bonnes vieilles charentaises que mon père affectionnait lui-même particulièrement, que mon *Music-Hall* se transforma en tragédie œdipienne. Je fus parcourue d'un long frisson. Je farfouillai sur son bureau et tombai sur une note griffonnée à la hâte sur un bout d'enveloppe : « Les rôles ont changé avec l'évolution des droits des femmes. Malgré l'évolution des conditions sociales, les femmes obéissent toujours à leurs désirs inconscients quand vient le temps de choisir leur "âme sœur". Elles recherchent invariablement leur père. »

Merde. Je me remémorai ce que George-Étienne avait dit la veille : que la conception de l'amour se cristallisait entre zéro et six ans. Ouach ! Je ne voulais surtout pas de mon père. Et j'étais assez grande maintenant pour me faire ma propre conception de l'amour, non ? J'entendis un bruit sourd résonner au plafond.

Je tournai mon regard vers l'horloge du four : 11 heures. Puis je regardai vers l'étage. George-Étienne ! Je m'élançai dans l'escalier.

Je le trouvai à côté de son lit, inconscient. Je fis le 911 et ils vinrent le chercher en un temps record. Il semble que ça n'ait pas suffi.

Je vais commencer à penser sérieusement qu'il y a une entité diabolique qui s'acharne sur mon sort, me dis-je, prostrée sur une des chaises de la salle d'attente de l'hôpital de Cowansville. Que j'étais dangereuse. Pour les autres et pour moi-même. J'aspirai une gorgée de l'horrible café de la machine de l'hôpital en guise d'autoflagellation. Est-ce que c'était les champignons qui l'avaient empoisonné ? Dire que si j'avais couché avec lui, j'aurais peut-être pu le sauver.

Je me sentais complètement dépassée par les événements. Comment en étais-je arrivée à m'empêtrer dans un autre psychodrame ? Je crois qu'à l'avenir je devrais rester chez moi, devenir *clean*, regarder la télé et grossir en silence.

J'attendais l'officier de police qui était venu constater le décès. J'avais peur. Avec la chance que j'avais, la police pourrait parvenir à me coller sa mort sur le dos.

Je le vis arriver par la porte vitrée. Il se dirigea tout de suite vers moi. Il avait les cheveux bruns coupés de façon symétrique, il devait avoir une quarantaine d'années. Il n'était pas spécialement beau mais avait l'air engageant.

– Justine Roberge ? demanda-t-il en me tendant la main.

Je la lui serrai pour toute réponse.

– Pierre Côté, de la Sûreté du Québec. Je comprends que vous soyez troublée par les événements. Je le suis assez moi-même : George-Étienne était un bon ami à moi. Pouvez-vous me raconter ce qui s'est passé ?

Je lui fis le menu détail de la soirée, évitant l'épisode des champignons et appuyant sur le fait que j'avais dormi dans la chambre d'ami. Je lui relatai mes activités de la matinée et la découverte.

– Le médecin m'a dit que c'était un infarctus. Il n'avait aucune chance. Vous savez, les hommes meurent jeunes, dans sa famille.

– Il m'a raconté, pour son frère.

– Vous le connaissiez depuis longtemps ?

– Oui, mais pas très bien. Il a été mon prof au cégep, puis on s'est revus chez ma mère la fin de semaine passée et il m'a invitée chez lui. Il voulait me montrer sa maison. Il en est très fier. Enfin, était.

Il me fit un triste sourire.

– Vous allez devoir venir au poste remplir quelques formulaires, puis vous pourrez rentrer.

– Allez-vous pouvoir me ramener chez lui, chercher mes affaires ? Je suis arrivée avec l'ambulance.

– Entendu.

Il occupait un bureau minuscule dans le poste de police désert. Il me guida à travers les dédales de paperasse. Puis nous nous dirigeâmes vers sa voiture.

Le trajet se fit en silence. Tout s'était passé si vite, j'étais encore sonnée. Ce ne fut qu'en arrivant à la grange que je lui demandai :

– À qui va aller sa maison ?

– À sa vieille tante, je crois. C'est sa seule famille. Elle habite tout près d'ici.

Quel dommage ! Je me sentais pauvre. Si j'avais de l'argent, je l'achèterais bien, cette grange, songeai-je.

Je rassemblai mes quelques affaires pendant que le policier coupait l'eau, débranchait le spa et les principaux électroménagers. Il veilla à bien fermer toutes les fenêtres et portes à clé, et nous sortîmes sur le perron, consternés.

– Je vous contacterai pour vous dire quand aura lieu la cérémonie.

– Je vous remercie, répondis-je en lui serrant la main.

Heureusement, Mélanie était à la maison quand je ramenai la voiture. Elle faillit avoir une crise cardiaque à son tour lorsque je me jetai dans ses bras en larmoyant. Simon survint inopinément dans la cuisine, tout joyeux, pour me dire bonjour, mais les mots lui restèrent dans la gorge quand il constata mon état déplorable. Je voyais dans ses yeux qu'il s'inquiétait pour l'état de la voiture alors je le rassurai en leur racontant sommairement la situation. Quand je leur appris le décès de G.-É., ils prirent tous deux un air catastrophé. Mélanie se jeta sur moi pour me prendre à nouveau dans ses bras.

– Pauvre toi ! me plaignit-elle en me flattant les cheveux.

– Je suis désolé, Justine, dit Simon, visiblement mal à l'aise. Je crois que je vais vous laisser régler ça entre filles, ajouta-t-il en s'éclipsant.

Je relatai la version complète à Mélanie.

– Est-ce que c'est moi qui produis ça ? lui demandai-je en me remettant à pleurer.

– Ben non, poussin ! s'exclama-t-elle en me serrant plus fort. Tu n'es pas responsable de sa crise cardiaque.

– J'ai... peur.

– Peur de quoi ?

– De ce qui pourrait arriver encore, murmurai-je. J'ai l'impression de porter la poisse.

– T'exagères, Justine ! S'il y a quelque chose que cette expérience devrait t'apprendre, c'est que la vie est courte et qu'il ne faut pas perdre son temps à avoir peur, débita-t-elle avec son air de bonne sœur.

Je reniflai de façon répugnante, alors elle me laissa quelques instants pour aller chercher des mouchoirs. Merde, elle avait raison, je devais me ressaisir.

Elle me prépara un café puis décida de me ramener chez moi, bien que je la suppliai de me laisser prendre un taxi.

– Tu devrais te reposer. Tu essaies de faire un bébé, tu...

– C'est beau ! me coupa-t-elle. J'ai déjà mes parents sur le dos. Mets-en pas toi aussi. Comme tu dis, j'essaie de faire un bébé, je n'ai pas un cancer généralisé. Et je veux m'assurer que tu vas bien.

Je lui souris.

– Merci, môman !

Elle se recula sur son siège pour m'observer.

– Tu as bronzé, toi.

Mélanie alla aviser son chum de notre départ et nous sortîmes. Dans le stationnement, je repérai un homme très musclé qui sortait d'une voiture garée sur la rue. Je le détaillai, intéressée. Ce serait pratique si mon nouveau *prospect* habitait près de chez ma meilleure amie. Il nous fit un salut de la main et... Oups ! Je remarquai que l'homme en question avait une queue de cheval et des seins. Elle se dirigeait vers nous. Je l'examinai au fur et à mesure qu'elle s'approchait. Sa musculature était impressionnante. Elle devait consommer beaucoup de suppléments de toutes sortes, pour ressembler à ça. J'étais convaincue qu'elle devait faire des compétitions de *bodybuilding*. Sinon, je ne voyais pas l'intérêt de tout ce travail.

– La voisine, souffla Mélanie.

La voisine avait même de la barbe.

– Salut ! fit-elle d'une voix grave.

– Allo, Florence ! Voici mon amie Justine.

Elle confirma mes supputations. Elle nous raconta qu'elle revenait d'une compétition de *body-building* et elle nous produisit même le trophée pour nous le prouver. Elle était arrivée troisième. Mélanie et moi la félicitâmes et elle nous quitta en nous prévenant qu'il y avait un forcené qui menaçait de sauter dans le vide sur le pont Jacques-Cartier et que celui-ci était donc fermé.

Mélanie me proposa de passer par le tunnel.

– T'as avancé dans tes lectures ? me demanda-t-elle alors que je finissais d'attacher ma ceinture.

Je lui résumai le chapitre 3 de mauvais gré. Elle remarqua mon absence d'enthousiasme.

– Je n'y crois plus tellement, lui expliquai-je. Avec le décès de George-Étienne, je me sens damnée.

– Tu ne devrais pas. D'après ce que tu m'as raconté, ça a l'air d'avoir été un rendez-vous plutôt chouette. C'est une preuve que ça marche. Tu n'y serais jamais allée si ça n'avait été du livre.

– Je crois que j'étais plus amoureuse de sa maison que de lui, avouai-je, découragée. Je sentis mes épaules tomber. Cet homme-là était parfait. Il me faisait rire, il était intelligent, il était gentil et moi, je n'arrivais pas à tomber amoureuse de lui. Je suis un cas désespéré. Comme je te le disais tantôt, je suis malchanceuse.

– Mais non. Ce n'était pas le bon, c'est tout !

J'aurais aimé en être aussi convaincue qu'elle.

Elle resta silencieuse jusqu'à l'entrée du tunnel. Elle semblait réfléchir sérieusement.

– Alors, l'insémination ? lui demandai-je pour rompre le silence.

– On n'est pas obligées de parler de ça. Tu viens de vivre un choc.

– Ça va, je suis une grande fille et je veux t'écouter.

– C'est Florence.

– Florence ?

– Florence était une fille assez grassette. Elle s'est prise en main. Elle s'est mise à manger correctement et à s'entraîner. Puis elle est devenue accro à l'entraînement. Et maintenant, tu as vu de quoi elle a l'air. C'est pas sain.

– C'est quoi le rapport avec l'insémination ?

– Avant, je me disais qu'avoir un bébé n'était pas un droit. Que quand on ne peut pas en avoir naturellement, on devrait en faire son deuil ou adopter. Mais maintenant que ça m'arrive à moi, je suis tentée de réviser mon jugement. La technologie existe et j'en ai les moyens. Est-ce parce que avant j'avais un préjugé ou c'est que maintenant je suis prête à étirer mes principes au point d'en arriver à faire quelque chose que je trouvais condamnable auparavant pour parvenir à mes fins ?

Elle me fit un rapport détaillé de tous les pour et contre. Nous arrivâmes à mon appartement.

– Tu ne m'as toujours pas expliqué le rapport avec Florence, lui rappelai-je en sortant de la voiture.

– Je ne sais pas comment savoir quand mon désir d'avoir un enfant sera devenu malsain. Comme pour Florence. Je ne veux pas dépasser les limites du raisonnable.

– Tu sais, je ne suis pas vraiment la bonne personne pour te donner des conseils là-dessus. Mais... Je me fis péter des bretelles imaginaires. Mais là, c'est toi qui exagères. Ça fait juste un an que vous essayez de faire un bébé, c'est pas un peu tôt pour commencer à penser à l'insémination et à l'adoption ?

– Je le sais. C'est à cause de ma mère. J'ai prononcé le mot « insémination » une fois et elle invite Lorraine pour me faire un cours théorique sur le sujet. Elle me stresse tellement que je me demande si ce n'est pas elle qui m'empêche de concevoir. Tu vois, moi aussi, je suis damnée, ajouta-t-elle en riant.

Je retirais la clé de la serrure de la porte de mon appartement quand elle proposa :

– On devrait faire un exorcisme. Toi pour la malchance et moi pour l'infertilité.

– Tu es cinglée !

– Non. Nous sommes toutes deux confrontées à une situation qui échappe à notre contrôle. Le seul moyen d'action dont nous disposons pour nous révolter contre celle-ci est un moyen analogique. Une action qui, même si elle est acausale, servira, on l'espère, de catharsis.

– Pardon ?

– Excuse-moi. Déformation familiale. Dans les années 1970, mes parents organisaient des cérémonies de libération cathartique. Ma mère a même fait son doctorat sur le sujet. Avec un rituel ou même un contact avec l'art, tu peux quelquefois provoquer des expériences qui libèrent le subconscient.

– Ce qui veut dire ?

– Que si notre problème est d'ordre psychique, toi, tu deviendras chanceuse et moi, fertile.

Je la regardai d'un air dubitatif.

– Fais-nous des margaritas. Où est l'encens ? ajouta Mélanie avec son air de *cheerleader* surexcitée.

Je récupérai un sac de bâtonnets dans le tiroir de la table du salon et elle m'entraîna vers la cuisine. Elle alluma un bâton d'encens et se dirigea vers l'îlot, dont le dessus était en bois. Elle ouvrit la dépense et s'empara du lait, des lentilles, des pois chiches secs et d'une bouteille de rouge pendant que je nous préparais nos cocktails. Je me demandais vraiment ce qu'elle complotait quand elle disparut dans le salon. Elle revint avec un carnet et un crayon, un air épanoui sur le visage. On aurait dit qu'elle s'apprêtait à faire des muffins.

– Écrit « Malchance », m'ordonna-t-elle en me tendant le carnet et le crayon.

Je m'exécutai. Elle arracha ma feuille, puis elle nota « Infertilité » sur la page suivante.

Ensuite, elle alluma une chandelle. Elle versa du lait, une poignée de légumineuses et du vin sur l'îlot. Elle en fit le tour avec l'encens. Elle arracha la feuille du carnet et déchira les deux premières lettres du mot, qu'elle fit brûler dans un bol. J'avais vraiment l'impression de me retrouver dans une minisérie genre *Enquêtes paranormales* au Canal D. Malgré tout, comme j'avais compris le principe et que ça ne faisait de mal à personne, j'arrachai les trois premières lettres du mien que j'enflammai à mon tour. Je regardai le bout de papier se consumer au fond du bol, attendant la libération attendue.

Il ne se passa rien, mais Mélanie me tendit mon verre et nous trinquâmes.

– À notre catharsis ! s'exclama-t-elle en riant. Qu'est-ce que t'as à bouffer ?

Mélanie partit vers 21 heures et, deux minutes plus tard, j'étais au lit. Je ne sais pas si c'était l'exorcisme, mais je me mis à penser à la mort. Ma mort. J'avais vu tous les films d'horreur sans tressaillir. Même *L'Exorciste* version quatre heures sans pauses publicitaires n'avait pas réussi à me remuer. Pourtant, ce soir-là, c'était le visage de Bengt Ekerot, l'acteur qui jouait le rôle de la mort dans *Le Septième Sceau*, un autre film d'Ingmar Bergman, qui me terrorisait aussitôt que je baissais les paupières. Je dus même ouvrir la lumière pour me rassurer. J'étais ridicule. Mais l'idée que je pouvais mourir à tout moment et que je n'avais rien accompli encore m'effrayait. Je me sentais minable. Je n'avais aucune utilité. S'il n'y avait pas eu Mélanie ni mes grands-parents, je ne manquerais à personne. C'était triste, mais ce fut ce qui me permit de comprendre pourquoi mon amie voulait un enfant à tout prix. Ou presque. Dans ma panique, je repensai aux cérémonies de libérations cathartiques et je me promis de faire un jeûne de tout : médicaments, poudre, *pot*, alcool, baise et même masturbation pour quarante jours. Comme Jésus dans le désert. Merci, éducation catholique. Ce serait mon sacrifice pour me trouver un homme. Malgré cela, mes pensées ne cessaient de revenir sur la sale gueule de Bengt Ekerot, alors je flanchai et je pris un tranquillisant. Je voulais sombrer dans le néant de l'oubli total. Je commencerai mon jeûne demain.

Chapitre 24

Mon emploi idéal

Dimanche

Comme je me sentais plutôt bien, je décidai de croire qu'au moins un des deux rituels avait agi. Mais je me rappelai George-Étienne...

Non, non et non. La vie était trop courte pour culpabiliser à propos d'une situation sur laquelle je n'avais aucun contrôle. Alors qu'il y avait tant d'autres raisons pour lesquelles il y avait de vrais bons motifs d'avoir mauvaise conscience. (Je présente mes excuses aux arbres qui ont été abattus pour permettre à ce livre d'exister.)

Je me levai vers 10 heures et me fis un café. Je sortis le prendre sur le balcon. Il faisait beau. Je me laissai frire un bon moment, puis décidai qu'il était une heure raisonnable pour réveiller mon amie et lui raconter le résultat de son rituel.

– Salut, poussin ! Je suis au resto avec Simon.

– Écoute bien...

Je lui racontai mon pacte.

– Un jeûne complet ?

– Oui.

Elle resta muette.

– Mélanie ?

– Oui.

– Tu ne dis rien ?

– Ben, c'est un peu raide. Je ne sais même pas si je pourrais réussir ça moi-même.

– Heille, encourage-moi donc !

Je la sentis sursauter à l'autre bout du fil.

– Je t'encourage, poussin. Je m'excuse de ma réaction. Je te trouve juste... très courageuse.

Elle se tut.

– Et puis quoi ? insistai-je.

J'eus l'impression d'avoir percé un ballon. Elle me dégonfla la réponse.

– Ben, c'est un gros défi, tu aurais pu commencer par un but plus... raisonnable.

Elle soulevait un bon argument. J'avais choisi quarante jours pour des raisons totalement arbitraires. Un vieux fonds judéo-chrétien qui m'avait aveuglée. Pourquoi pas le cilice, tant qu'à y être ? C'est vrai que c'est long, quarante jours, songeai-je. Un mois et demi. J'étais conne, mes vacances débutaient dans trois semaines. Je n'allais tout de même pas rester sobre la moitié de mes vacances ! Je résolus de diminuer à dix-neuf – le nombre de jours avant mes vacances –, mais ça ne semblait toujours pas contenter mon amie. Je l'entendais dans son silence. Je lui tirai les vers du nez.

– Tu devrais commencer par cinq jours. En y allant trop fort au premier coup, tu risques d'échouer et tu vas déprimer. C'est surtout ça qui me fait peur.

Je la rassurai du mieux que je pus, mais il nous fallut rompre la communication car son chum commençait à en avoir assez de partager sa table avec quelqu'un qui parlait au téléphone. Je l'entendis la menacer d'aller s'asseoir avec la jolie blonde qui mangeait seule à une table un peu plus loin.

Mélanie avait raison. Il était vrai que ça n'allait pas être facile. Je commençais à avoir chaud. Il me vint des envies d'aller passer mon bikini. Si je continuais de la sorte, à midi, je sortais le rosé et c'en était fini de mon jeûne. Il fallait que je m'occupe. Mais à quoi ?

Je contemplai ma terrasse. Je devrais planter des fleurs, me dis-je.

Mon petit projet mobilisa toutes mes énergies. Et il me coûta une foutue belle paire de chaussures. Je dus acheter un panier à roulettes pour transporter le matériel. En plus, ce fut la galère pour ramener tout le bataclan : cinq casseaux de fleurs, trois sacs de terre, deux jardinières en plus de mes courses pour le souper. Malgré cela, une fois revenue à la maison, je me mis du Elvis et je plantai joyeusement mes achats.

C'était beau. J'étais assez fière du résultat. J'avais repiqué des fleurs blanches et mauves avec beaucoup de feuillage vert. Le mélange de couleur était tout fait à fait à mon goût. Romantique, mais sans excès pour ne pas tomber dans la mièvrerie. Toutefois, maintenant, il y avait de la terre partout.

Je rangeai en chantant *Poke Salad Annie* 🎧. J'allais rentrer me faire à souper quand une voix venant d'au-dessus me fit sursauter.

– Tu as une très belle voix.

Je me sentis devenir rouge. Heureusement, j'étais hors de vue.

– Désolée de vous avoir torturé, m'excusai-je, horriblement gênée.

J'entendis des pas s'approcher de l'escalier extérieur qui reliait mon balcon à celui du dessus. Un beau brun, mâchoire carrée/épaules solides, déboula sur ma terrasse. Et moi, j'étais couverte de terre et toute suante. Je jurai intérieurement.

Il s'approcha en me tendant la main. Je lui montrai l'état des miennes et il sourit. Un très beau sourire.

– Roman, dit-il. Ton nouveau voisin.

Roman, j'adorais son prénom. Il n'était visiblement pas Québécois de souche. J'aurais parié qu'il était d'origine slave. Il pourrait être mon « emploi » idéal!

– Justine.

J'entendis d'autres pas s'engager dans l'escalier. Quoi encore? Un autre beau gars? Malheureusement, ce fut plutôt une jolie blonde. Du genre blonde évanescente.

– Laurence, je te présente Justine, dit Roman.

Elle me fit un salut désintéressé. Je la détestais déjà. Elle s'empressa de nouer ses bras autour de la taille de Roman. J'eus envie de lui dire de ne pas lui pisser dessus car j'avais compris qu'elle le voulait pour elle seule, mais je ne voulais pas entamer mes relations de voisinage de cette façon.

– Julie et Ferdinand viennent d'arriver, lui ditelle avec un accent français emprunté.

– J'arrive.

Et il grimpa dans l'escalier après m'avoir fait un sourire qui signifiait « À plus tard ».

– Bienvenue, lui soufflai-je.

Grâce au jardinage, et un peu aussi grâce à Roman, j'étais parvenue à passer la journée sans badtripper, tout en respectant mon jeûne. Je me sentais zen. Après souper, j'eus très envie de me rouler un joint, mais je me rabattis sur le livre pour me distraire.

Je revins au chapitre 3. L'exercice consistait à faire une liste des compagnies qui embauchaient des personnes devant accomplir les tâches décrites à l'exercice 2 du livre. Je repérai l'exercice 2: « Décrivez les tâches de l'emploi idéal.» Je récupérai mon Moleskine dans mon sac et je lus la description que j'en avais faite le soir du party et que je m'étais promis de retravailler. Ce que je n'avais toujours pas fait. «Il doit avoir un diplôme universitaire, faire beaucoup de *cash*, avoir moins de quarante-cinq ans, une bonne job, intéressante, les cheveux bruns et les yeux pâles, un joli cul, être disponible, bien s'entendre avec mes copines, me faire rire, aimer les voyages et les sorties au restaurant.»

Je récupérai mon crayon à neuf couleurs et entrepris de transformer cette description en quelque chose de plus transcendant. Hum... Je me grattai le fond de la tête avec mon crayon.

Après une heure et demie de tergiversations et de grattage de crâne intense, j'avais produit: «Il doit être gentil, créatif, autonome financièrement, avoir des passions, en partager quelques-unes avec moi, avoir moins de quarante-cinq ans, les cheveux bruns.» Les blonds ne m'attiraient pas, je ne savais pas pourquoi. «Être disponible.» Ça, ce n'était pas négociable. «Être prêt à s'engager, bien s'entendre avec mes copines.» Enfin, avec celle qu'il me restait. «Me faire rire, aimer les voyages et les sorties au restaurant.» Ça m'avait pris un certain temps à éliminer «Avoir un joli cul». Je ne voulais pas être superficielle. J'avais aussi ajouté: «Doit aimer le théâtre, les films, les arts visuels.» C'est vrai qu'avant je me tapais souvent des films de répertoire l'après-midi, j'allais voir des pièces de théâtre expérimental, je flânais dans les expos. Je devrais recommencer. Ça m'éviterait peut-être de sombrer dans mes pulsions autodestructrices.

Ce qui était d'ailleurs le but de l'exercice suivant, découvris-je ensuite: «Contactez le département des ressources humaines de chaque entreprise listée dans l'exercice précédent.» Merde. Mon crayon était emmêlé dans mes cheveux. Je tirai et tirai, mais mes cheveux étaient si entortillés autour des petits boutons servant à faire jaillir la mine de la couleur choisie qu'il m'était impossible de le retirer.

Alors je recommençai à me trouver stupide de perdre mon temps avec ces fadaises. Heureusement, le téléphone se mit à sonner. Quand je me retournai pour trouver l'appareil, le crayon fut pris dans le mouvement, si bien que je le reçus de plein fouet sur le front. Ouch ! J'en avais marre !

– Oui.

– Bonsoir, c'est le livreur.

Wow ! Le père Noël m'appelait !

– Nous voulions nous assurer que vous êtes satisfaite de notre service.

Je restai bouche bée. Mon *pusher* avait un meilleur service à la clientèle que celui de ma banque. Je balbutiai :

– Je suis très satisfaite. Vos livreurs sont toujours gentils et polis.

– Vous m'en voyez heureux ! Lors de votre prochain achat, vous recevrez un gramme de votre produit préféré en signe de remerciement. Votre satisfaction est importante pour nous.

Je voulais mourir.

Chapitre 25

Souvenir de Noël

Lundi : vacances – 18 jours

Malgré l'appel de service de mon livreur de *pot* et même si je dus me couper quelques mèches pour parvenir à extraire le crayon de ma chevelure, je parvins à ne pas fumer, ce qui faisait que le lendemain matin je me sentais si fière de moi que j'avais envie de rédiger un communiqué de presse pour propager la nouvelle. Une journée de faite ! me dis-je en levant les yeux sur mon calendrier. Il ne m'en restait *que* trente-neuf. Non, dix-huit. J'étais extatique même si j'avais encore un air de *La Mélodie du bonheur* qui me trottait dans la tête. Celle que chantait Julie Andrews avant de débarquer chez les von Trapp. Quand avais-je donc vu ce fichu film ? Allais-je devoir me faire exorciser encore une fois ?

Je me levai à 7 heures, aussi lucide que possible. Je pris une douche rapide et décidai de déjeuner au restaurant où j'allais chercher mon café. Je rencontrerais peut-être quelqu'un d'intéressant.

Je partis à 7 h 45. Comme il faisait encore beau, je pris l'autobus. Je marchai ensuite jusqu'au petit restaurant. J'allais m'installer à une table près de la fenêtre lorsqu'une petite grosse me jeta un regard chargé de haine en avisant mon croissant aux amandes. Je changeai de chaise pour ne plus subir sa sale gueule.

Comme il n'y avait que des filles dans le petit restaurant, j'appelai Mélanie.

– Alors ?

– Il ne m'en reste que dix-huit.

Elle hurla de bonheur.

– Je suis hantée.

– Hein ?

– Je suis hantée par *La Mélodie du bonheur.*

– Je ne comprends pas.

– Plusieurs chansons du film me trottent dans la tête depuis quelque temps, mais pourtant je ne crois pas avoir jamais vu ce film.

– Ben oui, tu l'as vu. Deux fois, même.

– Ah oui ? Quand ?

– Durant le congé des fêtes, on devait avoir dix ou onze ans. Tu es venue coucher chez moi et on a fait comme si c'était Noël. On a écouté *La Mélodie du bonheur* avec ma mère. Elle nous a fait apprendre les chansons.

Oui. Ça avait été le plus beau Noël de toute ma vie et je l'avais oublié.

Je me souvenais à présent qu'on avait joué à faire semblant que j'étais la sœur de Mélanie et que je faisais partie de sa famille. Sa mère s'était prêtée au jeu de bonne grâce. Elle avait été fantastique. J'avais pleuré quand mon père était venu me chercher le lendemain. Ce souvenir gonfla mon cœur de tristesse. Je comprenais pourquoi j'avais voulu l'effacer de ma mémoire.

Mélanie fut dans l'obligation d'abréger la conversation car elle avait oublié son ensemble mains libres à la maison. Je ramassai mon sac et y jetai mon cellulaire. Je pris la direction du bureau en me demandant pourquoi ce souvenir refaisait surface maintenant.

J'avais encore trois entrevues ce jour-là. Oskare à 9 heures. Martin à 10 heures et Marguerite à 16 heures. J'étais impatiente de rencontrer Oskare.

Elle fut impeccable. Elle repéra le document, elle répondit à Muriel que l'échéancier lui serait envoyé sous peu et elle prit ses coordonnées en un temps record. En plus, quand je retournai au bureau, elle avait commencé à corriger le texte. Alléluia! Elle réussit même l'épreuve du pot à crayon avec brio en faisant des blagues sur son expérience dans le domaine du rangement due à ses trois enfants. J'en profitai pour l'observer. Elle avait de longs cheveux noirs. Elle était grande et mince. Ses gestes étaient gracieux et racés en même temps. Elle portait une tunique mauve très simple sur un pantalon noir. Et pourtant, malgré sa tenue sobre, elle resplendissait. Elle irradiait la bonne humeur et la joie de vivre. Je comprenais ce que Mélanie avait voulu dire à propos de son âme qui débordait de partout.

– C'est ton idée, le coup des crayons? me demanda-t-elle en replaçant le pot à un endroit sécuritaire sur le bureau.

Je feignis la surprise.

– Comment, c'était si évident?

Elle me répondit d'un large sourire. Je lui fis signe de s'asseoir.

– Mélanie m'a un peu parlé de toi. Je t'avoue que j'ai un préjugé favorable à ton endroit. Mais, dis-moi, pourquoi veux-tu travailler chez Cizo productions?

Et elle s'égaya. Ses mains se mirent à voleter en tous sens au rythme de ses paroles. C'était assez comique de la voir. Elle semblait nerveuse.

– Principalement, pour trois choses. Premièrement, j'ai besoin d'un job stable avec assurances et tout. Mon mari veut démarrer son entreprise. On a décidé que je subviendrais aux besoins de la famille pendant les cinq prochaines années. Deuxièmement, j'aime travailler en cinéma/télé. Toutes mes expériences de travail sont reliées à ça. J'ai les compétences qu'il faut pour l'emploi. Troisièmement, j'ai envie d'apprendre et de progresser. Cizo est une grosse boîte, et c'est possible d'avoir de l'avancement. Et surtout, c'est une bonne école. En plus, Sophie m'a dit que tu étais très compétente.

Je fus soudain envahie par le doute. Se pourrait-il que cette fille ait un côté Mr. Hyde ? Et que ce soit une revanche de Sophie ? me demandai-je. Quoi qu'il en soit, malgré sa réponse un peu formelle, elle m'impressionnait. En quelques phrases, elle avait couvert les points les plus importants. Je décidai de l'amener sur un sujet moins protocolaire pour la voir dans son état naturel.

– Il paraît que tu as trois enfants ?

– Antoine, Maxime et Théo. Et d'ailleurs, à ce propos, il faut que tu saches que je ne peux pas faire de temps supplémentaire. Ma famille est très importante. Ça ne me dérange pas d'en faire quelques fois par année pour terminer un gros projet, mais le temps sup chronique, je ne peux pas... Je veux que ce soit clair.

On pouvait dire qu'elle était très franche. J'aimais beaucoup ça car je l'étais moi-même. Je la rassurai d'un sourire.

– Oh, je comprends très bien. C'est rare que ça arrive. Deux ou trois fois par année maximum.

La conversation alla au-delà d'une simple entrevue. Je tombai en amie avec elle. Et ça semblait réciproque. Elle était vive, intelligente, dynamique et drôle... En fait, elle avait tout de l'homme idéal sauf qu'elle était une femme. Merde! Pourquoi ça m'arrivait pas avec un mec? Pour moi, c'était déjà décidé. C'était elle que je voulais. Il me restait quand même deux personnes à rencontrer.

Par souci d'équité, je lui annonçai que je la rappellerais le lendemain matin avec la réponse. Je revenais à mon bureau après avoir raccompagné ma future assistante – et nouvelle amie aussi, j'espérais – quand j'entendis mon cellulaire sonner. Numéro inconnu.

– Justine Roberge?

– Oui.

– Pierre Côté, de la Sûreté du Québec.

– Oui, bonjour.

– Le service de George-Étienne aura lieu mercredi à 15 heures à l'église Notre-Dame-des-Neiges. Les cendres seront ensuite déposées dans le caveau familial au cimetière Notre-Dame-des-Neiges, à Montréal.

– Merci du renseignement. J'y serai. À mercredi, alors.

– À mercredi.

Le téléphone de mon bureau se mit à sonner à son tour. Je décrochai.

– Martin Raté, pour toi, m'annonça Jeanine.

– J'arrive.

Je lui fis quand même le grand jeu. L'appel plus les crayons. Et il réussit les épreuves aussi bien qu'Oskare. Toutefois, il avait un petit côté contrôlant qui suscita ma méfiance. Oskare restait en tête.

Quand l'entrevue se termina, à 10 h 45, j'avais reçu un message de mon père. Je ne l'écoutai pas sur-le-champ car je voulais aller signifier mon absence de mercredi après-midi à Maurice avant tout.

Je le trouvai en compagnie de sa femme. Celle-ci sortait de son bureau au moment où j'arrivais. Elle parut très heureuse de me voir. Elle avait l'air pimpante avec son ensemble vert lime et ses chaussures sport assorties.

– Justine ! Ça fait tellement longtemps qu'on ne s'est pas vues. Comment vas-tu ?

Je lui fis la bise. Elle mit un bras autour de mes épaules.

– Je voulais inviter Maurice à dîner avec moi, mais il n'est pas libre.

Elle lui fit la grimace puis tourna la tête vers moi.

– Tu as des plans pour le lunch ?

Je l'emmenai au resto japonais, où nous commandâmes des sushis. Je m'empressai de lui demander des nouvelles de sa santé. Elle me raconta que, finalement, elle avait trouvé ce qui lui causait ses problèmes de respiration : la nouvelle copine de son fils avait un chat. Et Hélène était extrêmement allergique aux chats.

– Je n'ai toujours pas trouvé comment en venir à bout, conclut Hélène, mais je ne peux tout de même pas interdire à mon fils de fréquenter cette fille... Par contre, à l'avenir, il va être obligé de prendre une douche aussitôt de retour à la maison. Elle se mit à rire. Je ne sais pas qui va gagner : la fille ou la paresse de mon fils. Je voterais pour la paresse de mon fils. Tu sais comment sont les hommes. Surtout à cet âge-là.

Je lui fis un sourire mi-figue, mi-raisin.

– Toi, toujours pas d'homme dans ta vie ?

Voilà. J'avais envie de me confier à elle, mais j'étais intimidée. Ma vie était plutôt instable, en ce moment.

– Non...

Elle me fit déballer mon sac petit à petit. Ce n'était peut-être pas très prudent étant donné qu'elle était la femme de mon patron, mais je lui racontai tout. Enfin, à peu près tout. Marc – j'omis bien sûr de lui dire que c'était le Marc du bureau –, Ouija, le livre, Bernards, George-Étienne, même les exorcismes. Comme elle n'avait que des garçons, elle fut ravie de l'aubaine.

– Tu devrais écrire. C'est très libérateur. C'est un peu une cérémonie...

Elle me jeta un regard interrogateur.

– ... de libération cathartique, terminai-je. Je peux en convenir, mais je ne crois pas avoir ce talent-là.

– Ça n'a aucune importance. C'est juste une autre façon d'apprendre des choses sur toi. Et on sait jamais ce que ça peut produire. Regarde-moi ! Tout ce que ça prend, c'est de la discipline.

– Je n'ai pas beaucoup d'autodiscipline.

Hélène sursauta.

– C'est faux. Pas après ce que tu viens de me raconter. Je crois que tu manques seulement de confiance en toi. Tu es brillante, intelligente, belle et en plus tu es déterminée. Tu es courageuse, tu oses te remettre en question et tu as la lucidité de voir tes forces et tes faiblesses. Mais, surtout, tu as la volonté de t'améliorer. Si tu restes constante dans tes efforts, ça va finir par produire des résultats. Elle leva son verre. À tous tes projets, quels qu'ils soient !

Je trinquai avec mon verre d'eau minérale. On ne m'avait jamais dit quelque chose d'aussi gentil. J'avais envie de lui demander de m'adopter. Elle m'avait écouté, elle ne m'avait pas jugée. Et elle m'avait même encouragée. Sa sympathie m'avait galvanisée. Je me sentais minable, mais elle avait réussi à reformuler ma vie d'une façon admirable. Avec elle, mon passé misérable devenait épique. Elle me renvoyait une image de moi très flatteuse dans laquelle j'étais quelqu'un de bien. Ce qui ne m'arrivait pas souvent. J'avais plutôt tendance à me sentir nulle et non avenue.

Alors, je regagnai mon bureau à 15 heures plutôt guillerette. Ce qui me laissait malgré tout suffisamment de temps pour me préparer à ma dernière entrevue. Si j'avais su ! Rien n'aurait pu me préparer à ce qui arriva.

Marguerite arriva à l'heure. Elle avait remarqué le document sur le bureau, mais elle ne l'avait pas corrigé. Toutefois, quand je renversai les crayons, je dus mal feindre ma maladresse car elle les ramassa avec un air sceptique. Et, quand elle se releva, elle s'esclaffa. Comme je l'observais d'un air interrogateur, elle se mit à rire de plus belle en regardant partout autour d'elle. Je commençais à croire qu'elle venait de disjoncter quand elle réussit à dire :

– C'est les *Insolences d'une caméra*, c'est ça ? Je passe à la télé ? Vous pouvez sortir, je vous ai pris... cria-t-elle en s'adressant aux murs.

Il me fallut dix minutes avant qu'elle finisse par croire qu'il s'agissait bel et bien d'une entrevue d'emploi. Après, pour tout dire, le charme était rompu. Elle avait eu beau se confondre en excuses, si le ridicule tuait, elle aurait été foudroyée sur place. Je poursuivis l'entrevue comme s'il ne s'était rien passé, mais j'abrégeai. Je voulais qu'elle disparaisse au plus vite pour pouvoir exploser de rire. Je lui posai quelques questions d'usage et je la raccompagnai à l'ascenseur en lui disant que je la recontacterais la semaine suivante si elle était choisie.

Aussitôt que les portes de l'ascenseur se furent refermées, je m'effondrai sur une des chaises de la réception, en larmes. J'avais tellement serré les dents pour ne pas rire que j'en avais des crampes aux joues. Rapidement, tout le bureau fut alerté et un cercle se forma autour de moi. Ils s'inquiétèrent en me voyant pleurer alors je dus leur expliquer. Je leur jouai la réaction de ma dernière candidate.

Pauvre fille. Elle avait dû nous entendre hurler de rire jusqu'au métro.

Je terminai ma journée sur les chapeaux de roue. Je répondis à une quinzaine de courriels et attrapai Maurice pour lui raconter le résultat de mes démarches pour engager une nouvelle assistante. Je lui annonçai que mon choix s'était porté sur Oskare. Il fallut que je lui explique que c'était une fille. Ça devait être lassant pour elle d'être obligée de préciser son sexe toutes les fois qu'elle entrait en interaction avec quelqu'un de nouveau !

– Quand veux-tu qu'elle commence ? me demanda-t-il.

– Lundi prochain ?

– Tu t'en vas en vacances dans trois semaines, va-t-elle trouver à s'occuper pendant ce temps-là ?

– D'ici mes vacances, je vais avoir le temps de lui monter un cours de formation. Je veux lui faire passer du temps avec les responsables de tous les départements. Je connais des directeurs de plateaux qui vont être très heureux d'avoir de la main-d'œuvre supplémentaire.

– Entendu ! Je vais envoyer un courriel à Catherine, elle va préparer tout ce qu'il faut pour l'accueillir.

Il me fit un sourire comme s'il s'attendait à ce que je quitte son bureau.

– J'ai autre chose à vous dire. Un ami est mort. Mercredi après-midi je serai donc absente, je dois aller au service.

– Toutes mes condoléances. C'était quelqu'un de proche ?

Je ne savais trop que répondre. Nous n'étions pas proches, mais j'avais assisté à ses derniers moments. Alors je répondis :

– Oui et non.

Puis je filai vers mon bureau, où je pris enfin le message de mon père. Plutôt laconique : « C'est ton père, appelle-moi. »

– Papa ?

– Salut, Boubou.

Mon père me surnommait « Boubou » depuis ma petite enfance. Malgré les supplications, les menaces, les imprécations, il persistait à le faire.

– Tu vas bien ?

– Oui, oui, je vais très bien. Je dois aller chez l'optométriste demain après-midi, c'est près de tes bureaux, tu veux qu'on dîne ensemble ?

Wow, mon père qui m'invitait à dîner ! Cela me semblait louche.

– Ok.

Il me donna rendez-vous au XOX, le restaurant de l'hôtel Rocailles.

Il se mit à pleuvoir au moment où je sortais du bureau. Comme je n'avais pas apporté mon parapluie, je rentrai chez moi complètement mouillée pour m'apercevoir que mon maquillage avait fondu. Mon ombre à paupières et mon mascara s'étaient retrouvés sur mes joues, et mon rouge à lèvres, sur mon menton. J'imagine que c'était la raison d'être du mascara hydrofuge. Mais je refusais d'en acheter. Mes cils tombaient quand j'essayais de l'enlever.

Interlude mascara : depuis quinze ans, tous les nouveaux mascaras nous promettent une longueur inégalée. Si c'était vrai, nous aurions maintenant des cils de deux mètres. Les publicitaires nous prennent pour des dindes, ou quoi ?

Je pris une douche en essayant d'éviter de penser à la boîte à *pot* ou à la bière qui m'attendaient à deux pas. Ma vie était pourtant assez stressante sans qu'en plus je me mette davantage de pression sur les épaules avec un jeûne ridicule ! À midi, j'avais l'impression d'avoir des réserves de motivation inépuisables, mais là, je devais avouer que ça allait me prendre toute ma volonté pour résister. Merde. Il me restait encore dix-huit jours et je commençais déjà à me trouver des raisons pour briser mon pacte. J'essayai de repenser aux encouragements d'Hélène, mais je ne me sentais plus à la hauteur de son jugement. J'allais devoir appeler Mélanie pour qu'elle me fasse un *pep talk* sinon j'allais flancher. Peut-être que Mélanie avait raison, après tout. Dix-neuf jours, c'était beaucoup.

J'enfilai ma robe de nuit et me jetai sur le téléphone. Je maudis mon amie car elle ne répondit pas. Elle était peut-être en train de baiser, elle. La boîte à *pot* me narguait et j'avais désespérément envie de boire un verre de rosé.

Alerte rouge ! Alerte rouge !

J'allai me préparer un jus de fruit pour m'occuper. Ma vie me semblait plate et stérile. Je me bricolai un sandwich car je me sentais trop frustrée pour me préparer un vrai souper. Je courus chercher mon livre pour faire les exercices du chapitre 3 : « Dressez une liste des compagnies qui embauchent des personnes devant accomplir les tâches décrites à l'exercice 2 du livre » et « Contactez le département des ressources humaines de chaque entreprise listée dans l'exercice précédent ». Je relus ma réponse à la question 2. « Il doit être gentil, créatif, autonome financièrement, avoir des passions, en partager quelques-unes avec moi, avoir moins de quarante-cinq ans, les cheveux bruns. Être disponible, être prêt à s'engager, bien s'entendre avec mes copines, me faire rire, aimer les voyages et les sorties au restaurant. Doit aimer le théâtre, les films, la musique, les arts visuels. » Maudit que je suis pathétique ! Puis je repensai à la jeune Indienne. Je crois qu'elle aurait souhaité pouvoir être aussi pathétique que moi.

Chapitre 26

Le jour maudit

Mardi : vacances – 17 jours

Je veux une lobotomie. Je crois que les Haïtiens devraient sérieusement penser à démarrer une fondation en mon nom tellement je fais pitié, pensai-je en m'extirpant de mon lit à contrecœur. Mon désespoir était tellement intense que la première chose que je fis, ce fut de récupérer mon Moleskine pour compter le nombre de jours qui me séparaient de mes prochaines menstruations prévues : huit jours. Le jour maudit. Je savais ce que ça voulait dire. J'allais passer la journée à ressasser tout ce qui allait mal et à imaginer comment ça allait empirer. Je me souvins brusquement que j'avais rendez-vous avec mon père. Au moins : dix-sept jours. Bravo, moi.

Je déjeunai en relisant les réponses aux questions du chapitre 3 que j'avais notées hier soir. C'était peu. À « Dressez une liste des compagnies qui embauchent des personnes devant accomplir les tâches décrites à l'exercice 2 du livre », j'avais écrit :

- Cours de peinture, sculpture, espagnol… (Projet d'automne ?)
- Voyages. (Qu'est-ce que je vais faire durant mes vacances ?)
- Restaurants.
- Cours de cuisine.
- Théâtre.
- Films.
- Spectacles.
- Expos, musées.

Il allait falloir que je me mette à sortir. Ce qui était plutôt bon pour moi sinon je ne réussirai jamais mon jeûne. Programme de la journée : me trouver une activité pour jeudi soir.

– T'étais où, hier ? demandai-je à Mélanie au moment où elle décrocha.

– Sophie m'a invitée à souper chez elle pour me présenter son nouveau chum.

L'envie me pénétra jusqu'à l'âme. Je repensai à la petite grosse du restaurant. Le chauffeur d'autobus freina brusquement et je m'égratignai le genou sur la banquette d'en avant. Et merde, ça saignait, en plus.

– Justine ?

– Oui, oui, je suis là, je me suis fait mal et ça saigne. Je te rappelle dans deux minutes.

Je raccrochai pour trouver un mouchoir dans mon sac pour m'éponger le genou. Je jurai tout bas.

Parvenue à l'arrêt le plus près du bureau, je constatai que j'avais utilisé tous mes mouchoirs et que mon genou saignait toujours. J'allais devoir me rendre au bureau avec une longue coulisse de sang sur la jambe. Super !

Muriel prit soin de moi. Elle m'aida à me nettoyer et alla me chercher un bandage. Je me dépêchai d'aller rappeler Mélanie, à qui je racontai mon aventure.

– Je crois que ton exorcisme n'a pas fonctionné.

– Pauvre petite ! dit-elle d'un ton qui démentait ses paroles.

– Merci, c'est gentil.

– Ben là... Je viens de lire un article sur les derniers « dommages collatéraux » des soldats canadiens en Afghanistan... Tu as une fichue de belle vie. Tu es chanceuse et tu ne le sais même pas.

– Va chier !

Elle se mit à rire.

– Je sais, je suis chienne. Je m'excuse. C'est parce que je suis en SPM.

– Et qu'en plus tu es déçue parce que tu vas être menstruée ?

– Oui.

– Moi aussi, je suis SPM. Pis, il est comment ?

– Qui ?

– Le nouveau chum de Sophie !

– Oh, super ! Il est gentil, tout attentionné avec elle. Il est très intelligent et Sophie en est très fière. Elle est devenue douce. Elle semble enfin heureuse.

– Ça y est, je suis jalouse.

Mélanie se remit à rire.

– Je sais, moi aussi, je suis quasiment jalouse. Sais-tu comment elle l'a rencontré ?

– Non.

– Dans une manifestation pour l'environnement.

Je repensai à ma liste et je me dis qu'après tout mon expérience allait peut-être porter fruit.

– Alors, le pacte, ça tient toujours ?

– Oui, mais hier ça a été difficile.

– En tout cas, tiens bon ! Je dois te laisser.

– Moi aussi. Bisous.

– Bisous.

Je fis craquer mes jointures et j'empoignai le téléphone pour appeler Oskare.

Elle cria de joie quand je lui annonçai la nouvelle. Elle était manifestement très heureuse alors ça me rendit presque mon optimisme. Elle était comment, Oskare, en SPM ?

– Ta mère a eu un contrat.

Hein ? J'avais dû mal comprendre. Il fallait que je rembobine jusqu'à notre arrivée au restaurant. Sildilwipilrrr...

– Salut, Boubou ! avait dit mon père en s'asseyant à la table qu'il avait réservée.

– Salut, papa, avais-je répondu en lui donnant deux baisers qui avaient rebondi sur ses joues élastiques.

Comme j'étais plus paranoïaque que d'habitude à cause des SPM, je lui avais demandé d'emblée :

– Et maman, comment va-t-elle ? Elle m'a appelée l'autre fois et...

– Elle va très bien.

Il avait pris une pause avant d'annoncer :

– Ta mère a eu un contrat. Elle ne touche plus à terre tellement elle est fière.

Ben je ne comprenais pas plus.

– Un contrat ? Un contrat de quoi ?

– C'est le cinquantième anniversaire de la compagnie Zephyr et ils lui ont demandé d'organiser leur party annuel.

Je repensai au party égyptien et au conservateur du musée. Combien ça va lui coûter, cette fois ?

– Ah, bon. Tu crois qu'elle va y arriver ?

Il me regarda d'un air étonné.

– Pourquoi pas ? C'est sa grande spécialité, organiser des partys.

– Peut-être, mais c'est la première fois qu'elle travaille de sa vie.

Je fus interrompue par le serveur.

– Monsieur Roberge ! Je suis heureux de vous voir, comment allez-vous ?

Il serra la main de mon père et s'écria :

– Roberto, va dire à Marcel que M. Roberge est ici.

Mon père était visiblement un habitué du restaurant. Marcel rappliqua avec tout le personnel des cuisines. C'est de cette façon que j'appris qu'il était censé manger avec le ministre de la Justice, mais que celui-ci avait eu un empêchement.

Merci pour la gentille pensée ! me dis-je C'était vraiment agréable d'être le bouche-trou de tout le monde.

– Je vous présente ma fille. Elle est encore célibataire…

– Ah ! fit le maître d'hôtel comme si je souffrais d'une maladie dégénérative. *Que bella*… poursuivit-il en commentant mon apparence comme si j'étais une potiche ou un cheval.

Le *bus boy* de dix-neuf ans me jeta un regard salace. J'aurais voulu fondre sur place. Je dégoupillai une grenade imaginaire.

– Alors, que voulez-vous comme vin, aujourd'hui, monsieur Roberge ?

– C'est pas nécessaire de prendre une bouteille, papa, je ne boirai pas.

Mon père et le maître d'hôtel restèrent figés sur place comme si j'avais prononcé un blasphème.

– Pourquoi ?

– Je fais une sorte de jeûne.

Il leva les yeux au ciel et commanda une bouteille de saint-émilion.

– Pour une fois qu'on dîne ensemble !

– Ben ça a l'air que si je veux te voir plus souvent il va falloir que j'arrange ça avec le ministre de la Justice.

– Ah, Boubou ! C'est quoi cette nouvelle lubie ?

– Je prends un *break* d'alcool pour un moment. C'est bon pour la santé, tu devrais essayer.

Le serveur arriva avec la bouteille. Mon père lui fit signe de m'en verser dans mon verre, que je m'empressai de recouvrir d'une main. Alors mon père attendit que le serveur parte pour m'en verser lui-même.

– Papa ! criai-je.

– Voyons, Boubou. Juste un petit verre ce midi. Ça ne va pas te tuer.

– Tu n'as pas l'air de comprendre c'est quoi, un jeûne. C'est déjà assez difficile comme ça sans qu'en plus tu me fasses sentir coupable de ne pas boire.

– Je ne comprends pas pourquoi tu te fais ça...

– C'est clair, il me semble. Qu'est-ce que tu ferais si j'étais alcoolique et que j'avais besoin d'arrêter de façon permanente ?

– Tu n'es pas alcoolique, que je sache.

– Mais si je l'étais...

Bon, voilà que j'en étais rendue à vouloir persuader mon père que j'étais alcoolique, à présent.

– Arrête donc de voir des problèmes là où il n'y en a pas, Boubou. C'est ça, le problème, avec votre génération.

– C'est pas parce qu'on nie un problème qu'il n'existe pas, papa.

Je résolus de me taire. Si je poursuivais, j'allais finir par m'engueuler avec lui. Je dépliai le menu.

– Alors, toi qui connais tout le monde ici, tu dois avoir quelque chose à me recommander.

– La salade de foie de poulet est très bonne. Et ça va très bien avec le saint-émilion.

Étant donné mon état, le dîner se déroula assez bien. Il fallait dire que je m'en étais tenue à des sujets portant peu à controverse. Je l'interrogeai sur son travail et il me parla de ses problèmes d'yeux. Je réussis à lui résister et à ne pas boire d'alcool. J'en étais plutôt fière. En sortant du restaurant, je me remémorai que j'avais promis d'aller voir mes grands-parents et que je ne l'avais toujours pas fait. Je pris la décision d'aller manger avec eux le soir même.

Je revins au bureau à 13 h 30 et me plongeai dans le travail. C'était la seule solution pour ne pas déprimer.

Et pourtant, je déprimai malgré tout. Je me sentais écorchée vive. La moindre émotion me touchait avec d'autant plus de puissance que mon tour de manège hormonal me laissait sans protection, sans carapace. Je faillis hyperventiler à force de soupirer. Alors, vers la fin de l'après-midi, je décidai de me chercher une activité pour jeudi soir. Pourquoi pas un vernissage ? Je feuilletai le *Voir* et parcourus le Web. Je découvris qu'il y avait le vernissage d'un artiste prometteur à la galerie Simon Blais. Jacob Stein. La critique louangeait son style et sa technique.

J'appelai Mélanie pour la persuader de m'accompagner, mais elle ne pouvait pas car elle allait au cinéma avec son Simon. Je vais y aller seule ? me demandai-je. Ben ouais.

Je passai une excellente soirée avec ma grand-mère et mon grand-père. Ils m'accueillirent en princesse. Je leur apportai du thaïlandais qu'on mangea ensemble à la cafétéria. Ils me posèrent mille questions sur mon emploi et ils passèrent leur temps à me dire à quel point j'étais belle et intelligente. Mais ça, je le savais déjà. J'avais plus envie de me faire dire que j'étais aimable et respectable, en ce moment. J'étais ingrate. Ils étaient si gentils.

Granny me raconta que sa mère la faisait quelquefois garder par une Chinoise qui ne parlait pas un traître mot de français pour aller travailler à l'insu de son père parce qu'ils crevaient de faim.

Mon grand-père la taquina en lui disant que sa grand-mère était une sorcière – c'était ce que disait le grand-père de mon grand-père – et ils se mirent à argumenter juste pour le plaisir. Ils étaient si beaux, ensemble. Cinquante ans de complicité et ils avaient toujours ce pétillement dans leurs yeux quand ils se regardaient.

– C'est quoi votre secret pour être si heureux ?

– On est capables d'être satisfaits de ce qu'on a, répondit simplement mon grand-père.

Ma grand-mère approuva de la tête.

– Ce qui a l'air d'être rendu rare. Les jeunes veulent toujours de la nouveauté. La nouveauté est devenue une qualité en soi. Un nouveau char, une nouvelle montre...

– Et toi, tu restes un vieux grincheux, le coupa ma grand-mère avant d'attaquer ses brochettes de porc.

– Je ne dis pas que l'ambition n'est pas importante, ajouta mon grand-père, la bouche pleine de riz collant – j'avais peur que son dentier dégringole dans son assiette –, mais il faut être capable d'apprécier ce qu'on a. Même si c'est pas grand-chose. Nos ancêtres ont travaillé très fort pour en arriver à nous donner le monde de confort qu'on a maintenant. Il faut honorer ce labeur en en faisant un usage responsable.

– Essaye pas de la faire sentir coupable. Nous aussi, on a eu une belle vie, rabroua ma grand-mère, un grand sourire sur le visage.

Mon grand-père la regarda avec tendresse.

– Moi, j'ai été chanceux. Je suis tombé sur ta grand-mère.

Moment touchant insupportable.

– C'est quoi, pépé, tu veux me faire brailler ? lui demandai-je avec un faux air effronté qui les fit se tordre de rire.

– Tu sais, ta grand-mère était vraiment avant-gardiste. Elle a milité pour le droit de vote des femmes. Elle a été la première femme diplômée en histoire de l'Université de Montréal.

– Non !

En fait, je connaissais peu mes grands-parents. On ne les avait jamais beaucoup fréquentés. Toutefois, je pouvais encore rattraper le temps perdu. Tant qu'ils étaient vivants. Car lorsque j'étais avec eux, j'avais l'impression de faire enfin partie d'une vraie famille. D'avoir un lien tangible avec le monde réel.

Grâce aux récits que mon grand-père me raconta sur l'adolescence survoltée de ma grand-mère, je réalisai que c'était surtout à elle que je ressemblais. Et cette découverte me réconforta tant que j'eus envie de pleurer pour la deuxième fois en une demi-heure. Si ça continuait, j'allais être obligée d'inscrire « Braillage » dans ma liste des points à régler.

Je regagnai mon appartement vers 20 heures le cœur un peu plus léger. J'allai prendre un verre d'eau minérale sur mon balcon. Je pensai à Sophie. Je tentai de me convaincre que, moi aussi, je pouvais espérer un coup de foudre avec un bel inconnu. Mais, pour ça, il fallait que je sorte de chez moi. Il n'allait certainement pas se présenter à ma porte pour…

J'entendis mon cellulaire qui m'interpellait. Je m'élançai pour le récupérer. Je l'attrapai à temps pour répondre.

– Allo ?

– Justine ?

Merde, c'était Bernard 2 ! Qu'est-ce que je fais ? Pense vite, Justine !

– Allo ? répétai-je comme si je n'entendais pas mon interlocuteur.

– Justine ? Ça va ?

– Allo ? Ben voyons, qu'est-ce qui se passe ?

– Justine, tu m'entends ?

– Allo !

Je fermai mon cellulaire.

Merde, j'étais vache. Pourquoi je ne lui laissais pas une chance, à lui aussi ? Il était gentil, attentionné, il me trouvait attirante. Toutefois, comme il ne m'avait rencontré qu'en deux occasions où j'étais loin d'avoir la capacité d'avoir une conversation intelligente, son jugement me paraissait un peu hâtif. Je retournai sur le balcon. Je contemplai la ruelle. Une mère promenait son bambin, assistant sa démarche vacillante d'un seul doigt. Pourquoi je ne lui laisse pas une chance, à lui aussi ? me répétai-je. Une citation de Groucho Marx me revint en tête : « Jamais je ne voudrais faire partie d'un club qui accepterait de m'avoir pour membre. »

Les SPM profitèrent de ce prétexte pour me retomber dessus. Je ruminai mes déviances. Et j'en avais marre de ruminer. J'aspirais juste à être *bien dans ma peau*, comme le promettent tant de shampoings aux parfums prétendument euphorisants. Mais comment être bien dans ma peau si je ne savais pas qui j'étais, et encore moins qui je voulais être ? Je commençais à en avoir assez de ventiler mon vécu.

Je fus encore taraudée par des envies de lobotomie, alors je rentrai dans la cuisine, où je me mis à tourner en rond entre le réfrigérateur et les armoires de cuisine. J'avais l'air de chercher quelque chose, mais je n'aurais pas su dire quoi.

Je fus interrompue par des voix qui éclatèrent en provenance du plafond. Je ne comprenais pas ce qui se disait, mais ils semblaient s'engueuler, là-haut. Le boucan se prolongea pendant quelques minutes puis se déplaça vers la chambre. Ensuite, les cris revinrent vers le salon et j'entendis la porte claquer, suivi de pas qui dévalèrent les escaliers intérieurs. Je courus à la fenêtre et aperçus Roman qui se dirigeait vers sa voiture d'un pas énergique.

Oh, oh ! Ça n'allait pas très bien au royaume des tourtereaux. J'espérais que ce serait lui qui garderait l'appartement s'ils se séparaient.

Chapitre 27

Le temple des disciples d'Éros

Mercredi: vacances – 16 jours

Je me levai encore à la dernière minute avec une humeur terrible. J'avais beau me dire que j'avais encore réussi à rester sobre – restait seize – et que c'était seulement mes hormones qui déconnaient, j'avais tout de même désespérément envie de m'annihiler dans le néant. J'aurais voulu être prise de combustion spontanée. De toute façon, c'était ce qui allait finir par m'arriver car il n'était que 7 h 30 et la température atteignait déjà 26 degrés Celsius. Et moi, en plus, je devais mettre un ensemble noir pour les funérailles de George-Étienne. Ça m'aurait pris un grand chapeau noir pour me protéger du soleil et compléter mon ensemble, mais je n'en avais pas. En attendant, je passai une petite robe légère et je jetai mon kit de la mort dans mon sac avec l'intention de me changer plus tard.

Je téléphonai à Mélanie dans l'autobus. Je constatai que ses SPM n'avaient rien à envier aux miens, alors c'est moi qui lui remontai le moral. Je lui devais bien ça.

J'allai m'approvisionner en café et en croissants, que je rapportai au bureau. J'espérais qu'il n'y aurait pas trop de monde présent aujourd'hui car je sentais que la moindre vétille allait me faire exploser. Je devais me calmer. Ce n'étaient que mes hormones ! Pour tenter de m'encourager, je décidai d'aller me magasiner un chapeau. Et d'ici là, heureusement, j'avais du boulot. Je devais commencer à faire le tour des directeurs de plateau pour la planification des tournages et le programme de formation d'Oskare. J'allais commencer par appeler mes préférés. Henri et Jacques.

Joelle, à qui je confiai mon projet d'aller m'acheter un chapeau, me recommanda d'aller chez Henri-Henri. À midi, je me changeai dans les toilettes du troisième et, après être allée saluer Maurice, qui fut fort impressionné par ma tenue, je pris un taxi. Il me fallut quand même marcher un peu car le taxi resta coincé dans un embouteillage et je préférai continuer à pied. Alors je me branchai sur mon iPod et mis du Led Zeppelin 🎧.

Je repérai le chapeau parfait en ouvrant la porte de chez Henri-Henri. Noir à larges bords tombants. Trois messieurs à l'allure impeccable m'observèrent entrer, dont un arborait une impressionnante moustache en guidon de bicyclette. J'avais le sentiment de pénétrer dans leur antre.

– Bonjour ! Est-ce que je pourrais essayer celui-là ? dis-je en montrant le chapeau du doigt.

Le plus vieux mesura ma tête puis le plus jeune alla chercher une échelle pour atteindre les boîtes qui s'empilaient sur une énorme armoire en bois et en verre. Une fois qu'il eut trouvé ma taille, il remit le chapeau à l'homme à la moustache proéminente, qui vint me le poser sur la tête. De près, il était encore plus beau. Le chapeau, pas le vendeur.

Il était fait en tissu bouilli, d'après ce que je compris. Et il m'allait parfaitement. Je le voulais.

– Combien est-il ? demandai-je.

– Deux cent trente dollars, me répondit le plus vieux.

Aïe !

– Vous acceptez les cartes de crédit ?

Le moustachu me répondit d'un sourire en roulant son appendice poilu entre son pouce et son majeur d'une façon experte.

Tchik-a-tchik.

– Vavavoom ! m'exclamai-je en contemplant mon reflet dans la vitrine d'un magasin.

J'avais vraiment un look classe, avec ce chapeau. Avec mon tailleur, on aurait dit Katherine Hepburn ou Sophia Loren. Enfin, presque. En plus, ça m'avait rendue de meilleure humeur et c'était tout ce qui comptait. À ce prix-là, par contre, ça devenait aussi cher que les antidépresseurs, l'alcool et la drogue ensemble. Ouin.

Je descendis sur la rue Sainte-Catherine pour me siffler un taxi. Je ne savais pas si c'était dû au chapeau, mais une voiture s'arrêta illico. Toutefois, le chauffeur empestait le parfum bon marché.

– Église Notre-Dame-des-Neiges.

Heureusement, je pus descendre la fenêtre et me pincer le nez, cachée par mon chapeau.

Le seul problème de mon nouveau chapeau c'était qu'il obstruait 75 % de mon champ de vision. Je fis donc une entrée remarquée dans l'église quand j'entrai en collision avec le prêtre, qui discutait avec une de ses ouailles. Je l'enlevai prestement. Je repérai un banc vide au milieu et allai m'y installer.

Je détaillai l'intérieur de la vieille église. Il y avait longtemps que je n'avais pas assisté à la messe. Assez longtemps pour être devenue un loup-garou, si on se fiait aux légendes anciennes du Québec. En fait, je ne venais à l'église que pour des mariages ou des enterrements. Comme la plupart de ceux à qui étaient destinées ces cérémonies en général.

L'orgue se fit entendre et l'assemblée se leva. Le prêtre s'avança vers l'autel, précédant les cendres de George-Étienne portées par son ami le policier. Je remarquai une femme âgée qui suivait le cortège. Je déduisis qu'elle devait être la tante de George-Étienne. Cela me fut confirmé durant la cérémonie lorsqu'elle prit la parole pour lire la seconde lettre de saint Paul Apôtre aux Corinthiens.

La cérémonie ne dura heureusement qu'une demi-heure. Et vint le moment que nous attendions tous: « Prenez et mangez-en tous, car ceci est mon corps livré pour vous. » Alors toute l'assemblée se leva pour aller communier. Sauf moi. Et quelques bigotes mal attifées le soulignèrent en me toisant d'un air indigné. Je les trouvais méprisantes pour des personnes qui prônaient l'amour de leur prochain. Je décidai donc de remettre mon chapeau et de faire semblant de pleurer. Cet incident me fit penser à la fois où, lorsque j'habitais Outremont, j'avais secouru un vieux juif hassidique qui avait fait une mauvaise chute sur le trottoir. Son chapeau de poil avait été projeté dans la rue. J'avais alors été le lui récupérer et m'étais empressée d'aller l'aider à se relever. Tout ce qu'il avait trouvé à faire pour me remercier avait été de m'engueuler, en anglais, parce que je venais de le salir. Il m'avait même traitée de « créature du mal ». Il avait fallu que je me fasse violence pour ne pas lui lécher la face et le repousser sur le trottoir. Je l'avais envoyé chier, en français, et j'étais repartie et rejetant son chapeau dans la rue.

À la sortie de l'église, je fus interceptée par Pierre, l'agent de la SQ.

– Belle cérémonie, n'est-ce pas ? m'aborda-t-il avec un triste sourire.

Bof! Je lui répondis en lui souriant à mon tour.

– Excusez-moi, c'est tellement imbécile ce que je viens de dire.

Je me mis à rire.

– En fait, je n'aime pas beaucoup les églises.

Il s'approcha de mon oreille et il baissa le ton.

– Je sais que je peux dire ça à vous. Vous venez de la ville. Je suis gai. Je déteste aller dans un endroit où on me dit que je vais finir en enfer.

– Enchantée ! lui fis-je en rigolant de plus belle. Je ne suis pas gaie, mais je risque d'aller vous y retrouver.

La tante de George-Étienne se dirigea vers nous. Pierre me la présenta.

– Estelle, voici Justine ! dit-il simplement.

Il devait déjà lui avoir parlé de moi.

– Oh ! Enchantée, mademoiselle.

Estelle était une belle petite femme toute rose et qui sentait bon. Ses cheveux étaient d'un blanc pur. Elle portait une coupe courte qui auréolait son visage fin. Elle devait avoir au moins soixante-dix ans, mais elle était habillée avec goût. Pas en petite vieille, mais sans essayer de faire jeune. Pierre s'éclipsa pour aller lui chercher une chaise roulante. Dès qu'il fut parti, elle me glissa :

– Je n'ai absolument pas besoin d'une chaise roulante. Je suis parfaitement capable de marcher. Dépêchons-nous, nous allons le semer. À propos, j'adore votre chapeau.

Je m'esclaffai, la pris par le bras et l'entraînai vers le cimetière.

Je lui posai de nombreuses questions sur elle. Sur sa vie. J'appris qu'elle habitait à la campagne, près de Cowansville. Qu'elle était veuve d'un homme dont elle avait été profondément amoureuse. Cependant, elle regrettait de ne pas avoir eu d'enfant. La mort de George-Étienne la laissait seule au monde.

– D'ailleurs, je ne sais pas ce que je vais faire avec la maison de George-Étienne. Je crois que je vais être obligée de la vendre. Ce n'est pas que j'aie besoin de ce revenu, mais je ne peux pas m'en occuper.

J'eus une brillante idée.

– Moi, je pourrais vous la louer au mois de juillet. Ça vous donnerait le temps de penser à ce que vous voulez en faire.

– Quelle merveilleuse idée ! Vous pourriez venir prendre le thé chez moi, mon jardin est magnifique, à cette époque de l'année.

– J'aimerais beaucoup.

Nous nous entendîmes sur un prix ridicule. J'avais l'impression de la rouler et je lui en fis la remarque, mais elle refusa tout de même d'élever le prix.

– Je vous la loue à partir de maintenant pour le même prix si vous vous occupez des effets de George-Étienne pour moi.

Wow ! J'avais l'impression d'avoir gagné à la loto.

Nous fûmes rattrapées par Pierre et la chaise roulante. Qui servirait peut-être au retour car nous avions rejoint le caveau familial des Paré.

Il y avait plus de gens au cimetière qu'à l'église. L'attroupement attendait le début du service en piétinant allégrement les demeures éternelles des nouveaux voisins de George-Étienne.

Estelle et Pierre me quittèrent pour aller s'entretenir avec le prêtre. C'est alors que je remarquai l'arrivée de trois hommes qui vinrent se placer à ma droite. Deux bruns, un châtain, dans la jeune trentaine. Pas laids ; je dirais plutôt attendrissants. Ils me jetaient régulièrement des coups d'œil intéressés. Je n'avais pas songé prendre une cérémonie funèbre comme terrain de chasse, mais eux, ça ne paraissait pas les troubler. Au moins, c'était bon pour mon ego.

– Vous étiez une amie de George-Étienne ? entendis-je venant de ma droite.

– J'étais avec lui quand il est mort, leur répondis-je avec un air de défi.

Ma réplique parut les émoustiller.

– Je suis Jean-Marc, se présenta le blond. Lui, c'est Philippe, dit-il en désignant un brun à lunettes. Et voilà Claudius, ajouta Jean-Marc en pointant du menton le troisième membre du trio – le plus *cute*.

Ils sont probablement d'anciens étudiants ou des confrères de travail, me dis-je.

– Nous allons faire une petite cérémonie plus conforme aux vœux de George-Étienne, après, déclara le blond. Joignez-vous à nous, si vous voulez.

Wow, c'était gentil pour George-Étienne ! Serait-ce dans les cérémonies funèbres qu'on rencontrait les bons gars ? Je fus rejointe par Estelle et Pierre. Le prêtre s'avança vers le caveau et tous les gens se groupèrent devant lui.

En quelques secondes, j'avais réussi à m'imaginer passer des soirées romantiques en compagnie de Claudius à la maison de George-Étienne, qui serait pour le prochain mois et demi *mon* domaine. Toutefois, je déchantai rapidement car les trois hommes parlèrent durant tout le laïus du prêtre. C'était très impoli et plutôt déplaisant. Un homme placé devant eux leur fit même les trois étapes – le demi-tour de tête avec claquement de langue et soupir, le tour de tête complet avec contact visuel, et finalement le « Allez-vous fermer votre gueule ? » suivi de menaces à peine voilées –, mais ils continuèrent à discuter sans même consentir à baisser le ton.

Heureusement, les simagrées d'usage furent vite expédiées. Les cendres furent enfermées dans le caveau et l'assemblée se dispersa. Le trio se jeta sur moi alors que je m'apprêtais à faire un bout de chemin avec Estelle.

– Voulez-vous rester pour notre cérémonie ? me demanda Jean-Marc.

– Non, merci ! lui répondis-je sèchement de façon qu'il comprenne que leur comportement antisocial m'avait dérangée.

Mais ils semblaient peu réceptifs aux sous-entendus.

– Quelle cérémonie ? demanda Estelle de façon plutôt abrupte.

– La cérémonie de libération de l'âme selon la Tradition des disciples du temple d'Éros, répondirent-ils en chœur.

Je réprimai un fou rire qui devint impossible à contenir quand ils sortirent tous trois une cape noir et or, qu'ils enfilèrent.

– Nous avons toujours de la place pour les nouveaux membres, ajouta Claudius d'un air bizarre.

On aurait dit qu'il essayait de m'hypnotiser.

– Désolée, fis-je, faussement désabusée, mais j'ai tout ce qu'il me faut en matière de religion, je suis pastafarienne.

– Pastaquoi ? demandèrent-ils, interloqués.

– Pastafarienne. Notre dieu est le monstre de spaghetti volant.

J'entendis Estelle s'esclaffer à mes côtés. J'eus de la difficulté à garder encore un peu de sérieux pour ajouter :

– Pour nous, le paradis, c'est un endroit où il y a un volcan de bière et une usine à stripteaseurs et stripteaseuses. Qu'est-ce que vous avez qui peut compétitionner avec ça ?

Les gueules qu'ils tirèrent me firent éclater de rire à mon tour. Ils le prirent plutôt mal alors ils nous traitèrent de grenouilles de bénitier, ce qui nous fit rigoler de plus belle. Je n'aurais jamais pensé qu'on m'aurait un jour traitée, MOI, de grenouille de bénitier. Bizarrement, j'en étais toute fière. J'entraînai Estelle vers le stationnement pendant qu'ils débattaient pour déterminer où se trouvait le nord.

– Quelle imagination ! Le monstre de spaghetti volant, dit-elle en s'essuyant les yeux.

– Oh, ça ne vient pas de moi, lui répliquai-je, cette religion existe pour vrai.

Elle me jeta un regard inquiet.

– Mais non, je ne suis pas pastafarienne pour vrai ! la rassurai-je. C'est une religion bidon qui a été inventée par un Américain pour lutter contre l'enseignement du créationnisme dans les écoles au Kansas.

Je lui résumai ce que j'avais lu à ce sujet sur Internet pendant que nous rattrapions Pierre. Estelle lui relata notre aventure avec les disciples du temple d'Éros.

– Est-ce que George-Étienne faisait partie de cette secte ? demandai-je, intriguée.

– Non, répondit Pierre. Il les a rencontrés car le temple possède une des seules versions d'un livre rare. Je ne me souviens plus lequel. L'autre version se trouve à Londres. Il voulait le consulter alors il a fait semblant d'être intéressé par leurs enseignements, mais ils se sont accrochés. Ils n'arrêtaient pas de le solliciter.

Puis il se métamorphosa en policier et nous récita son chapelet sur la façon qu'utilisaient les sectes pour recruter de nouveaux membres.

– Ils s'en prennent à des personnes seules, qui ont peu d'estime d'elles-mêmes et souffrent de carences affectives. Souvent, ce sont des gens qui ont des dépendances à l'alcool et aux drogues et qui essaient de s'en sortir.

Je ne trouvais plus ça drôle, maintenant.

– Je ne sais pas qui se laisse prendre à de telles âneries ! commenta Estelle. Comment peut-on croire quelqu'un qui porte une cape ?

Nous arrivâmes au stationnement de l'église. J'échangeai mes coordonnées avec Estelle et elle promit de m'envoyer les clés de la maison à mon bureau par Fedex. Je voulus lui remettre un chèque sur-le-champ, mais elle refusa.

– Comme ça, je serai certaine que tu vas venir me rendre visite. Merci d'avoir été là aujourd'hui.

Ma gorge se serra et je l'embrassai sur les deux joues.

Dans le taxi qui me ramena à la maison, j'en vins à la conclusion que, finalement, je n'attirais pas les situations glauques, mais plutôt les abuseurs professionnels de tous genres parce que j'avais la personnalité typique de la victime. Yé ! Je ne réussirai jamais à changer de *pattern*. Je me cachai dans mon chapeau pour déprimer.

Heureusement, j'avais fait une belle rencontre. Et j'avais de nouveaux plans de vacances. Quelle bonne idée j'avais eue de proposer à Estelle de louer la maison de George-Étienne ! Par contre, il était peu probable que je rencontre quelqu'un d'intéressant en restant cloîtrée dans une maison de campagne pendant un mois.

Je rentrai vers 18 heures. J'avais décidément une vie très plate depuis le début de mon jeûne. J'étais en train de devenir une grenouille de bénitier, merde. J'entendais la boîte à *pot* exister dans l'autre pièce. Prise par une sorte de panique, je me changeai et ressortis pour aller souper au Petit Alep.

Je m'installai au bar et choisis une assiette contenant plusieurs entrées. Je demandais toujours ce plat quand je venais à ce restaurant. Avec une bière. Je soupirai et me résignai à m'en commander une avec un verre d'eau minérale.

En attendant d'être servie, j'attaquai le chapitre 4, qui traitait des agences de recrutement. J'imaginais que, dans mon cas, ça voulait dire les agences de rencontre. Ouach! Juste les mots « agences de rencontre » me donnaient des sueurs froides. Je refermai le livre, dégoûtée. Pourquoi ne donnerais-je pas une chance à Bernard 2 ? Je fis une liste des pour et des contre et en arrivai à la conclusion que je ne pouvais pas le fréquenter parce que j'étais sobre et que mon but était de le rester. Cet homme semblait m'apprécier ivre morte. Et, de plus, j'étais en plein jeûne de baise. Il était peu probable qu'il accepte ma soudaine chasteté.

À 20 heures, je me retrouvai debout, immobile au beau milieu de mon salon, me demandant quoi faire, et je me sentis dépassée. Si je ne changeais pas d'état dans les prochaines secondes, j'allais me rouler un joint et me faire un *shooter* d'absinthe. Je décidai donc de tenter de surmonter mes préjugés à propos des sites de rencontres et d'aller faire un tour sur Internet pour en visiter quelques-uns. Brrrr!

Je fis un survol rapide des différents sites proposés. Ce que j'y trouvai me laissa plutôt perplexe. Il y en avait pour à peu près tout le monde : les riches, les grano, les sportifs, même pour les dévots! Cependant, je ne parvins pas à trouver le courage de remplir une fiche dans un seul des sites qui m'étaient offerts. Il fallait dire que je n'étais pas trop attirée par les multiples candidats exposés sur leurs pages d'accueil. Entre le gars soufflé aux stéroïdes dont le texte de présentation se limitait à « T'as des questions ? », celui qui chialait parce qu'il trouvait ça difficile d'être un gars car les filles étaient compliquées et superficielles, et celui qui posait avec une poussette vide et dont le texte de présentation s'intitulait : « Où es-tu, mère de mon futur enfant ? Je t'attends », je me mis à trouver que ce jeu allait trop loin. Qu'est-ce que ce livre m'avait apporté jusqu'ici ? Rien. Alors, pourquoi donc continuer ? Pour honorer Ouija ? Je refermai mon ordinateur et me déshabillai en me dirigeant vers le salon. Je repensai aux disciples du temple d'Éros, écœurée. J'étais en train de devenir comme eux, avec mon livre oracle. Était-il possible d'arriver à changer de *pattern* sans en développer un autre ? La tâche me semblait colossale. Titanesque. Je relus la liste des points à régler que j'avais notés dans mon Moleskine. Je rayai « Solène » et « projet livre ». Il était temps que je passe à autre chose. Je m'effondrai sur mon divan. Je composai le numéro de Mélanie. Simon me répondit.

– C'est moi ! chantai-je d'un air faux.

– Je te la passe.

Il cria : « Mamou ! C'est pour toi. »

– Simon ?

– Oui ?

– Je m'excuse avec mes appels interminables. Ça doit te taper sur les nerfs.

– Non, c'est correct ! Tu es sa meilleure amie, c'est normal.

– Wow ! Ma meilleure amie a vraiment un bon chum.

– Ça va t'arriver à toi aussi, Justine. Fais confiance à la vie.

– T'es vraiment gentil, fis-je avec un trémolo dans la voix.

J'entendis Mélanie arriver dans la pièce.

– Tu l'aimes parce qu'elle s'occupe d'organiser mes partys d'anniversaire.

– C'est pas vrai ! rétorqua-t-il.

Mélanie agrippa le téléphone.

– Salut, chérie ! s'exclama mon amie d'un air enjoué.

– Je suis découragée.

– Qu'est-ce qu'il y a ? dit-elle, soudainement inquiète.

– Chapitre 4, il faut que j'aille sur des sites de rencontre.

– Pis ?

– Ben je trouve que c'est pas une bonne façon de rencontrer quelqu'un.

– C'est toi qui me dis ça ? J'en reviens pas.

– Comment ça ?

– D'habitude, tu as une vision de la vie plus olé-olé que ça. Toujours prête à tout essayer...

– As-tu déjà visité un site de rencontre, toi ?

– Non.

– Ben alors ! Et c'est pas juste ça.

Je lui racontai mon aventure avec les disciples du temple d'Éros. Elle s'esclaffa. Je m'en offusquai, mais elle me fit voir le côté loufoque de la situation. Elle trouvait que je m'en étais sortie avec panache.

– Pastafarienne ! répéta mon amie, d'un ton épaté, pour la quinzième fois.

– Mais mes vacances sont arrangées.

– Quoi ? Quoi ? Quoi ?

Je lui expliquai comment j'avais réussi à louer la maison de G.-É. P. et l'accord entre Estelle et moi.

– C'est génial ! Mais comment vas-tu faire pour te déplacer, là-bas ?

Oups. Je n'avais pas pensé à ça.

– Je ne sais pas trop.

– Ben nous, comme tu sais, on va une semaine au Maroc et une semaine en Turquie. Durant ces deux semaines-là, tu pourras prendre ma voiture.

– Super ! Que fais-tu de tes troisième et quatrième semaines de vacances ?

– La quatrième, on va faire de la marche dans les Chics-Chocs dans le parc de la Gaspésie, mais pour la troisième, on n'a pas de plans encore.

– Voulez-vous venir passer la semaine à la maison avec moi ?

– Oh, oui !

Nous discutâmes menu, activités, accessoires. Puis elle se dirigea vers son chum pour lui transmettre ma proposition et lui arracher son accord. Elle le trouva dans le salon en train d'écouter un documentaire du *National Geographic* sur les pratiques sexuelles étranges des animaux. Lorsque j'entendis les cris d'exclamation horrifiés que poussèrent mes amis, j'ouvris la télé. Ce que j'y découvris me laissa pantoise. Cette chose avait un nom : platyhelminthes. C'était une sorte de ver plat des mers qui était hermaphrodite et dont le pénis servait d'arme autant que d'outil pour procréer. Il l'utilisait comme une sorte d'épée, s'escrimant avec ses congénères dans une bataille pour inséminer l'autre. Eh bien !

Mélanie et moi restâmes accrochées à la télé. Pendant une heure, nous étions tous trois passés de l'émerveillement au dégoût le plus profond. Nous avions beaucoup ri en faisant des rapprochements avec certains types d'hommes que nous connaissions.

Mais, à présent, je commençais à avoir mal à l'oreille. Il devait être environ 22 heures. Toujours au téléphone avec Mélanie, je me levai et sortis sur le balcon. Je ne m'étais pas aperçue qu'il pleuvait à torrent.

– J'ai décidé de laisser tomber le projet livre.

– Hein ! s'exclama-t-elle. Pourquoi ? C'est Internet ?

– Oui, et puis je m'en vais pour un mois à la campagne. Ça sert à rien. En plus, je ne tombe que sur des manipulateurs.

– Décourage-toi pas, poussin ! Je sais que c'est long, mais ça va arriver, je te le jure.

– Qu'est-ce que t'en sais ?

– Ça t'a pris combien de temps à devenir productrice ?

– Huit ans.

– Ça fait deux semaines que tu as entrepris ce nouveau défi. Donne-toi le temps. Tu m'as pas dit que tu allais à un vernissage, demain ?

– Oui, mais je suis seule. Ça va être plate.

– Va au moins faire un tour. On sait pas.

– Lâche-moi, môman !

– Et puis, pour les sites de rencontre, je crois qu'il faut que tu sois très précise sur ce que tu veux et ce que tu ne veux pas. Pour filtrer le maximum de gros cons. Sinon, tu vas passer un temps fou à lire des lettres insignifiantes et à y répondre.

– C'est justement ça qui me tente pas. Écrire mon texte de présentation.

Je pris une voix de retardée :

– Bonjour, mon nom est Justine. Je suis une fille sensible qui recherche l'homme de sa vie. J'aime les bonnes conversations accompagnées d'une bonne bouteille de vin. Mon livre préféré est *Le Secret.*

– Fais quelque chose qui te ressemble. Drôle, unique, qui sort de l'ordinaire, répondit Mélanie en riant.

Je réfléchis un moment. Je pensai au documentaire du *National Geographic*. Je crois que je tenais mon idée.

Chapitre 28

Je suis une poule

Jeudi: vacances – 15 jours

Malgré les SPM, l'évocation de mes futures vacances et de ma maison de campagne m'emballait au plus haut point. Et j'avais réussi à rester sobre pour une quatrième journée. Je me sentais si fière de moi que j'avais l'impression que je pouvais tout réussir. Je me sentais invincible. Maître de mes pulsions. Aux commandes de mon destin. C'était juste si je n'entendais pas des trompettes.

Je ne savais toujours pas si j'allais me rendre au vernissage après le bureau, mais je soignai quand même ma tenue. Comme le temps était assez incertain, j'avais enfilé un tailleur avec cache-cœur sans manche et ajouté mon *crash-kit* de maquillage et un parapluie dans mon sac. Je repensai à mon idée pour mon texte pour le site de rencontre, ce qui me fit sourire. Alors, juste avant de partir pour le boulot, je réinscrivis «projet livre» dans ma liste de points à régler.

Au moment où je sortais de l'appartement, le soleil se mit à taper. Je revins sur mes pas et attrapai mon chapeau. D'ailleurs, je ne sais pas si c'était dû à celui-ci, mais sur les trois coins de rue que je dus traverser pour me rendre à l'arrêt de bus, je me fis siffler par deux hommes. Je savais que c'était superficiel, mais ils me donnèrent envie de chanter. J'appelai Mélanie.

– Salut, *babe* !

– Je vais recevoir les clés de la maison la semaine prochaine. Ça vous tente d'y aller la fin de semaine d'ensuite ? On pourrait partir vendredi.

– Moi, ça me tente. Attends, je demande à mon chum, je le reconduis au bureau, ce matin.

Elle lui répéta mon invitation, qu'il accepta aussitôt.

– C'est ok.

– Super !

– Alors, toujours sobre ?

– Oui.

– Bravo, poussin ! Je suis fière de toi !

– Quinze jours, qu'il me reste. C'est pas si dur, finalement.

J'entendis Simon qui me félicitait.

– Tu as entendu ?

– Oui, dis-lui merci. J'espère que tu le sais que tu es chanceuse d'avoir un homme comme lui.

– Je le sais.

– J'ai hâte de le rencontrer, *mon* Simon.

Elle s'empressa de tout répéter à son chum.

– Heille ! m'exclamai-je. Ne lui raconte pas ça.

Elle se mit à rire.

– Alors, tu vas toujours au vernissage ce soir ?

– Je ne suis pas certaine encore.

– Allez ! C'est ça ou les sites de rencontre.

Vu de cette façon, elle avait plutôt raison.

– C'est que je n'ai pas envie d'y aller toute seule.

– Essaie de trouver quelqu'un au bureau pour t'accompagner.

Bonne idée. Nous terminâmes notre conversation sur des banalités et je continuai mon chemin jusqu'au bureau en pensant qu'avec les sites de rencontre, j'allais pouvoir poursuivre ma quête à la campagne. Il y avait certainement un café Internet au village le plus près. Ça allait être plus compliqué pour les rencontres, mais avec la voiture de Mélanie, je pourrais faire quelques sauts en ville si j'en avais envie.

J'allai me chercher un café. Comme c'était tout ce qui me restait comme plaisir, je me payai la traite et me commandai un mokaccino latte deluxe.

Je me sentais particulièrement lâche, ce jour-là. La première chose que je fis en arrivant au bureau fut de faire le tour de mes copains pour essayer d'en convaincre un de m'accompagner au vernissage. Comme j'avais entamé des conversations avec tout le monde, à 9 heures je n'avais toujours pas allumé mon ordinateur et en plus je n'avais toujours pas trouvé quelqu'un pour me chaperonner.

Je venais à peine de démarrer mon ordinateur que Jeanine, la réceptionniste, se présentait à mon bureau avec une orchidée. Je me jetai sur l'enveloppe. Je lus : « Reste juste quinze jours ! Bravo ! Mélanie et Simon. » Les larmes me montèrent aux yeux et je dus expliquer à Jeanine que je faisais un jeûne d'alcool.

Ensuite, le temps que je téléphone à mon amie pour la remercier, tous mes collègues avaient appris que je faisais un jeûne. Alors, tous ceux qui avaient arrêté de fumer, de boire ou qui projetaient de le faire étaient donc passés par mon bureau afin de papoter. Je me sentais tellement en contrôle que je me retrouvai à prodiguer des conseils à tout le monde. Quand mon bureau s'est enfin vidé vers 11 heures, je n'avais toujours rien fait. Mais je n'eus pas le temps de culpabiliser à ce propos car mon cellulaire se mit à vibrer.

– Justine ?

C'était Estelle.

– Bonjour, Estelle ! lui dis-je, ravie de lui parler.

– Je suis allée poster la clé, le préposé m'a affirmé que tu l'aurais lundi.

– Parfait ! Je compte y aller la fin de semaine prochaine avec un couple d'amis. Que voulez-vous que je fasse de ses effets personnels ?

– J'imagine qu'il faudrait que j'y aille.

– Voulez-vous venir souper avec nous vendredi soir ? Vous pourriez jeter un coup d'œil et me laisser vos instructions sur ce que vous voulez garder et jeter.

– Vendredi, c'est parfait. J'y serai. Veux-tu que j'apporte quelque chose ?

– Un dessert, peut-être ?

– Je m'en occupe. Alors, juste avec un couple d'amis ? Tu n'as pas d'amoureux ?

J'essayai d'esquiver la question, mais elle ne me laissa aucune chance et je dus lui raconter mes récentes évolutions.

– Ta grand-mère a raison, conclut-elle finalement.

– À quel propos ?

– De l'importance d'en choisir un bon.

– C'est difficile.

– Je sais. Ma sœur était pourrie, à ce jeu-là. Elle avait le feu au cul.

Je rigolai. Elle poursuivit :

– Elle tombait sans cesse sur le mauvais gars. Elle n'arrêtait pas de me dire qu'il fallait qu'il lui fasse des papillons dans le ventre. J'avais beau essayer de la convaincre qu'avoir du désir pour un homme n'était pas suffisant et que le désir était le fruit de l'insécurité, elle ne me croyait pas.

– Le fruit de quoi ?

– Le désir carbure à l'insécurité. Comme l'amour, lui, carbure à la sécurité, ce n'est pas une bonne façon de chercher l'âme sœur. Il faut écouter son cœur, pas son ventre.

Je restai en attente, un moment, comme pour me laisser pénétrer par cette idée.

– Mais je suis confuse ! Il est midi, je te tiens au téléphone depuis près d'une heure et tu dois travailler. Je suis désolée.

Je l'assurai que j'étais très heureuse de lui parler. Savoir qu'elle était seule au monde me rendait triste. Je pourrais l'adopter ?

– J'ai très hâte de vous revoir vendredi, ajoutai-je avant de raccrocher.

Je n'avais peut-être rien réalisé ce matin, mais j'avais quand même faim.

– Je vais prendre un panini tomates-bocconcini. Pour emporter.

Je décidai d'aller manger dans un petit parc près du bureau. J'espérais juste ne pas avoir à disputer mon lunch aux mouettes et aux pigeons. Le temps était instable. De lourds nuages de pollution jaunes étaient en suspension au-dessus de la ville et l'air était lourd. Je gagnai le parc d'un bon pas en me demandant si j'allais me rendre au vernissage. C'était sur le trajet d'autobus. J'avais seulement à arrêter en chemin. Et, au moins, si je rencontrais un *prospect* intéressant, je pourrais repousser mon abonnement à un site de rencontre.

Je sortis mon livre et continuai à feuilleter le chapitre 4 pour voir s'il y avait autre chose de plus au menu ou comme exercice, mais le refermai pour admirer un gros chat orange qui vint s'asseoir sur une tache de lumière et qui se mit à jouer nonchalamment avec un bout de branche. Il ne se posait pas de questions, lui. Il était tranquille. Je lui enviais son insouciance.

Il se mit soudainement à pleuvoir et je courus jusqu'au bureau. Je travaillai jusqu'à 16 h 30, au moment où Muriel vint me dire au revoir.

– Pis, as-tu trouvé quelqu'un pour aller au vernissage avec toi ?

– Non.

– Hon, qu'est-ce que tu vas faire ?

– Je crois que je vais arrêter en passant pour admirer les toiles et rentrer chez moi.

– Tu vas y aller toute seule ?

– Oui !

– T'es bonne, moi, je ne serais pas capable. Bonne soirée.

Merci quand même. Elle avait réussi à me faire sentir minable. Mais je ne la laissai pas me décourager. Je ramassai tranquillement mes affaires et partis vers 17 heures. Je pris l'autobus 55 et descendis devant la galerie.

Des fumeurs boucanaient déjà dehors. Au moins, il y avait l'air d'avoir du monde. Je mis mon chapeau et passai dans l'attroupement. Je dus l'enlever aussitôt à l'intérieur et la première personne que je vis en entrant fut David, mon frère.

– Qu'est-ce que tu fais là ? lui demandai-je, surprise.

Il prit le temps de m'embrasser avant de me répondre.

– C'est le vernissage de Jacob, le gardien de sécurité. J'ai acheté une de ses toiles, viens voir.

Jacob, le gardien de sécurité qui m'avait vue vêtue uniquement d'un *strap-on dildo*. J'étais tellement éberluée que je le laissai me traîner par le bras.

– Qu'est-ce que t'en penses ? fit-il en me montrant une toile.

C'était de l'abstrait avec beaucoup de couleurs sombres. Ça prenait au ventre.

– Ça me fait penser à quelque chose.

– C'est possible car tu en as un chez toi. Enfin, tu as un collage de lui.

– Hein ?

– Oui, la toile que je t'ai donnée à Noël, il y a quatre ans, et que tu as accrochée dans ton salon.

Il continua à parler, mais moi, je ne l'entendais plus car je poursuivais moi-même dans ma tête : la toile sur laquelle je suis tombée en jouant à Ouija. Ça y est, c'est ça. C'est lui.

– Justement le voilà ! Jacob !

Je me tournai timidement. Il parut ne pas me reconnaître ; c'était bien. Je souhaitais justement lui faire une nouvelle première impression. Je décidai d'éviter à tout prix de mentionner notre première rencontre. David sembla comprendre car il me représenta :

– Voici ma sœur, Justine.

Il était encore plus beau que dans mon souvenir. Il portait un veston bleu très bien coupé avec un t-shirt et un jean. C'était effectivement mieux que son uniforme de gardien de sécurité brun.

– Mais que vois-je, David ? Tu n'as toujours pas offert un verre à ta sœur ?

– Je voulais lui montrer mon nouvel achat.

– Qu'est-ce que tu en penses ? me demanda-t-il avec son regard intense fixé sur moi.

– C'est magnifique. C'est très poignant. J'aime beaucoup.

Il sembla flatté par mon commentaire.

– Qu'est-ce que tu voudrais boire ?

– Une eau minérale ! lui répondis-je fièrement.

Il ne parut pas relever et il s'en fut.

– Une eau minérale ? me demanda mon frère aussitôt Jacob parti.

– Je fais un jeûne.

– Depuis quand ?

– Quatre jours.

Ce fut à son tour de me regarder d'un air impressionné. Jacob revenait avec mon eau minérale. Oh. Mon. Dieu ! Il est cutissime.

Je passai une soirée extraordinaire à parler d'art avec Jacob et mon frère. Jacob devait souvent s'absenter pour aller discuter avec un acheteur éventuel, mais il revenait toujours à nous pour continuer la conversation. Je le regardais évoluer parmi les convives, surprenant les regards admiratifs que les autres femmes lui jetaient au passage. Puis David partit et Jacob me demanda de rester avec lui. Alors je restai. J'étais presque en transe tellement je baignais dans la stupéfaction d'un bonheur auquel je ne parvenais pas à croire. Et pourtant, le livre sur la toile, Ouija, c'était le destin.

On partit vers minuit et il m'invita chez lui. Je n'aurais pas dû y aller. On avait à peine franchi le seuil de la porte qu'on était nus. Il nous fallut près de trois heures pour se rendre jusqu'à sa chambre. J'avais un *carpet-burn* sur les fesses et lui, il avait une bosse sur le dessus de la tête. On reposait, épuisés, sur le lit quand j'eus la brillante idée de lui dire :

– Dire que je faisais un jeûne de baise.

– Un quoi ?

Je lui expliquai le pacte que j'avais fait sans lui en mentionner les raisons. Je vis son visage se durcir dans la pénombre.

Il attrapa son jean et l'enfila. Il ramassa le préservatif souillé et le jeta dans la poubelle.

– Je suis désolé, mais je vais devoir te demander de partir.

Hein ? Je ne comprenais plus rien. Je devais avoir mal entendu. Ce n'était pas possible. Pourtant, son langage non-verbal confirmait ses propos.

Je me levai. Je me rhabillai, ramassai mon sac et m'évanouis dans la nuit.

Je revins à la maison en taxi, complètement interloquée. Je ne fondis en larmes qu'au quatrième *shooter* d'absinthe quand je me rendis compte que je venais encore une fois de saboter mes chances avec un homme. Sauf que, cette fois, j'avais raté mon rendez-vous avec le destin. Et cette pensée me fit atteindre le fond de l'abîme de la déprime. En fait, après le troisième joint, j'étais si désespérée que je craignis de me jeter sur les antidépresseurs et les anxiolytiques, alors j'allai les jeter dans la toilette. Ensuite, je pensai à l'environnement et je me mis à brailler de plus belle. Je ne méritais pas de vivre. Je voulus me moucher, mais je m'aperçus que je n'avais plus de papier-cul. Je fis le tour des pièces pour découvrir que je n'avais plus de mouchoirs non plus. J'utilisai mon chandail.

Je gagnai mon divan d'un pas mal assuré afin de me rouler un autre joint. J'avais foutu mon jeûne en l'air. Je m'en voulais tellement. J'avais foutu mon jeûne en l'air pour un homme. Je m'étais jetée sur l'occasion comme s'il me faisait une faveur de s'intéresser à moi. J'avais l'impression de me battre pour rien, que tout était déterminé d'avance par une influence néfaste plus forte que moi. Que pouvais-je faire ? Je me sentais usée.

Je titubai vers la cuisine, le joint sur le bord des lèvres, pour me prendre une nouvelle bière. Je me revoyais en train de donner des conseils à tout le monde cet après-midi au bureau. Bravo ! Franchement, j'étais comme une poule qui donnerait des cours de natation.

Chapitre 29

Black-out, un rappel

Vendredi : vacances – 14 jours

Ma soirée se termina par un autre black-out. Au matin, je me remis à brailler dès le réveil. L'autosabotage de ma relation avec l'homme de ma vie et l'échec de mon jeûne défilaient devant mes yeux bouffis. Bravo, championne !

J'allai aux toilettes et ce ne fut qu'une fois mon forfait accompli que je me souvins que je n'avais plus de papier-cul ni de mouchoirs. Il fallut donc que je me promène jusqu'à la cuisine le cul à l'air pour aller chercher les essuie-tout. Je croyais encore avoir atteint un nouveau fond dans le pathétisme, alors mes sanglots redoublèrent et je dus me rendre à la conclusion que je ne pouvais pas me présenter au boulot comme ça. Je tentai donc de prendre sur moi en essayant de me dire que c'était arrivé à tout le monde au moins une fois dans sa vie de tomber en panne de papier-cul, que même Platon et Paris Hilton – pas que je les mettais au même niveau – avaient dû vivre cette expérience pénible. Je parvins à me calmer suffisamment pour laisser un message à peu près convenable à Maurice et lui dire que je bosserais de la maison aujourd'hui et pour ensuite sortir acheter du papier-cul sans faire une scène à l'adolescent chinois qui tenait la caisse.

Au retour, je me fis du café et me ruai sur le téléphone pour appeler Mélanie.

– Salut, poussin! répondit mon amie d'un ton enjoué.

Elle m'entendit renifler.

– Qu'est-ce qui se passe?

Je lui résumai ma soirée fantastique et sa fin tragique.

– Je suis tellement découragée. Ouija, la toile que j'ai désignée avec le... J'ai réussi à autosaboter ma rencontre avec *mon* homme.

– Ben non, c'était pas lui. La preuve, on a continué à jouer, après.

– Peut-être, mais c'est juste parce qu'on n'avait pas compris.

– C'est faux parce que si tu n'avais pas continué à jouer, tu ne serais pas tombée sur le livre et, sans le livre, tu ne serais pas allée voir cette expo.

– Je le connaissais déjà quand on a joué à Ouija! ripostai-je.

– Eh oui, et c'est la preuve que ce n'est pas l'homme.

– Ah oui? Pourquoi?

– Parce que, après la première rencontre que vous avez eue, c'est-à-dire toi en *strap-on dildo* couchée près d'un Allemand ivre mort, votre relation était déjà condamnée à l'échec.

J'arrêtai de pleurer un moment pour réfléchir. Après tout, elle avait peut-être raison.

– Dans le fond, cette histoire, c'est juste un encouragement à continuer. Une preuve que tu es sur le bon chemin. Il faut poursuivre ta démarche. C'est une expérience qui va te faire évoluer pour que tu sois à la hauteur quand le bon gars va se présenter.

Je ne voyais pas du tout comment cette expérience allait me faire évoluer. Je me remis à chialer. Je commençais à me taper sur les nerfs. Je n'avais jamais autant pleuré de ma vie que dans les trois dernières semaines.

– Qu'est-ce que tu veux que je comprenne à un pareil revers ? continuai-je. Je ne comprends même pas ce qui s'est passé. Je croyais le flatter en lui apprenant qu'il m'avait fait abandonner mon jeûne de baise et j'ai l'impression que c'est ce qui a provoqué son rejet.

Mon amie resta silencieuse. J'attendis un moment, attendant ses réflexions. Je sentais qu'elle avait quelque chose à répondre. Mais qu'elle se retenait parce qu'elle savait que je n'aimerais pas entendre ce qu'elle avait à dire. Pourtant, je me sentais prête à tout. Rien ne pouvait me faire plus mal que ce que je ressentais présentement.

– Vas-y, dis-le ! l'encourageai-je.

Elle s'emballa :

– Tu n'aurais pas dû coucher avec lui. Tu n'aurais pas dû coucher avec lui. Tu n'aurais pas dû coucher avec lui. Ton pacte. Tu t'es trahie toi-même. En plus, si tu croyais que c'était l'homme de ta vie... pourquoi t'as couché avec ?

– Parce...

J'avais failli répondre « Parce qu'il me faisait des papillons », mais je repensai à la sœur d'Estelle et je me tus. Mélanie prit mon silence pour un aveu de culpabilité.

– Si tu ne respectes pas ta propre parole, comment veux-tu que les autres te respectent ?

Je m'étouffai dans mes larmes. J'avais envie de raccrocher violemment, mais je me contins. Elle ajouta plus rapidement :

– Tu ne peux pas demander à un gars de t'aimer si tu ne t'aimes pas toi-même. Tu attires donc des gars qui vont profiter du fait que tu ne t'aimes pas ou des gars qui ont besoin de ce contrôle que tu leur donnes sur toi. Un gars normal ne voudra pas de cette pression-là.

– Qu'est-ce que tu veux dire ?

– Il ne voudra pas se sentir l'unique responsable de ton bonheur. Si tu ne t'aimes pas, aucun homme ne pourra jamais t'aimer assez pour te rendre heureuse. Personne ne pourra jamais t'aimer assez pour te rendre heureuse.

Je me remémorai que Marc m'avait dit à peu près la même chose.

Je me mouchai bruyamment.

– Pauvre chérie ! Excuse-moi, je joue encore à la psy. D'habitude, tu m'envoies chier, ça m'inquiète.

Elle réussit à m'arracher un ricanement.

– De toute façon, tu n'as pas à avoir honte. Tu as tenu quatre jours, Justine ! Je n'aurais jamais pensé que tu résisterais si longtemps. En plus, tu n'as violé que quelques articles de ton pacte. C'est très positif, tout ce qui t'arrive, je t'assure.

Je crois que Mélanie ne vivait pas dans le même monde que le mien.

– Veux-tu qu'on dîne ensemble, ce midi ?

– J'ai l'air d'une zombie, je vais travailler de la maison, aujourd'hui.

– Veux-tu que j'aille te rejoindre chez toi en fin de journée ?

Je ne répondis pas. La fin de journée me semblait si improbable.

– Je te rappellerai cet après-midi. Mais n'oublie pas : c'est positif, cette expérience, c'est le signe que tu t'approches de ton but. Essaie de le prendre comme ça. Tu es une battante ! Remue-toi !

Ben ouais...

Je raccrochai et me dirigeai vers mon bureau en pensant que tout avait commencé par « Si tu gérais ta vie personnelle comme tu gères ta carrière, tu réussirais aussi bien dans ta vie sentimentale que dans ta vie professionnelle ! » et avait fini par : « Si tu ne t'aimes pas, aucun homme ne pourra jamais t'aimer assez pour te rendre heureuse. » Belle évolution !

Je tentai de m'intéresser un tant soit peu au boulot, cependant j'avais la tête ailleurs. Je me résignai rapidement à faire autre chose. Je sortis et me dirigeai vers le club vidéo, sinon j'allais me retrouver à regarder Dr. Phil et je n'étais pas prête pour ça. Comme aucune nouveauté ne m'interpellait, je gagnai le rayon répertoire. Je tombai sur *La Mélodie du bonheur.* Je ne pus résister. Je me sentis embarrassée quand je me présentai au comptoir devant la préposée à l'allure branchée.

Il était midi quand je terminai de regarder mon film. Comme j'avais braillé tout le long – j'étais une vraie larve –, j'avais les yeux si boursouflés que j'avais l'air d'une noyée. Il était plus que temps que j'arrête de pleurer. Pourquoi ma vie ne ressemblait pas à une comédie musicale ?

Je pris un bain et me mis deux poches de thé sur les paupières pour les faire désenfler. Les yeux clos, barbotant dans l'eau chaude, je me dis qu'il n'était pas étonnant que je ne me crois pas aimable. Je ne croyais pas savoir ce que c'était d'être aimée. Aimée d'une façon normale. Pas comme un objet décoratif. Pour mes parents, mon frère et moi, nous avions représenté une sorte de chirurgie esthétique de leur vie, un bouche-trou existentiel. C'était donc normal que je recherche des hommes qui allaient me traiter en bouche-trou, j'imagine. Si je ne me croyais pas aimable, il ne me restait que mon cul et ma tête pour séduire. C'était pour ça que je n'étais pas du *girlfriend material*. La baise, c'était tout ce que j'avais à donner à un homme. Bon, je m'étais encore redonné le goût de pleurer. Mon estomac se mit à gargouiller. Il allait falloir que je mange bientôt. Je plongeai la tête sous l'eau.

Je me lavai et me séchai. Je contemplai mon reflet dans le miroir. Je faisais peur avec mes yeux rougis et mon air dévasté. Sans réfléchir, je pris mon sac à maquillage et entrepris de me refaire une face.

Me maquiller eut au moins le mérite de me forcer à arrêter de pleurer. J'avais quand même la chanson de *La Serveuse automate*, de Luc Plamondon, qui me tournait en boucle dans la tête: « Qu'est-ce que j'vais faire de ma vie... » Toutefois, comme l'avait souligné si justement mon amie à propos de mon jeûne, j'avais tout de même réussi à tenir le coup quatre jours, presque cinq. Je m'étais au moins prouvé que j'étais capable d'abstinence. Je devrais me sentir fière plutôt que coupable. Cette pensée parvint à me requinquer et, comme je voulais rester sur cette lancée d'optimisme, je me jetai sur mon livre comme si c'était une bouée. Je repérai le chapitre 4 et le feuilletai. Vers la fin, je tombai sur une section que je n'avais pas encore entamée: « Revers et coups durs ». Je frissonnai de soulagement. Je m'aperçus que cette section était plutôt courte. Elle consistait en deux paragraphes et un graphique.

Les deux paragraphes expliquaient que si on accumulait les échecs – notre expérience –, il fallait réévaluer nos objectifs ou nos croyances. Peut-être que l'objectif était hors d'atteinte parce qu'on avait mal évalué nos compétences par rapport à ce que le marché recherchait. Il fallait alors bonifier ses compétences en suivant une formation. À moins que ce soit nos croyances qui nous empêchaient d'atteindre le but que l'on souhaitait en transformant notre représentation interne, et ainsi notre comportement et, en dernière instance, nos expériences. Hein ? Le graphique m'aida à comprendre.

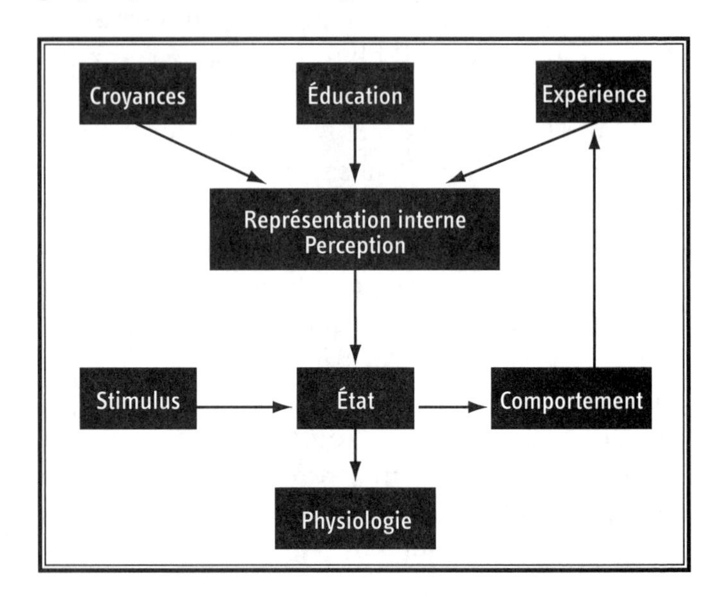

On concluait que les deux seuls points sur lesquels nous pouvions exercer un certain contrôle, c'étaient nos croyances et notre éducation. Dans mon cas, je trouvais qu'il avait tort. Une nouvelle coupe de cheveux pouvait aussi bien faire l'affaire pour améliorer ma représentation interne. Je m'habillai en vitesse avant de changer d'idée.

Je continuai ma lecture dans la salle d'attente de mon salon de coiffure habituel. Le chapitre 4 se terminait avec deux autres exercices et une série de pages de cours de formation. Je lus le premier exercice : « Évaluation des croyances limitatives ». Il fallait noter chaque question suivante sur une échelle de +10/–10.

1. Comment définiriez-vous votre attitude envers le travail ?

2. Comment définiriez-vous vos expériences de travail en général ?

3. Est-ce que votre conception du travail vient de votre famille ou de vous ?

4. Comment supportez-vous la pression ?

5. Comment évalueriez-vous votre faculté à vous relever après un échec ?

Heureusement, la cliente de Manon, ma coiffeuse, se levait car j'entrevoyais d'avoir à mettre –10 partout.

– Allo, ma belle Justine ! hurla Manon sur ton suraigu en m'entraînant vers les lavabos.

Elle me fit asseoir sur un fauteuil art déco et mit une serviette autour de mon cou.

– Alors ? me demanda-t-elle en mouillant mes cheveux. Qu'est-ce que tu veux ?

– Fais de moi une déesse de beauté.

Elle s'esclaffa et agrippa la bouteille de shampoing.

Pendant que Manon monologuait – d'habitude, ce n'étaient pas les clients qui étaient censés jaser ? – sur ses problèmes avec ses colocataires, je repensai aux cinq questions du deuxième exercice. 1) Comment définiriez-vous votre attitude envers le travail ? Hum, envers le travail, j'étais proactive, prête à faire des efforts. Dans ma vie sentimentale, j'étais plutôt du genre *wysiwyg – what you see is what you get.* 2) Comment définiriez-vous vos expériences de travail en général ? Au travail, j'avais été comblée. J'avais rencontré plein de gens intéressants qui avaient cru en moi et investi dans ma formation. Ce qui était loin d'être le cas de mes expériences sentimentales. 3) Est-ce que votre conception du travail vient de votre famille ou de vous ? Au travail, de moi, en amour, de mes parents, selon ce que j'avais pu constater. 4) Comment supportez-vous la pression ? Bien, au travail, car j'avais l'impression que les résultats dépendaient de l'effort que j'y mettais. Alors qu'en amour, j'avais plutôt l'impression que ça dépendait de la chance. 5) Comment évalueriez-vous votre faculté à vous relever après un échec ? Au travail, l'échec me galvanisait. En amour, l'échec me traumatisait.

– Quoi ?

– Est-ce que t'aimes ça ?

Chapitre 30

Une nouvelle enfance

Toujours vendredi

J'étais un peu déçue car elle m'avait refait à peu près la même coupe. J'en avais donc aussi profité pour me faire faire une manucure. Comme j'avais flambé 150 dollars dans les deux dernières heures, je pris l'autobus pour rentrer. Mon cellulaire se mit à vibrer. J'espérais que ce n'était pas le bureau. Heureusement, ce n'était que Mélanie.

– Ça va mieux, répondis-je en tenant mon cellulaire du bout des doigts pour ne pas ruiner mon nouveau vernis à ongles doré.

– Qu'est-ce que tu as fait ?

Je lui résumai ma journée. Elle m'offrit de sortir prendre un verre, elle m'invita même à souper au Pied de Cochon, mais je préférais être seule. J'avais encore besoin de réfléchir. Pour une fois, je me sentais sur une bonne piste. Comme si la clarté ne se trouvait pas trop loin.

– Ok, mais si ça va pas, jure-moi que tu vas m'appeler.

– Promis.

Elle me répéta encore que mon expérience avec Jacob était positive et que j'étais sur la bonne voie.

– Il faut juste que tu persévères.

Ben oui, c'est ça ! me dis-je en raccrochant. Je jurais tout fort en ouvrant la porte de mon immeuble et tombai encore sur Mme Stetson, qui se signa en m'entendant utiliser le nom de son Sauveur d'une manière si peu orthodoxe.

En arrivant, je me rendis immédiatement dans la salle de bain pour réexaminer ma nouvelle coiffure. J'étais somme toute satisfaite alors je décidai de mettre une robe même si mon seul plan pour la soirée consistait à lire mon destin dans mes entrailles.

Je repris mon livre et lus le dernier exercice du chapitre 4 : « Visualisation ». Celui-ci débutait par un paragraphe d'introduction expliquant que, comme le cerveau ne faisait pas la différence entre une expérience réelle et une expérience imaginaire, on pouvait améliorer sa représentation interne par la visualisation. L'exercice consistait à trouver les croyances limitatives qui ressortaient des réponses de l'exercice précédent et de les mettre en scène en pensée. L'auteur donnait ensuite de nombreux exemples d'expériences où cette méthode avait eu du succès. Le problème, c'était que je n'avais pas qu'un petit problème de mains moites.

Comme il était 16 h 30, je pouvais arrêter de culpabiliser de ne pas travailler. Je me préparai une margarita et me roulai un joint que j'allai fumer sur le balcon pour récapituler.

Section vrac : si je me fiais à mon amie, je ne m'aimais pas. Je ne pouvais pas m'aimer si je ne savais pas qui j'étais. Mais, en même temps, je ne voulais pas trop savoir qui j'étais car j'avais peur d'être déçue. Peur de ne pas être à la hauteur. Alors je cherchais des hommes avec qui j'étais certaine que ça ne marchera pas pour être certaine de ne pas échouer. Car si ça marchait, je serais forcée de m'ouvrir et de me rendre vulnérable. Et mes parents m'avaient appris que je ne pouvais avoir confiance en personne. Car si je ne pouvais pas leur faire confiance à eux, en qui pourrais-je avoir confiance ? Avec mes parents, j'avais toujours eu l'impression que je ne pourrais jamais en faire assez pour qu'ils m'aiment. Et j'avais attendu leur amour en vain, comme si celui-ci était une récompense qui n'était jamais venue.

Voilà une idée lumineuse. L'amour n'était pas une récompense. Ma mère m'avait montré que mon père était responsable de son bonheur. Moi, je ne voulais pas attendre après un homme pour être heureuse. Je devais apprendre à m'aimer toute seule. Mais, pour ça, il aurait fallu que je change d'enfance. Mes épaules tombèrent. Je remarquai que le soleil avait disparu, me laissant dans le noir.

Je rentrai pour me faire une autre margarita et me rouler un autre joint. Je n'avais pas mangé de la journée, mais je n'avais pas faim. J'étais trop excitée par mes pérégrinations mentales. Je remarquai qu'il était presque 22 heures.

Je mis un disque de blues et ressortis sur le balcon pour fumer mon joint. Il faudrait que je change d'enfance. Plutôt impossible...

Vraiment ? Le dernier exercice du chapitre 4 me revint en mémoire.

Je rentrai dans la maison et ramassai quelques chandelles. Je les sortis sur le balcon. J'allumai les chandelles et m'étendis sur la chaise longue. Comment faire pour changer d'enfance ? Existait-il un événement charnière dans mon existence qui représentait le moment où je m'étais perdue ? Un moment que je pourrais revivre et qui me permettrait de modifier le cours de mon histoire et la façon dont je me percevais ? Je pensai instantanément à la fois où j'avais surpris mes parents en pleine orgie hassidique. J'écrasai mon joint et m'installai confortablement. Par où commencer ? Ah oui ! La maison à Outremont. Je fermai les yeux.

Je me retrouvai devant chez moi quand nous habitions sur la rue Hutchison. Je traversai le stationnement encombré de voitures de luxe et je pénétrai dans la maison par la cuisine. Un nuage de fumée impressionnant me prit à la gorge. La musique – klezmer – était assourdissante. Pourtant, je ne croisai personne même si j'entendais de nombreux rires et des gémissements.

Je pris les escaliers et grimpai au deuxième. Je me dirigeai vers ma chambre en me demandant ce que j'allais bien pouvoir me dire. Je cognai et entrai sans attendre la réponse. Je ne découvris qu'un lit vide. Je restai hébétée.

La pyramide ! J'avais oublié. C'est là que je m'étais réfugiée après que ma mère m'avait reconduite à mon lit. La porte de ma chambre ne fermait pas à clé et j'avais eu peur qu'un étranger nu débarque pendant que je dormais. J'examinai ma chambre avec attendrissement, mais je ressortis pour gagner le sous-sol. Je cognai à la porte de la pyramide d'un index appréhensif.

– Justine ?

J'ouvris tranquillement. Je découvris une grande fille aux cheveux blond pâle, habillée d'un pyjama à motifs de Snoopy. C'est vrai, j'adorais Snoopy.

– Tu sais, moi aussi, je m'appelle Justine, dis-je en allant m'asseoir à côté d'elle tout en essayant de ne pas la dévisager.

– T'es pas toute nue, toi ? me demanda-t-elle abruptement.

– Non.

Je ne savais plus quoi lui dire.

– Moi, je trouve ça bizarre, ajouta-t-elle d'un air bougon.

– Moi aussi, je trouve ça, lui répondis-je.

– Ah oui ?

– Oui, et il y a beaucoup de gens qui pensent comme nous, tu sais ?

Elle semblait soulagée.

– Ils s'amusent de cette façon, mais tu n'es pas obligée d'imiter leurs comportements.

J'avais peur d'en avoir trop dit alors je décidai de partir. Je me relevai.

– Ça m'a fait plaisir de te rencontrer, Justine.

Je m'apprêtais à ouvrir la porte quand elle me demanda :

– Est-ce que tu vas revenir me voir ?

Je me retournai vers elle.

– C'est possible.

J'ouvris la porte et me retournai encore vers elle pour ajouter :

– Ah oui, j'oubliais. Pour plus tard : tu mérites d'avoir un amoureux qui va t'aimer, t'admirer et vouloir ton bonheur.

Je sentis une chaleur m'irradier tout entière.

– Wow !

Je sursautai et j'ouvris les yeux sur Roman qui m'observait. Il était hypersexy dans son jean et son t-shirt qui lui moulait les pectoraux. J'eus faim, tout à coup.

– Excuse-moi, je ne voulais pas te faire peur !

– Ça va ! lui fis-je avec mon plus beau sourire.

– Qu'est-ce que tu faisais ?

– Je t'attendais ! lui répondis-je d'un ton badin même si, à l'intérieur, j'étais sidérée par ma propre audace.

Il paraissait sensible à la flatterie car il sourit.

– Tu sembles effectivement attendre quelqu'un. Tu es si belle.

Je voulais mourir sur-le-champ. Je me levai et allai lui faire la bise pour me donner une contenance. Et pourtant, je m'entendis répondre d'un air désinvolte :

– Non, je n'ai pas de plan. Je reviens du salon de coiffure et je voulais honorer le dur labeur de ma coiffeuse en m'habillant un peu.

– C'est très réussi, admira-t-il en me faisant tournoyer sur moi-même.

J'allais exploser de bonheur.

Heille, les nerfs. Prends sur toi, Justine Roberge ! me réfrénai-je. Si c'était le bon, celui-là, je ne voulais pas le rater.

– Veux-tu un verre ?

– Je veux bien, souffla-t-il avec un grand sourire dévastateur.

Yes, Master ! Il allait falloir que j'aille me parler dans les toilettes. Je l'entraînai dans la maison. Il apprécia la décoration.

– Ma grand-mère maternelle est rom.

– Ah oui ?

– Jusqu'à sa mort, elle a habité dans une roulotte en bois.

– J'adore la musique rom, mais je n'en ai pas.

– J'en ai en haut, tu veux que j'aille en chercher ?

– J'aimerais bien.

– Je reviens.

Je l'adorais déjà. Wo, là ! Envoye dans les toilettes ! m'intimai-je. Je courus jusqu'à la salle de bain. Aux dernières nouvelles, il sortait avec Laurence. Et dans ma liste, il y avait « être disponible : non négociable ». Il fallait que je me renseigne à ce sujet avant de trop m'emballer. Je me lavai les mains et vaporisai un nuage de parfum aux endroits stratégiques. J'entendis la musique s'arrêter pour faire place à un rythme endiablé et lancinant. C'était quand même fou, il allait avec ma décoration !

– Laurence n'est pas là ? lui demandai-je, une fois bien assis sur le balcon avec un verre de bourgogne.

Avec les chandelles, c'était plutôt romantique. Mais attendons de voir ce qu'il allait me répondre.

– Nous nous sommes séparés.

– Ah oui ?

Mon cœur battait la chamade.

– Oui. Ça allait bien, nous deux, quand elle restait à l'ambassade. Mais elle est habituée à un train de vie que je ne peux pas lui offrir.

Ouin. Ça ne me disait pas s'il l'aimait encore. J'allais devoir creuser le sujet.

– À l'ambassade ?

– Oui, son père était l'ambassadeur canadien à Téhéran. Je l'ai rencontrée là-bas il y a un an quand j'ai déménagé chez mon grand-père. Nous venons juste de rentrer au Canada, elle et moi. On a décidé d'emménager ensemble, mais un cinq et demi dans Villeray, ce n'est pas suffisant pour elle, semble-t-il.

Il prit une longue gorgée de vin. Je n'étais guère plus avancée.

– Ta grand-mère était rom et ton grand-père arabe ?

– Oui, ils n'ont été ensemble que deux semaines et seulement pour produire ma mère. Il l'a épousée pour qu'elle puisse échapper aux camps de déportation. Mon grand-père était ami avec le frère de ma grand-mère et il a fait ça pour payer une dette qu'il avait envers lui. On n'a jamais su quelle était la dette en question, d'ailleurs. Mon grand-père a toujours refusé d'en parler. En fait, mon grand-père est perse. Pas arabe. Il y tient.

– Qu'est-ce que tu as fait en Iran, pendant un an ?

– Mon grand-père est éditeur. J'ai travaillé pour sa maison d'édition. J'ai rencontré Laurence lors d'un lancement à l'ambassade. Comme elle est montréalaise, ça a tout de suite collé entre nous, mais je crois qu'en fin de compte on n'avait pas grand-chose en commun.

Merci ! Il ne manquait que les feux d'artifice.

Nous parlâmes jusqu'à 2 heures du matin, et tout ce que j'appris sur lui me le fit aimer davantage. Surtout avec cet accent qui m'envoûtait. Je l'avais encouragé à me raconter sa vie juste pour pouvoir l'écouter parler et le dévorer des yeux. Mon endroit préféré sur son corps se situait dans l'angle entre son cou et le dessous de sa mâchoire. Là où ça commençait à piquer. Je rêvais d'y mettre mon nez. Malgré mon examen détaillé, j'étais tout de même parvenue à rester attentive. J'avais découvert qu'il avait trente-huit ans, était né à Belgrade, où il était resté jusqu'à treize ans. Sa famille avait ensuite déménagé à Paris lorsque son père avait obtenu un poste à la Sorbonne. Ils étaient arrivés à Montréal lorsqu'il avait dix-huit ans. Il avait fait un bac en histoire, une mineure en études anciennes et une majeure en traduction. Après l'université, il avait travaillé chez Mediacor, une maison d'édition, pendant deux ans. Pour l'instant, il vivait de la traduction, mais il espérait se trouver un poste dans une maison d'édition plus littéraire. Il savait parler le français, l'anglais, le serbo-croate, l'arabe, le persan, le latin et lire le grec ancien. Un nerd avec un corps d'Apollon. Et il avait le nom le plus sexy du monde : Roman Todorovic.

On en était rendus à la deuxième bouteille de vin quand il se leva pour aller aux toilettes. Depuis son arrivée, j'avais fait attention à ma consommation et j'étais toujours tout à fait lucide. Tout allait bien. Je me levai et m'étirai les bras et les jambes. À son retour, il s'arrêta brusquement dans le cadre de porte pour m'observer. Il fit un geste comme pour caresser mon visage, mais se retint. Toutefois, je sentis un courant d'air sur ma joue et les effluves de son parfum. Les poils de mes bras se hérissèrent de plaisir. Il me fit un sourire craquant et repartit à l'intérieur.

Où il resta quelques minutes. Je commençais à m'inquiéter de ce qu'il faisait quand il remplaça le disque que nous écoutions par Frank Sinatra 🎧.
Puis il réapparut, me prit par la main et m'enlaça pour danser.

Je me retrouvai avec ses mains sur mes hanches et mon nez beaucoup trop près de son cou. J'étais cuite.

Chapitre 31

Absolutely Fabulous

Samedi : vacances – 13 jours

Je savais que je n'aurais jamais dû coucher avec lui. C'était impossible. Et je me foutais des conséquences car ça avait été fabuleux. Magique. Pourquoi magique ? Parce que le matin, quand je m'étais réveillée, il avait disparu. Eh merde ! Je me levai pour le chercher. Après tout, il n'était peut-être que parti aux toilettes ou chercher quelque chose chez lui. Je gagnai la cuisine, où je trouvai un papier sur le comptoir. Fiou ! J'avais craint un instant d'être encore tombée sur un trou de cul. Toutefois ce que j'y lus me laissa dubitative :

> « Laurence m'a laissé un message. Elle est seule pour déménager, ses amis l'ont laissé tomber. Je vais aller l'aider. J'ai passé une soirée merveilleuse. Merci. P.S. : Je suis allé te chercher des croissants. Ils sont au four. »

J'ouvris le four et découvris deux croissants au beurre.

Je regagnai mon lit où je me vautrai à la recherche de son odeur. Il n'y avait pas de « Je t'embrasse » ni de « Je t'appelle plus tard » sur le message, qui comportait d'ailleurs beaucoup trop de Laurence. Était-il vraiment libre ? Hier, pourtant, ça me semblait clair. Aller aider son ex à déménager ? Était-il gentil ou con ? Comme j'avais fini de renifler chaque centimètre de la surface de mon matelas, je me levai, allai mettre en marche la cafetière et prendre une douche. Ça me faisait de la peine de laver les endroits où il avait posé ses lèvres, mais on ne savait pas. Peut-être allait-il repasser plus tard. J'eus soudain la désagréable impression d'être un personnage de la célèbre émission britannique *Absolutely Fabulous.*

Une fois bien installée sur mon balcon avec mon café au lait et mes croissants, je téléphonai à Mélanie pour lui demander son avis. Je savais qu'elle allait me reprocher d'avoir baisé avec lui, mais je ne pouvais pas m'en empêcher. Elle était un peu mécontente de se faire réveiller d'aussi bonne heure un samedi.

– Justine, je vais te rappeler tantôt, ok ? me dit-elle, la voix empâtée.

– J'ai couché avec Roman.

– Hein ? Attends.

Je l'entendis se lever et sortir de la chambre.

– En plus, tu vas avoir besoin de t'habituer à te lever tôt si tu veux avoir un enfant.

– Vas-y !

Je lui racontai ma soirée pendant qu'elle se faisait du café.

– Et qu'est-ce qu'il t'a laissé, comme mot ?

Je lui lus la note.

– Ouin, fit-elle, peu impressionnée. Il ne t'a même pas donné son numéro de téléphone.

– Il habite au-dessus de chez moi...

Elle ne me laissa pas terminer.

– Tu ne vas pas te laisser troubler par deux malheureux croissants et te mettre à attendre après lui.

Oups.

– Tu n'aurais pas dû coucher avec! ajouta-t-elle d'un ton buté.

Je m'y attendais.

– Fais pas ta sainte nitouche. Tu as toi-même couché avec Simon le premier soir, si je me souviens bien.

– C'est pas ça, nounoune. Veux-tu être la *rebound girl*?

Merde, non. Je me sentais mal, tout à coup. En plus, elle continuait:

– D'après son message, il semble ne pas en avoir fini avec sa dernière relation. Tu devrais prendre ça comme un avertissement. Continuer ton projet avec le livre et aller te créer un compte sur un site de rencontre, comme prévu.

Je fis semblant de pleurer de dépit.

– Tu es sûre?

– Oui. Comme ça, ça va enlever de la pression sur ta nouvelle relation avec Roman.

Mouais. Nous restâmes accrochées au téléphone jusqu'à midi, c'est-à-dire jusqu'à ce que son chum la traîne dans la douche car ils devaient aller bruncher chez les parents de Simon, qui habitaient Boucherville. Elle faillit mourir d'apoplexie car je rompis la communication en lui annonçant mon expérience de visualisation.

J'avais juste eu le temps de passer une robe et de me maquiller un peu – oui, je me maquillais au cas où Roman débarquerait, mais... – qu'elle me rappelait.

– Pis, as-tu senti quelque chose? Après ton expérience?

– Je ne sais pas, Roman est arrivé.

– Vas-tu recommencer?

– Je ne sais pas.

Je l'entendis souffler comme si elle courait.

– Qu'est-ce que tu fais ?

– Je fuis. Excuse-moi, je vais te laisser, mon chum me poursuit pour m'arracher le téléphone parce qu'on doit partir et que je dois me maquiller dans... Elle sembla ralentir. Je suis dans la cour, je crois que je l'ai semé. Bon qu'est-ce qu'on disait ?

– Je...

Mais elle m'interrompit.

– Zut, il m'a...

– Désolée, Justine ! On doit y aller, cria Simon avant de raccrocher.

J'éclatai de rire.

Je pris une grande inspiration. Je devais aller remettre le film au club vidéo. J'attrapai mes clés et mon sac, chaussai mes grosses lunettes noires et sortis sur la rue. J'empruntai les petites ruelles pour gagner le club vidéo. Tout le monde semblait être à l'extérieur pour jouir du beau temps. Je contemplai avec attendrissement les familles qui travaillaient ou s'amusaient dans leur cour. Je croisai une bande de garçons qui jouaient au soccer et trois petites filles qui s'arrosaient avec des fusils à eau. Mélanie avait raison. Je ne voulais pas attendre après le bon vouloir de Roman. Je ne voulais pas être la *rebound girl*. Je valais plus que ça. De retour à la maison, je me préparai une margarita et fis le ménage pour effacer toute trace de ma soirée romantique. Ensuite, je me ruai sur l'ordinateur pour visiter les sites de rencontre. Poussée par le désespoir, je m'abonnai à un site généraliste servant principalement des gens de Montréal, montreal@deux. Je répondis aux questions d'usage : nom, âge, poids, signe du zodiaque, religion... À présent, je devais y mettre une photo et faire un texte de présentation. Je recadrai un portrait de moi avantageux pris par un directeur photo très talentueux et le téléchargeai sur le site. Pour le texte de présentation, je décidai de l'écrire plus tard. Je ne voulais pas écrire n'importe quoi et je ne savais toujours pas trop quoi dire. Je repensai à l'idée que j'avais eue. Tant qu'à perdre du temps à rédiger un texte, j'avais envie de composer quelque chose d'instructif et d'humoristique en même temps. Je comptais faire un parallèle entre les animaux du reportage du *National Geographic* et les hommes. Je ne savais toujours pas comment j'allais emballer tout ça. Ça demandait réflexion. J'allai sur le site de Télé-Québec et découvris que le documentaire repassait justement ce soir-là.

Je ressortis pour aller au marché acheter de quoi me faire de la soupe de chou-fleur et un carpaccio de bœuf aux copeaux de parmesan accompagné d'une salade de tomates et de bocconcini. Avec le rosé, c'était divin. Je mangeai seule sur mon balcon, espérant encore voir débarquer Roman avec son sourire de voyou des cœurs.

Puis je me mis *Highway 61 Revisited* de Bob Dylan 🎧 et me roulai un joint. À 20 heures, je rentrai me faire une autre margarita et pour aller réécouter le documentaire sur les habitudes sexuelles étranges des animaux. Je pris beaucoup de notes. Je terminai la soirée avec *Blonde on Blonde* 🎧 de Bob Dylan, une nouvelle margarita et un autre joint. Roman n'était pas passé.

Dimanche : vacances – 12 jours

Je me réveillai à 11 heures en manque de lui. Il était rentré car je l'entendais passer la balayeuse dans ce qui devait être sa chambre. Ça me mit dans une telle colère que la première chose que je fis en me levant fut d'ouvrir l'ordinateur. J'avais déjà reçu un courriel.

De : Axel22
À : Woodstock
Objet : Bienvenue !

> Bonjour, jolie demoiselle. Comme vous, je viens de m'inscrire au site. J'habite aussi Villeray. On prend un café si vous voulez.
> Axel

J'allai sur sa fiche. On pouvait difficilement voir de quoi il avait l'air car il posait près de son bateau et la photo était prise de trop loin. Je lus sa description et remarquai qu'il était producteur. J'aurais dû me méfier car il n'avait donné que son prénom et qu'il avait coché la case « ouvert aux aventures », mais j'étais tellement en colère que Roman passe la balayeuse que je lui envoyai un courriel dans lequel je lui donnais rendez-vous mercredi soir au Petit Alep, après le boulot.

Je refermai l'ordinateur, très fière de moi, pour aller me préparer du café. Je venais de prendre le lait chaud dans le micro-ondes quand je remarquai un Post-it collé sur la fenêtre de la porte de la cuisine. Je m'approchai et découvris que c'était un mot de Roman : « On soupe ensemble ce soir ? Six heures ? »

Je dus me retenir pour ne pas hurler de bonheur.

La journée passa avec une lenteur exaspérante. Je voulais essayer de rédiger mon texte pour le site de rencontre, mais je ne réussissais qu'à penser à Roman. Imaginer de manière très précise les endroits sur son corps que je voulais explorer. Je m'obligeai à aller me promener au parc Jarry pour me rafraîchir les idées. Mélanie m'avait téléphoné en direct des toilettes de chez ses beaux-parents pour m'annoncer qu'elle était menstruée. Elle semblait prendre la chose avec philosophie. J'effectuai ma job d'amie en l'assurant qu'elle tomberait enceinte le mois suivant. Puis, je revins, pris un long bain et me préparai avec application. J'attendis 18 h 08 pour monter sur sa terrasse.

Je le découvris en train de couper des légumes. Il m'accueillit avec un sourire et, deux minutes plus tard, nous étions en train de nous embrasser avidement. J'aurais peut-être dû me masturber avant de monter et de toute évidence lui aussi car nous n'étions même pas encore complètement nus qu'il me repoussa gentiment.

– Attends un peu, je vais éjaculer. Je suis trop excité. À mon âge, ça fait pas très sérieux.

Je m'esclaffai et reculai. Il me prit par la main et m'entraîna vers sa chambre. J'eus à peine le temps de noter le décor aux accents moyen-orientaux qu'il me prit dans ses bras et me renversa sur le lit.

Quinze minutes plus tard, on avait joui tous les deux.

– On a commencé notre soirée par la fin, me dit-il alors que je jouais avec ses grandes mains fines.

Je pouffai de rire.

– Est-ce que ça veut dire que tu vas commander une pizza ?

– Ah ! Je croyais que tu allais redescendre chez toi... répondit-il avec un air espiègle en se jetant sur moi pour m'embrasser.

On se pelota encore un bon vingt minutes puis nous nous levâmes pour aller prendre une douche où on remit le couvert. Ensuite, il se dirigea vers la cuisine pour terminer la préparation du repas.

Il me cuisina un filet de truite avec une sauce au citron et à la lavande tout en discutant musique. Quand nous nous assîmes sur le balcon, il devait être 20 heures et je croyais enfin avoir trouvé l'homme de ma vie. Et ça semblait réciproque. Il fallait dire que je ne lui avais pas encore beaucoup parlé de moi. Allait-il survivre à cette épreuve ? Je décidai que j'allais le faire encore un peu parler de lui, histoire de ne pas tout gâcher tout de suite. Je flottais sur un petit nuage de bonheur. Je voulais figer cet instant à tout jamais.

– Où habitent tes parents ?

– À Belgrade, pour l'instant. Ma grand-mère paternelle est très malade. Elle n'en a plus pour longtemps. Ils sont partis s'occuper d'elle. Je dois aller les rejoindre la semaine prochaine. Je pars lundi matin. Je vais y rester deux semaines.

Deux semaines ! Merde.

– Je suis désolée pour ta grand-mère.

– Cessons un peu de parler de moi, j'ai envie de te poser des questions, moi aussi.

Remerde !

– Vas-y ! dis-je en essayant de cacher mes appréhensions.

Il me posa les questions de base : âge, profession, éducation, parents... Finalement, je m'en sortis plutôt bien en évitant de mentionner certaines choses comme le fait que mes parents participaient à des orgies de façon régulière.

– Vois-tu quelqu'un, en ce moment ?

– À part toi, non.

Il se pencha vers moi et m'embrassa jusqu'à ce que je sois sur le point de prendre feu. Puis il me reversa du vin et poursuivit son interrogatoire. Merde, il puait la testostérone. J'en perdais tous mes moyens. Il fallait que je me ressaisisse un peu !

– À quand remonte ta dernière relation avec un homme ?

Je réfléchis. Ce que j'avais eu de plus près récemment, c'était Marc. Pas fameux. Toutefois, je décidai de saisir cette occasion pour passer un message d'intérêt privé.

– Il y a quelques semaines. J'ai terminé une relation avec un homme marié. C'était la première et la dernière fois que ça m'arrivait d'avoir une aventure avec un homme qui n'est pas disponible.

Et paf dans les gencives. Il faudrait être ramolli de la cervelle pour ne pas avoir saisi le message.

Comme il était très intelligent, il comprit l'allusion. Il s'approcha de moi, amusé.

– Tu veux des enfants ?

Wow ! C'était *lui* qui amenait le sujet. J'allais défaillir. Je ne pouvais que lui répondre la vérité :

– Je n'y ai jamais pensé.

Il fronça les sourcils. Il ne semblait pas comprendre. Je voulus expliquer que je n'étais jamais tombée sur un gars qui m'ait donné l'envie de me poser la question, mais que j'étais ouverte à cette expérience de façon empirique, quand soudain il sembla se tendre, comme à l'aguet. Je tendis l'oreille aussi et je découvris que quelqu'un essayait d'entrer dans l'appartement. En fait, quelqu'un *entrait* dans l'appartement. Roman se leva. Je me penchai en avant pour voir dans l'appartement et j'aperçus Laurence au bout du couloir.

Merdissimo.

Elle me remarqua et prit un air furieux.

– Qu'est-ce qu'elle fait ici, cette greluche ? Qu'est-ce que vous faites ? demanda-t-elle d'une façon hystérique en apercevant les reliefs de notre souper et les chandelles.

Est-ce qu'elle venait de me traiter de greluche ? Je me levai pour lui expliquer ma définition de « greluche », mais Roman s'interposa.

– Je te prie de ne pas insulter Justine. Tu n'habites plus ici, nous ne sommes plus ensemble. C'est toi qui m'as laissé, je te ferai remarquer. Tu n'as pas à me parler comme ça.

« C'est toi qui m'as laissé. »

– C'est toi qui as organisé tout ça, c'est ça? répliqua-t-elle. Pour me rendre jalouse? Tu savais que je devais venir ce soir pour te rendre les clés, cria-t-elle avec son accent français emprunté.

– Tu ne m'as jamais dit que tu allais passer ce soir, rétorqua-t-il en montant le ton d'un cran.

– Je te l'ai dit hier.

– Je ne me souviens pas de cela! répondit-il sauvagement.

Il la poussa dans l'appartement, referma la porte et revint vers moi.

– Je ne veux pas que tu assistes à ça. Retourne chez toi. Je suis désolé.

Il se détourna sans m'embrasser. Il fallait dire que son ex nous observait de l'autre côté de la porte vitrée. Je regagnai mon antre de solitude, le cœur en berne.

En trois minutes, ma soirée était passée de fantastique à cauchemardesque. Est-il disponible, après tout? me demandai-je en ouvrant ma porte au son de leurs cris. La salope avait semé le doute dans mon esprit. M'avait-il seulement invitée pour la rendre jalouse comme elle l'avait prétendu? Si c'était le cas, il était un fichu de bon acteur. À moins qu'il soit aussi doué que moi pour l'autosabotage. Ce qui ne serait pas beaucoup mieux car ça ferait de moi un acte manqué. Il était évident qu'elle l'aimait encore. Est-ce que Laurence voudra lui redonner une seconde chance? D'ailleurs, je trouvais que c'était drôlement tranquille en haut, depuis peu. Que faisaient-ils?

Je levai les yeux sur l'horloge du micro-ondes. 22 h 38. Je me dirigeai vers le réfrigérateur pour prendre une bière.

Si son ex peut débarquer comme ça n'importe quand sans qu'il ne la mette tout simplement à la porte, il n'est pas vraiment disponible, me dis-je en prenant une longue gorgée.

Alors j'attendis, assise dans mon salon devant la télé allumée que je ne regardais pas, fumant joint sur joint en me disant que je ne voulais plus être cette fille qui attendait. Qui se sentait humiliée ou diminuée parce qu'il ne revenait pas. Parce que je m'aimais moi-même.

J'allai au lit à 1 heure du matin. Il n'était pas redescendu.

Chapitre 32

Miss Oddity

Lundi : vacances – 11 jours

Je me sentais en colère contre moi-même. D'avoir attendu. Et de m'être encore empêtrée dans une relation compliquée. J'en avais marre. Je méritais mieux que ça. Je fusillai mon réveil du regard ; j'allais encore être en retard. Je crois que j'avais eu plus de retards dans le dernier mois qu'en toutes mes années de service chez Cizo. Puis je me remémorai que j'accueillais Oskare ce matin et tout me parut soudainement moins tragique. Et dans deux semaines, des vacances de rêve à la campagne. Je bondis de mon lit. En arrivant dans la cuisine, je découvris un autre Post-it collé à ma fenêtre. Je me ruai sur la porte pour me faire fouetter par une chaleur suffocante. J'attrapai le Post-it en vitesse et refermai la porte.

> « Encore désolé pour hier. Avec l'arrivée totalement inattendue de Laurence, je le jure, je n'ai pas pu te dire que je pars ce matin pour Québec pour une série de conférences

sur Saadi, un auteur persan du XIIe siècle. Je serai de retour vendredi soir. »

Il revenait vendredi soir. Et moi, je partais pour la campagne. Je recevais Estelle, Mélanie et Simon. Pourquoi ne m'avait-il pas laissé pas son numéro de téléphone, le crétin ? J'aurais pu m'organiser pour qu'il nous rejoigne. Merde. Je regardai l'heure. Il fallait que je me grouille.

Comme j'étais à la dernière minute, je pris le métro, d'où je filai directement vers le bureau, me disant que je ressortirais avec Oskare pour aller chercher un café et lui présenter l'endroit.

Elle était déjà là à mon arrivée, toute rayonnante. Jeanine lui avait désigné ses quartiers et elle avait commencé à prendre possession de son nouveau bureau. Une photo de famille très comique les représentant en groupe rock trônait près d'un bonsaï.

– Allo ! Merci encore de m'avoir choisie. Je suis super-contente.

– C'est la moindre des choses, tu étais la plus compétente et de loin la plus sympathique. Tu veux un café ? Moi, j'ai pas déjeuné, je me suis levée à la dernière minute. Et je t'avertis tout de suite, si tu aimes le bon café, tu vas trouver celui de la boîte imbuvable.

Elle me désigna sa tasse encore pleine.

– J'ai déjà remarqué.

Elle m'empoigna par le bras et je l'entraînai vers la sortie.

Dans l'ascenseur, je la détaillai du coin de l'œil. Elle était vraiment jolie avec ses pantalons mauves, son veston gris et sa camisole noire. Elle était vêtue plutôt simplement, mais sur elle, tout semblait prendre de la valeur.

– Tu sais, une des candidates pour le poste pensait qu'elle était victime des *Insolences d'une caméra*.

Grâce à Oskare, je n'avais pas eu le temps de penser à Roman de la journée. Nous avions jasé, ri, peu travaillé, mais il fallait bien faire connaissance. Nous étions restées au café jusqu'à 11 heures. Puis nous étions revenues au bureau, je l'avais présentée à tout le personnel et je l'avais sortie dîner à mon viet préféré. Je découvris que non seulement les choses embellissaient en sa présence, mais en plus que tout le monde était gentil avec elle. Je ne savais pas ce qu'elle avait de spécial, mais elle imposait la tolérance et le respect.

– Tu as un amoureux ?

Comme je restais muette, elle se mit à rougir et ajouta rapidement :

– Tu n'es pas obligée de me répondre. Je suis indiscrète.

– Non, je me posais la question. Et, non, je n'en ai pas. Je me suis même inscrite sur un site de rencontre.

– Ah oui ? J'ai deux copines qui ont rencontré leur conjoint là-dessus. Ça semble marcher, mais je crois plus aux méthodes traditionnelles.

– Je suis tout à fait d'accord.

– Alors pourquoi tu fais ça ? demanda-t-elle candidement.

Je n'osais pas lui parler de ma quête farfelue avec le livre. Elle allait assurément penser que j'étais folle et elle aurait sans doute raison. Mais comme j'avais instinctivement confiance en elle, je me laissai aller à quelques confidences et je lui relatai mes dernières mésaventures avec les hommes. Je réussis à la faire rire aux larmes.

– Tu devrais écrire un roman. Je suis en train d'en lire un et il n'est pas très bon. Tu pourrais tirer quelque chose de drôle de toutes ces anecdotes.

Je me remémorai qu'Hélène m'avait dit la même chose.

– Je sais ce que tu veux dire. Mon ancienne coloc me disait souvent qu'elle avait l'impression d'être dans *Friends*, quand elle était avec moi. Mais, pour en revenir à notre conversation, il faut avouer que c'est difficile de rencontrer des nouvelles personnes, poursuivis-je.

– Je ne suis pas d'accord. Depuis que j'ai des enfants, je sais à quel point il est facile d'entrer en contact avec les gens. Quand tu as des enfants, tout le monde te parle. C'est très simple ; en fait, je vais te montrer.

Elle balaya le restaurant des yeux et jeta son dévolu sur nos voisins de droite, deux jeunes hommes d'une trentaine d'années plutôt mignons qui m'avaient d'ailleurs poussée à fixer mon choix sur notre table. Elle se pencha vers eux.

– Je pourrais vous emprunter votre journal, s'il vous plaît ?

– Certainement.

Et celui qui était assis à ma droite le lui tendit. Elle leur fit quelques commentaires sur le temps particulièrement chaud et leur posa des questions sur ce qu'ils avaient choisi sur le menu. En deux temps, trois mouvements nous nous étions présentées et elle leur montrait des photos de ses fils.

Ses questions incessantes nous permirent d'apprendre qu'ils étaient tous deux déjà en couple, mais je passai malgré tout un très agréable moment avec Réjean et François, qui travaillaient dans une boîte de jeux vidéo. J'étais vraiment épatée par la simplicité avec laquelle elle était parvenue à entrer en contact avec eux. À côté d'elle, j'étais une retardée mentale de la sociabilité.

Dans l'après-midi, j'avais reçu les clés de ma maison de campagne. Je dus expliquer mes plans de vacances à Oskare, qui m'apprit qu'elle était native de la région de Saint-Jean-sur-Richelieu. Elle me renseigna sur les attraits et les activités de la région. Je pris des notes dans mon Moleskine.

Seize heures trente arriva le temps de l'écrire et je n'avais pas eu deux minutes pour regarder si j'avais de nouveaux courriels ou pour prendre mes messages. Je rentrai vers 18 heures, épuisée et en sueur. Il faisait une chaleur insupportable. Je me bricolai un sandwich et une salade, puis je téléphonai à Mélanie car je me rendis compte qu'elle m'avait laissé cinq messages de plus en plus exaspérés.

– Bon ! J'étais sur le point d'appeler la police.

Je lui résumai les derniers développements de ma vie. Laurence !

– Ben merde ! conclut-elle.

– Et il est parti à Québec ce matin pour une série de conférences. Il ne rentrera que vendredi soir et moi je serai à la campagne. Et il part lundi pour Belgrade.

– Oups !

– J'arrive pas à savoir s'il est gentil ou con. Je me demande s'il est juste encore en amour avec son ex. Et je n'ai toujours pas son fichu numéro de téléphone ! jetai-je avec hargne.

– Pauvre chérie ! Tu te mets beaucoup trop de pression. C'est pas juste à lui de décider. Tu as aussi ton mot à dire. Tu lui donnes beaucoup trop de pouvoir. Laisse-toi du temps pour le connaître avant de te faire une opinion sur lui.

– Je... Mais elle ne me laissa pas poursuivre.

– Attends, laisse-moi finir. Il va revenir de Belgrade. Tu vas voir comment ça va évoluer. Ce n'est pas grave, si ça ne marche pas. Ça a déjà été plus loin avec lui qu'avec Bernard et George-Étienne et Jacob. Ne perds pas confiance. Tu es en train d'y arriver. Le prochain sera peut-être le bon. Excuse-moi de t'avoir interrompue. Vas-y.

– Ce que je voulais te dire, c'est que j'ai rempli ma fiche sur le site montreal@deux. J'ai juste mis ma photo et j'ai déjà reçu un courriel. J'ai rendez-vous mercredi soir.

– Déjà ?

Je la fis rigoler en lui racontant les raisons de mon empressement : j'étais en colère parce que Roman passait la balayeuse.

– En tout cas, tu vas me dire où et quand ça va avoir lieu. On ne sait jamais, c'est peut-être un malade.

Je m'esclaffai à mon tour, mais un éclair me parcourut le cerveau. Je commençais à avoir la migraine. Je faisais probablement une surdose de conversation. J'abrégeai donc la communication, au grand dam de mon amie. Je lui donnai rendez-vous le lendemain soir au Continental.

Je laissai mon souper à moitié entamé sur la table, allai cueillir le vaporisateur Evian dans la salle de bain et m'étendis sur mon lit. Et je me mis à paniquer. Roman était-il vraiment parti à Québec ? Avait-il juste réemménagé avec Laurence ?

Je me précipitai sur l'ordinateur pour vérifier si je pouvais trouver sur Internet des informations sur la série de conférences. Je me sentis rassurée car je trouvai plusieurs sites qui mentionnaient l'événement. Toutefois, ensuite, je me mis à avoir honte de moi. Pourquoi pas faire bouillir son lapin, tant qu'à y être ? (Voir *Fatal Attraction* avec Glenn Close et Michael Douglas.) Je ne voulais pas recommencer à obséder sur un homme. Je le reverrai dimanche soir, sinon dans trois semaines, et puis c'était tout ! J'en avais assez de me sentir impuissante.

Je fermai mon navigateur Internet, mais restai assise devant mon écran. Je me remémorais la suggestion d'Oskare d'écrire un livre. Toutefois, je trouvais qu'un roman, c'était un engagement trop gros pour moi. Je haussai les épaules et ouvris néanmoins un dossier Word. Je tapai : « Chapitre 1.

Je crois qu'on a quelque chose… » J'allai me faire une margarita et me rouler un joint.

Deux heures plus tard, j'avais pondu une quinzaine de pages et les avais téléchargées sur un blogue que j'avais nommé Miss Oddity. J'avais même envoyé le lien à Mélanie. J'avais hâte d'avoir ses commentaires.

Chapitre 33

Le set de vaisselle

Mardi : vacances – 10 jours

Quinze pages. Je savais que j'aurais plutôt dû rédiger mon texte de présentation, mais j'étais inspirée. Hélène m'avait dit qu'écrire était libérateur et je la croyais, à présent. Car je me sentais effectivement bien. Comme propre. Comme si écrire mon histoire m'avait permis de m'en détacher, et donc de dédramatiser.

Pourtant, la première chose que j'avais faite en me levant, ç'avait été de consulter ma boîte de messages sur le site de rencontre. J'avais reçu quinze courriels, dont un nouveau de Axel22.

De : Axel22
À : Woodstock
Objet : Re : Re : Bienvenue !

Bonjour Justine ! Désolé d'avoir tardé à te répondre, j'étais en week-end sur mon yacht avec des amis. Je serai au rendez-vous mercredi.
À bientôt.
Axel

« J'étais en week-end sur mon yacht avec des amis » ? Je restai sur le qui-vive quelques instants, essayant de juger l'homme. Puis je me détendis. On verra bien.

J'avais commencé à former Oskare et, comme elle apprenait rapidement, j'avais pu reprendre mon travail. Je lui avais donné quelques tâches et lui fis promettre de ne pas hésiter à venir me consulter si elle avait des questions. Mélanie m'appela vers 11 heures.

– À quand la suite ? me demanda-t-elle d'emblée.

– Je ne sais pas. J'ai pas beaucoup de temps pour ça. Tu crois que ça vaut la peine de continuer ?

– Oui, c'est drôle. Et j'aime beaucoup le nom de ton blogue : Miss Oddity. Je trouve par contre que tu aurais pu me trouver un autre nom que Mélanie. J'aurais préféré quelque chose de plus exotique, genre Jasmine ou Esmeralda.

– Essaierais-tu de m'influencer ? Moi qui suis une grande artiste !

– Une grande artiste ? pouffa mon amie.

– On se voit toujours tantôt au Continental ?

– Oui.

Pour dîner, j'allai me chercher un panini avec une salade, que je revins manger dans mon bureau pour jeter un coup d'œil sur les fiches de mes quatorze nouveaux prétendants.

En une heure, je n'eus même pas le temps de lire toutes les fiches descriptives. Même si, en fait, j'avais plutôt l'impression de relire constamment la même fiche : « J'aime les bons repas entre amis... » Tout le monde semblait avoir des vies extraordinairement riches et gratifiantes, voyager partout dans le monde et être authentique. Certains auraient dû être arrêtés pour excès de clichés. Le résultat était plutôt décevant, pour l'instant. Il allait falloir que je réussisse à filtrer le maximum de gars insignifiants si je ne voulais pas passer mon été à lire des fiches. Et la seule façon de filtrer, c'était par mon texte de présentation. Je repensai à mon idée. Il fallait que je me présente et que je fasse une description de ce que j'attendais de l'homme qui voudrait partager ma vie. Je comptais utiliser les animaux du reportage pour présenter le tout. Hum. Il était temps que je consulte mon amie. Je vais essayer de lui en parler ce soir, me dis-je.

Je passai l'après-midi en réunion avec Henri et ensuite avec Jean pour le tournage de leurs séries respectives. Je leur présentai Oskare, qu'ils n'avaient toujours pas rencontrée. Ils furent ravis d'apprendre qu'elle irait leur donner un coup de main la troisième semaine de juillet.

Seize heures trente était arrivé et Oskare s'était éclipsée. Je descendis sur le trottoir et hélai un taxi pour me rendre au Continental. J'étais en train d'écouter *Space Oddity* de David Bowie sur le coin de la rue en essayant de ne pas penser à Roman quand une voiture s'arrêta au feu rouge devant moi, les fenêtres grandes ouvertes, crachant *Je t'attendais* de Daniel Hétu si fort que j'appuyai sur pause. Je pouffai de rire, un rire qui redoubla lorsque j'aperçus la menue conductrice affublée de verres épais qui hurlait à tue-tête les paroles de la chanson : « Allez viens ! On va s'aimer tendrement. Tout là-haut, sur un rayon de soleil... » Je la savais par cœur car c'était la chanson préférée de ma grand-mère. La mère de mon père, celle qui était décédée quand j'avais douze ans. Ce qui me fit penser à celle qui était toujours vivante. Je me promettais d'aller la visiter après le resto s'il n'était pas trop tard quand je croisai Mélanie à la porte du restaurant.

– Enfin ! fit-elle en m'embrassant. J'ai l'impression que ça fait des semaines qu'on ne s'est pas vues.

– On va se reprendre en fin de semaine, mon chou. À propos, comment on s'organise ?

– Je passe te chercher après le boulot vendredi, on va faire les courses et on file ?

– Ouin, s'il faut que je me trimballe vendredi avec tout mon stock pour la fin de semaine, il va falloir que j'aille m'acheter une valise digne de ce nom.

L'hôtesse se présenta. Mélanie s'avança :

– J'ai réservé pour deux. Mélanie.

L'hôtesse consulta son livre et nous fit signe de la suivre.

– Où vas-tu aller ? me demanda Mélanie sans attendre.

– J'irai faire un tour sur Saint-Hubert jeudi soir.

– C'est vrai, parce que demain soir, tu as une *date* avec *mister* producteur...

– Ouais. De toute façon, ça sert pas à grand-chose, je m'en vais passer un mois à la campagne.

L'hôtesse nous installa à une table avec vue sur l'entrée. Elle nous présenta les menus et nous annonça les spéciaux du jour. Je racontai ensuite à mon amie que j'avais déjà reçu quinze courriels et que ça m'avait pris un temps fou juste pour en prendre connaissance. Ensuite j'entrepris de lui parler de mon idée. Elle s'étrangla de rire.

– C'est certain que ça devrait produire son effet.

– Ça attire l'attention, c'est humoristique et c'est instructif. Ça me prend quelqu'un qui est capable d'apprécier mon sens de l'humour.

– Je crois qu'effectivement ça réussira à décourager bon nombre de candidatures. Alors, tu as continué ton blogue ?

Je lui racontai comment je comptais arranger la suite. Nous parlâmes donc de Solène. Elle me manquait beaucoup. Plusieurs fois dans les derniers jours j'avais eu le réflexe de prendre le téléphone pour l'appeler, mais je m'étais retenue. Quelle tristesse !

– Oh non ! murmura soudainement Mélanie au dessert.

Je me retournai et aperçus Catherine Drainville, une fille avec qui nous avions subi notre secondaire et que nous haïssions, Mélanie, Solène et moi, très copieusement. C'était la seule qui était plus dépravée que nous, au couvent. Nous l'avions découverte dans une posture assez dégradante avec trois garçons en troisième secondaire, mais, elle, elle s'en tirait toujours à cause de ses airs de vierge offensée. Ses parents étaient très influents et elle en avait bien profité. Au moins, nous, nous étions braves, nous revendiquions notre rébellion.

Elle nous repéra et nous fit son célèbre sourire machiavélique. Elle se dirigea vers nous. Nous pûmes détailler son complet veston/pantalon Prada.

– Salut, les filles ! Ça fait longtemps.

– Ben oui, répondit Mélanie de façon laconique. Depuis le secondaire.

– Qu'est-ce que vous faites de beau dans la vie ?

Je lui racontai nos vies d'une manière télégraphique. Elle en profita pour nous asperger de son bonheur. Elle était devenue avocate. Elle était associée dans un grand cabinet depuis qu'elle s'était fait enlever les ovaires.

– Mais ça, je ne l'ai pas dit à mon nouveau copain, ajouta-t-elle comme si nous avions de nouveau seize ans. Je crois qu'il veut des enfants. Lui, il est vice-président aux finances pour Surun.

Un courant électrique me parcourut. Elle parlait de Bernard 1, qui arrivait pour la rejoindre.

– Le voici justement. Il est beau, n'est-ce pas ? Je vous laisse.

Elle nous fit un sourire comblé qui m'exaspéra au point de m'imaginer la frapper avec un fer 8.

Bernard 1 nous fit un signe de la main et suivit sa dulcinée vers d'autres horizons.

– En tout cas, s'il la préfère à ma personne, il ne me mérite pas.

– Bien dit ! approuva Mélanie.

Mélanie me déposa à l'hôpital.

– Justine ! s'exclama-t-elle en m'apercevant.

Ma grand-mère tint à s'habiller et à ce que nous allions au parloir. C'est qu'elle était coquette, ma Granny. Ensuite, on alla toutes deux chercher mon grand-père deux étages plus bas avant de rejoindre le parloir, situé au bout du couloir.

– Alors, tu vois des hommes un peu ? demanda ma grand-mère.

Je bafouillai une réponse vague qui ne la satisfit pas du tout, alors elle insista et je lui relatai mes dernières tentatives de séduction du mâle.

– J'espère que tu sais à quel point tu es chanceuse de pouvoir choisir. Ce n'était pas le cas, dans mon temps, ajouta-t-elle.

J'argumentai que c'était malgré tout plus compliqué maintenant, car les codes avaient disparu et que les rôles avaient changé, mais elle m'interrompit :

– Allons, allons ! Les médecins et les infirmières se font une cour effrénée, c'est un vrai téléroman, ici. Je vois bien comment ça se passe, de nos jours. On dirait que tu as honte de ce que tu es et de ce que tu veux.

Mon œsophage se réduisit à la grosseur d'une paille.

– Toi qui es jeune, tu devrais te comporter en vieille femme.

– Hein ?

– Oui ! Avec dignité et malice. Imagine que je revienne à ton âge avec toute ma sagesse. Comment penses-tu que je me comporterais ?

– « Toute ma sagesse », qu'est-ce qu'il faut pas entendre ! grommela mon grand-père pour taquiner sa femme.

– C'est vrai. Tu crois que, à la fin de ta vie, les choses qui seront chères à ton cœur seront les souvenirs de ton travail ? Non, ce sera les souvenirs de ceux que tu as aimés et qui t'ont aimée. Tu te souviens, on t'avait gardée tout un été lorsque tu avais neuf ans ?

– Quand papa et maman étaient partis en Italie ?

– Oui. J'utilisais toujours le service de vaisselle précieux de ma grand-mère pour manger et tu m'avais dit que ton autre grand-mère ne sortait le sien qu'à Noël.

C'était vrai : elle gardait aussi en permanence son divan et ses abat-jour sous plastique transparent pour ne pas les salir.

– Te souviens-tu de ce que je t'avais dit ?

Je répondis par la négative.

– La vie est trop courte pour ne pas prendre le beau service tous les jours. Et, tu sais, un homme, c'est un peu comme un set de vaisselle.

Je pouffai de rire.

– J'aurai tout entendu ! bougonna mon grand-père. Qu'est-ce que tu dirais si je comparais les femmes aux tondeuses ?

– Je disais ça au sens métaphorique, mon chéri. Laisse-moi poursuivre, tu vas comprendre où je veux en venir. C'est important d'en chercher un vraiment à notre goût, qu'on ait envie de manger dedans pour le reste de notre vie. Mais c'est aussi excitant d'être à la recherche du bon set de vaisselle. Il faut en essayer plusieurs et, tant qu'à y être, autant se payer des bonnes bouffes.

Elle s'esclaffa.

– N'importe quoi, souligna mon grand-père. Je crois qu'il est temps qu'on sorte de l'hôpital, ta grand-mère déraille complètement. Un set de vaisselle. Moi, je dis qu'il te faut un bon gars, travaillant, honnête, responsable.

– Quand allez-vous retourner chez vous ? demandai-je distraitement.

– Dans deux jours, répondit-il.

– Tu vas continuer à venir nous voir, n'est-ce pas ? s'informa ma grand-mère.

– Bien sûr !

Une infirmière fit irruption dans le parloir.

– Les visites sont terminées.

– Je vais partir, lui dis-je en me levant.

J'embrassai mon grand-père et pressai ensuite ma grand-mère contre moi.

– Alors, c'est quoi, tes projets ? me demanda-t-elle en me prenant les mains pour me retenir encore un peu.

– Je vais aller magasiner un set de vaisselle.

Même mon grand-père rigola. Il me fit promettre de venir le consulter avant de faire mon choix final.

Je revins vers 21 heures, assez heureuse de ma soirée, en repensant à la théorie farfelue de ma grand-mère. J'aimais bien cette idée de me comporter comme une vieille femme. Et sa comparaison cocasse entre les hommes et les sets de vaisselle...

Je sortis sur le balcon pour fumer un joint. Je humai l'air de la nuit, j'écoutai les bruits de la ville comme si je les découvrais pour la première fois. J'étais heureuse de ces nouvelles relations qui se développaient avec Oskare et Estelle. Je sentais qu'elles allaient toutes deux avoir une bonne influence sur moi. Il y avait aussi mon blogue, mon projet avec le livre et, mercredi soir, mon rancard. Ce qui amena mes pensées sur Roman. Que faisait-il ? Où était-il ? Avec qui était-il ? Je lui en voulais un peu parce qu'il allait me gâcher ma fin de semaine à la campagne. On verra bien ! me dis-je. Et ce sera ma nouvelle philosophie. J'envoyai un gros rond de boucane flotter dans l'air chargé d'humidité. Ma vie était bien remplie. Je souris de satisfaction. Je décidai de rentrer. Miss Oddity, me voilà!

Chapitre 34

Une rencontre douloureuse

Mercredi: vacances – 9 jours

J'avais pris mes courriels en me levant pour m'apercevoir que j'avais encore dix nouveaux messages provenant du site de rencontre. Il allait vraiment falloir que je rédige mon texte de présentation. J'avais refermé l'ordinateur aussitôt et j'étais sortie déjeuner sur mon balcon. Encore une belle journée qui s'annonçait. J'espérais qu'il ferait aussi beau durant mes vacances.

Je m'habillai sobrement pour mon rendez-vous de la soirée. Je sortis toutefois mon arme ultime: mon nouveau chapeau. Une fois à bord de l'autobus, j'appelai Mélanie pour mon rapport quotidien. Je la trouvai dans sa voiture. Elle répondit en chantant du Aznavour 🎧: « Il me semble que la misère serait moins pénible au soleil. » Puis elle baissa le son.

– Tes grands-parents allaient bien ?

– Oui !

Je lui rapportai la conversation que j'avais eue avec ma grand-mère.

– Ça a beaucoup de sens, conclut Mélanie. Simon est le set de vaisselle dans lequel je veux manger pour le reste de ma vie. C'est mon beau service que j'utilise tous les jours.

– Oh, c'est trop *cute* ! fis-je d'une voix nasillarde pour la taquiner.

– Avoue que t'en voudrais un, toi aussi, un beau set de vaisselle comme le mien.

– Oui, je l'avoue ! m'écriai-je d'une voix dramatique.

– Gna, gna, gna... C'est ce soir, ton rendez-vous avec *mister* producteur ?

– Oui, à 17 h 30 au Petit Alep.

– Ok, je t'appelle à 18 heures. Je vais te laisser, j'arrive dans le stationnement souterrain du bureau.

La matinée fut un feu roulant d'action. Je n'étais même pas parvenue à aller aux toilettes. Oskare était d'une heureuse humeur très communicative. Il faudrait pouvoir la mettre en capsule : elle ferait un antidépresseur fantastique. On avait encore jasé de cinéma. On s'était aperçues qu'on avait les mêmes goûts. Elle me proposa d'aller voir le dernier Pedro Almodóvar le lendemain avec elle.

– Je voudrais bien, mais je dois aller m'acheter une valise car vendredi je pars à la campagne.

– Tu veux quoi ? J'en ai des tonnes qui font du compost dans ma cave.

– À roulettes.

– J'en ai quatre sortes.

Elle m'expliqua les tailles et spécificités de ses valises à roulettes et m'offrit de m'en prêter une pour l'été. J'arrêtai mon choix sur l'une d'elles et elle me promit de me l'apporter le lendemain. J'avais tout de même remis notre rendez-vous à la semaine suivante car je ne voulais pas traîner la valise au cinéma et que je devais absolument la ramener chez moi étant donné que j'en avais besoin vendredi.

Quand je retournai à mon bureau, j'avais décidé de prendre le temps d'aller voir les courriels provenant du site de rencontre. Je les parcourus rapidement. Il y avait un adepte de Jackass, un joueur de poker, un militaire, un homme qui n'avait pas mis sa photo sur le site et qui recherchait une femme non superficielle... Aucun n'attira ma curiosité. Je me mis même à penser à Roman et ça m'a foutu le cafard. Comment me comporterais-je si j'étais une vieille femme ? Dignité et malice ? Je les sélectionnai tous et les supprimai. La vie était trop courte. Je ne voulais pas devenir esclave de mon ordinateur. Je tapai le titre du film de Pedro Almodóvar. Il jouait au Quartier latin à 17 h 05. Je me relevai d'un bond et me dirigeai vers le bureau d'Oskare. Elle était en train d'écrire un courriel à Guillaume, le responsable de l'atelier des décors, qui l'accueillerait une semaine durant mes vacances.

– *Fuck* la valise, je vais la traîner.

Comme Oskare allait dîner avec une amie, je sortis manger un sandwich au parc. J'apportai mes notes sur le documentaire et mon Moleskine pour commencer à rédiger mon texte pour le site de rencontre. Je m'installai sur un banc, à l'ombre, où j'entrepris de sélectionner la liste des dix animaux que je voulais prendre en exemple.

Au retour, j'avais choisi le lion, l'araignée, le *Fregatidae* (*frigatebird* en anglais), le *Thamnophis sirtalis parietalis* (*red-sided garter snake*), le poisson clown, la corneille, le dauphin, le *Ptilonorhynchidae* (*bowerbird*), l'escargot et l'acarien *Balaustium* (*red velvet mite*). Ça promettait !

Dans l'après-midi, je rencontrai deux autres directeurs de plateau, Jean-Philippe et André. La réunion s'éternisa car il fallut que je fasse venir le superviseur de l'équipe des décors avec qui André était en désaccord pour régler le différend.

Il m'arrivait d'avoir la désagréable impression de gérer une maternelle. Encore une triste histoire d'ego froissé. Qui pisse le plus loin ? Je les pris tous les deux à part. Je leur avouai que j'étais de leur côté et qu'ils avaient raison, mais qu'il fallait qu'ils fassent des compromis pour le bien de la production. Ils avaient tous les deux bougonné, mais, au moins, leur ego était sauf et on avait mis un point final aux préparations pour le tournage.

Je m'arrangeai pour quitter le bureau afin d'être juste un peu en retard à mon rendez-vous. Cachée par mon chapeau, je comptais le repérer sans me faire remarquer. S'il était repoussant, je m'éclipserais discrètement. Espérons qu'il n'utilisera pas le même stratagème que moi.

Je relevai le bord de mon chapeau pour jeter un coup d'œil à l'intérieur du restaurant. Je le reconnus grâce à son manteau. Il portait le même que sur sa photo. Un veston en cuir noir. Il était pas mal. J'eus soudainement une sorte de déjà-vu. Je le connais ! me dis-je. Oui, oui, je le connaissais. Mais d'où ? Je n'arrivais pas à le replacer. Il était producteur. Je l'avais peut-être rencontré sur un tournage ou lors d'un événement mondain.

Je me fis bousculer par un passant. J'enlevai mon chapeau et le rejoignis. Il me reçut avec une poignée de main digne de ce nom.

– Axel !

– Justine.

– Assieds-toi.

– Tu as commandé ? demandai-je pour meubler le silence.

– Non, pas encore.

Le serveur arriva. Je commandai un verre de rouge et lui aussi. Le serveur disparu, le silence s'installa de nouveau. Je me lançai.

– Tu as passé la fin de semaine sur ton yacht ?

– Oui, avec six amis. Je t'inviterai la prochaine fois, si tu veux. Nous projetons d'aller sur le lac Champlain. Je ne sors mon bateau qu'une fois par mois. Sinon, ça me coûte trop cher.

– D'essence ?

– Oui, et de bouffe et d'alcool.

Il me raconta sa dernière sortie avec ses amis. Il me montra des photos sur son cellulaire. On y voyait des pitounes en bikinis, des gars bronzés, du caviar et du champagne. Il semblait avoir une vie plutôt *glamour*. Ce qui était assez ironique à dire étant donné l'origine de ce mot. On aurait plutôt pensé à un rat de bibliothèque ou à un *nerd* à lunettes. Car le mot *glamour* est un dérivé du mot *grammar*. Parce qu'il y a si peu de temps, c'était exceptionnel d'être lettré ; à l'époque, les gens qui savaient lire et écrire étaient rares. C'était malheureusement en train de redevenir le cas. Mais plus pour les mêmes raisons. Quoi qu'il en soit, qu'est-ce qu'il faisait sur un site de rencontre s'il était si *glamour* que ça ? Je ne réussissais toujours pas à le remettre...

– Alors, tu es producteur ? Dans quelle boîte travailles-tu ?

– Decorum productions. Je doute que tu connaisses, nous sommes une petite maison indépendante, répondit-il rapidement.

Ce fut à ce moment précis que je me rappelai qui il était. C'était le producteur de porno avec qui j'avais *chatté* et qui m'avait montré gratuitement son pénis. Je me mis à rougir. Heureusement, je fus sauvée par le serveur qui arrivait avec nos verres. « Une petite maison indépendante », il m'avait dit ça comme s'il produisait des films d'auteurs qui concouraient à Sundance. Lui, m'avait-il reconnue ? Rien dans son comportement ne me permettait de le savoir. Je crois qu'il redoutait les questions sur son travail car il prétexta une envie urgente pour filer aux toilettes.

Aussitôt qu'il fut hors de portée, je sortis un billet de 10 dollars, le glissai sous mon verre, remis mon chapeau et m'enfuis. Sur le seuil du restaurant, j'hésitai entre tourner à droite ou à gauche. Au même moment, un homme hyperséduisant passa devant moi et me fit un sourire. La chanson *Little Trip to Heaven*, de Tom Waits, démarra toute seule dans ma tête. Ça n'aurait pas pu être lui, ma *date*, merde ? Je l'aurais bien suivi mais, si Axel revenait, il me repérerait si je partais dans cette direction. Je détalai donc du côté opposé.

Un coin de rue plus loin, je regrettais de ne pas avoir adressé la parole au bel inconnu. C'était étrange car, normalement, j'aurais dû être en train de capoter en ressassant mon rencard avorté. Et pourtant, c'était comme si je ne me sentais pas concernée. Toute cette pénible expérience ne réussissait pas à me décourager. On verra avec le prochain, me dis-je. La loi des probabilités était de mon côté ! Si je continuais à essayer, ça allait finir par fonctionner. C'est ça, j'allais devenir une *dating machine*. Mon cellulaire se mit à vibrer. Ce devait être Mélanie.

– Tu n'imagineras jamais ce qui vient de m'arriver, répondis-je.

Mon amie hurla d'excitation. Je lui racontai mon rendez-vous et ensuite je lui rapportai la façon dont je l'avais rencontré la première fois. Elle me fit remarquer que c'était du bon matériel pour mon blogue. Je marchais en direction de chez moi quand, juste en face de l'école de quartier, comme je ne voyais rien à cause de mon chapeau, j'entrai en collision avec un support à vélo. Mon téléphone vola jusque dans la cour d'école et je me cognai rudement l'arcade sourcilière droite sur le banc de bébé attaché à l'un des vélos. Ouch. Je me mis à pleurer. J'allais avoir un œil au beurre noir, c'était certain. Un jeune homme qui passait par là en vélo arrêta dans un grand cri de freins qui auraient bien besoin d'huile. Une femme en voiture s'immobilisa aussi. J'imagine que ma chute avait été spectaculaire.

Quelqu'un était allé chercher mon cellulaire et la femme m'avait ramenée à la maison dans sa voiture. Ça s'était mis à me faire vraiment mal quand je m'étais étendue sur mon lit. Je rappelai Mélanie, qui devait être sur le point de composer le 911.

– Enfin, qu'est-ce qui t'es arrivé ?

Je lui résumai mon accident.

– Ça te fait mal ?

– Je crois que je vais devoir marcher avec une canne pour quelques jours et que je vais avoir un œil au beurre noir.

– Pauvre chérie... Je suis presque rendue à la maison, mais je peux venir, si tu veux.

– Non, je vais prendre des antidouleur et attendre. J'ai une vieille canne de mon grand-père quelque part, ça devrait aller.

J'avais vraiment mal à la hanche droite. Je sautillai jusque dans la salle de bain pour récupérer les anti-inflammatoires. Ouch ! Je repensai à Axel. J'aurais voulu voir sa tête quand il était revenu des toilettes. Je me mis à rire. Et je me mis à pleurer peu après car rire me faisait mal au visage. Maudite marde !

Chapitre 35

Justine Roberge : 1, Mario Iberville : 0

Jeudi : vacances – 8 jours

La douleur m'avait réveillée à 4 heures du matin. Mais j'étais prête. J'avais prévu le coup et j'avais déposé deux anti-inflammatoires et un verre d'eau sur ma table de chevet.

Je m'en enfilai deux autres en me levant. Puis je soulevai ma robe de nuit pour examiner l'ampleur des dégâts. Ma hanche droite était ornée d'un grand bleu de la taille d'une pizza grosseur moyenne. Et je sentais que j'avais l'œil en compote. Bouger m'envoyait des messages de douleur stridents. Je ne savais pas comment j'allais aller travailler arrangée comme ça. Mais je devais aller chercher la valise. Je me levai prudemment.

J'avais le contour de l'œil droit d'un beau rouge et bleu. C'était dommage car je n'avais rien qui allait avec ces couleurs-là. J'allai déjeuner et, une fois que les comprimés commencèrent à faire effet, je pus me mettre à la recherche de la canne de mon grand-père, que je trouvai au fond de la garde-robe d'entrée. Avec la canne et les anti-inflammatoires, je devrais parvenir à passer au travers de la journée. Je me préparai un lunch pour ne pas avoir à sortir me chercher à dîner.

J'eus un doute sur mes forces à l'arrêt d'autobus Mais quand on remarqua mon visage et ma canne, deux personnes m'offrirent de me laisser leur siège. Parvenue au centre-ville, un homme me proposa même de porter mon sac. Je lui tendis mon sac à lunch en espérant qu'il ne se sauve pas avec et j'entamai la conversation avec lui. Oskare avait raison. Entrer en contact avec les autres était finalement très simple.

Oskare avait l'air toute fière de sa valise à roulettes beige posée à ses pieds, mais elle s'alarma quand elle me vit sortir de l'ascenseur. Elle se précipita dans mon bureau pour aller me chercher ma chaise à roulettes, où je m'effondrai, en sueur. Elle me roula jusque dans mon bureau. Je lui racontai mon rendez-vous et la suite.

– Ouch ! conclut-elle. Pourquoi tu n'es pas restée chez toi, aujourd'hui ? J'aurais très bien pu tenir le fort une journée sans toi !

– Je voulais aller voir le film avec toi.

– T'es bien fine, mais on aurait pu aller le voir une autre fois.

Maurice arriva à ce moment-là. Il voulut commencer une phrase, mais il resta interdit, la bouche ouverte.

– Qu'est-ce qui t'es arrivé ? balbutia-t-il.

– J'ai fait une rencontre douloureuse avec un support à vélo.

– Wow !

Il remarqua la canne.

– Pourquoi t'es pas restée chez toi ?

– C'est aussi ce que je lui ai demandé ! renchérit Oskare sur un ton réprobateur.

– Si je souffre trop, je vous promets de rentrer à la maison, promis-je. Qu'est-ce que tu voulais, Maurice ?

– Je peux te parler seul à seule ?

– Je vous laisse. Justine, veux-tu quelque chose à boire ?

– J'ai pas eu de café.

– Je m'en occupe ! Je peux vous offrir un café, monsieur Dupont ?

– Non, merci, fit-il avec un sourire chaleureux.

Elle me roula jusqu'à mon ordinateur et ferma la porte de mon bureau en sortant. Maurice leva un pouce approbateur quand Oskare fut partie.

– Elle est fantastique, approuvai-je, puis, reprenant mon sérieux : Qu'est-ce qui se passe ?

– J'ai un problème avec un acteur.

– Qui ?

– Mario Iberville.

– Qu'est-ce qu'il veut ?

– Il veut une roulotte pour le set qui se passe à l'école secondaire. On lui offre de lui faire une loge dans un local de l'école, mais il veut absolument une roulotte.

– Et on peut pas se le permettre ?

– C'est ça. On est déjà *over budget.*

– Je comprends.

– Pis tu sais, moi, je ne sais pas comment être méchant.

Je comprenais ce qu'il attendait de moi. Il m'avait déjà fait faire son sale boulot à plusieurs reprises. Il m'avait même demandé d'appeler son piscinier qui promettait de passer depuis plusieurs mois et qui ne s'était toujours pas présenté. Trois ans avant, il m'avait demandé de mettre les points sur les « i » à un réalisateur un peu trop ambitieux. Et je pourrais énumérer au moins six autres fois où il m'avait demandé d'être son *hitman. Hitwoman*, en fait.

– Donne-moi son numéro.

Il sortit un bout de papier rose de sa poche.

– Il me harcèle depuis des semaines.

– Je peux le menacer de le remplacer ?

– Pas vraiment, il est imposé par la directrice de casting.

– Francine ?

– Ouais. Mais ça, il ne le sait pas.

– Monsieur Iberville ?

– Oui, c'est moi, dit-il d'une voix mielleuse qui me déplut aussitôt.

– Je suis Justine Roberge de Cizo productions. Je vous appelle pour vous apprendre que nous ne pourrons malheureusement pas mettre de roulotte à votre disposition pour les trois jours de tournage à l'école Sainte-Cécile.

Il s'étouffa de fureur dans sa salive.

– Comment osez-vous ! J'exige un minimum de bien-être. Je suis un artiste.

– La loge que nous allons vous préparer...

Mais il ne me laissa pas finir.

– Qui êtes-vous ? J'exige de parler à votre superviseur.

– C'est M. Maurice Dupont, le patron lui-même, justement, qui m'a demandé de prendre contact avec vous. Et vous voulez savoir qui je suis ? Je suis la personne qui signe les chèques. La banque. Là d'où vient l'argent. La série n'est pas commencée encore, je peux décider d'engager quelqu'un d'autre pour le rôle. Ça se bouscule au portillon, des acteurs prêts à jouer pour d'aussi bonnes conditions.

Ça lui coupa le sifflet. J'en remis.

– Ça se décide maintenant, monsieur Iberville. Faites-vous partie de la distribution de *Tout pour moi* ou non ?

Il reprit son ton mielleux et je lui promis que les assistants de production lui feraient une loge digne de ce nom. Je jouai quand même mon rôle d'emmerdeuse jusqu'au bout :

– Je vais vous faire une faveur et vous donner un conseil, monsieur Iberville : je crois que vous devriez vous prendre un agent.

Justine Roberge : 1. Mario Iberville : 0.

Le film fut sublime. Encore une belle histoire de femmes. Je trouvais que Pedro Almodóvar réussissait toujours à montrer des côtés flatteurs de la femme, même si elles se retrouvaient immanquablement dans des situations plutôt merdiques.

Je revins en taxi à la maison. Ce fut la galère pour monter la valise jusque chez moi. J'aurais dû demander au chauffeur de m'aider, mais j'y avais pensé trop tard. Pour l'instant, j'avais l'impression que mon corps n'était que charpie. J'allais devoir reprendre des anti-inflammatoires. Le téléphone se mit à sonner au moment où j'avalais deux comprimés avec de la bière.

– Comment ça va ?

– Je ne suis que bleus.

– Pauvre chérie ! Veux-tu quand même aller à la campagne demain ?

– Absolument !

Je le regrettai au moment où ça sortit de mes lèvres. J'avais une bonne raison de tout annuler et de rester à Montréal pour voir Roman et je l'avais laissé m'échapper. Merde !

– Bon, ok ! dit Mélanie, soulagée.

Et puis pourquoi, merde ? J'avais envie d'y aller, moi, à la campagne.

– Tu vas t'en sortir ?

Je soupirai.

– Je crois. Je ne t'ai pas encore dit que, vendredi, Estelle va venir souper avec nous. Je lui ai proposé de venir pour voir ce qu'il y a dans la maison. Elle a l'air adorable, mais je ne la connais pas beaucoup. Je ne veux surtout pas qu'elle m'accuse d'avoir volé quelque chose à la fin de mes vacances.

Je poussai un autre soupir.

– Qu'est-ce que tu as ?

– C'est Roman. Je croyais qu'il aurait pu être l'homme de ma vie.

– Ben, ce n'est pas fini avec lui, encore ! C'est super ce que vous avez eu ensemble. Bon, l'ex est revenue dans le portrait, mais il n'y a rien là-dedans qui ne s'arrange pas si les sentiments sont partagés. La confiance, ça se mérite. Tu ne le connais pas encore beaucoup, c'est normal que tu sois craintive.

J'aurais bien aimé me faire convaincre.

– Et tu vas le revoir quand ?

– Dans trois semaines.

– Dans trois semaines ?

Je lui expliquai que Roman devait se rendre à Belgrade pour aller au chevet de sa grand-mère mourante. Ce qui, somme toute, était peut-être pour le mieux car j'étais en piteux état.

– Il part quand ?

– Lundi.

– Pourquoi tu ne l'invites pas à la campagne ?

– J'ai pas son numéro.

– Il arrive quand ? poursuivit mon amie.

Elle était intarissable, ce soir.

– Vendredi.

– Ben, laisse-lui un Post-it avec ton numéro et l'adresse du chalet.

– C'est une bonne idée ! répondis-je.

– Malgré tout, il faut que tu continues ton projet avec le livre. L'as-tu fini ?

– Non, il me reste à lire le chapitre 5. J'ai pas eu beaucoup de temps, ces derniers jours, avec mon blogue et le site de rencontre.

Je me commandai une pizza pour souper. En l'attendant, comme je pouvais me déplacer sans canne étant donné que les comprimés faisaient effet, j'entrepris de préparer ma valise. Comme j'allais devoir la trimballer jusqu'au bureau, je limitai la quantité de bagages. Une fois cette tâche terminée, mes contusions recommencèrent à me faire mal. J'aurais peut-être dû aller à l'hôpital, mais j'y avais passé beaucoup de temps récemment et je n'avais pas trop envie d'y retourner.

Je me dirigeai vers mon ordinateur en claudiquant et imprimai le trajet pour me rendre au chalet. Ensuite, j'allai vérifier si j'avais reçu de nouveaux messages. J'appréhendais un courriel d'un Axel furieux, mais il ne m'avait pas écrit. Par contre, j'en avais dix nouveaux. J'allai consulter les fiches rapidement, mais j'avais trop mal au dos pour continuer. Je décidai donc d'aller me coucher.

Comme il n'était que 21 h 30, j'attrapai mon livre dans le but d'entreprendre la lecture du chapitre 5. Je ne le trouvai pas. Je découvris avec stupeur que les pages du chapitre entier en avaient été arrachées. Je vérifiai les folios et je calculai qu'il manquait environ six pages. Je me rendis à la table des matières, située au début du livre. Le chapitre s'intitulait : « *Do it yourself !* » C'était tout ce qu'il y avait comme information.

J'eus l'impression qu'une catastrophe venait de se produire. C'était comme si je perdais encore tous mes repères. Je me jetai sur mon ordinateur et tapai le titre du livre sur le moteur de recherche d'Amazon pour tenter d'en trouver un autre exemplaire, mais en vain. Qu'est-ce que je vais faire ? me demandai-je. Je me sentais complètement désemparée. Je remarquai que je respirais rapidement.

Wolà ! Je n'allais tout de même pas me taper une nouvelle crise d'anxiété parce qu'il manquait des pages à mon livre. Ce n'était plus moi, ça! Bon, essayons de raisonner comme une personne normale, m'ordonnai-je. C'était peut-être parce que je n'avais plus besoin du livre. Parce que j'avais déjà peut-être rencontré l'*homme*. Et, si je devais le lire, la vie se chargerait bien de mettre les pages manquantes sur mon chemin. À moins que je rejoue à Ouija, me proposai-je en me redressant sur mon lit. Je ne peux pas, je suis seule, me répondis-je. J'ai dit « raisonner comme une personne *normale* », Justine. Du calme! m'ordonnai-je

Je repris le téléphone pour appeler Mélanie. Je lui racontai ma découverte.

– Peut-être que c'est parce que tu n'as plus besoin de le lire parce que...

Je la coupai.

– Je sais, j'ai pensé la même chose.

– Et si tu as besoin de le lire, la vie...

Je l'interrompis encore:

– Je sais.

– Il faut que tu continues à essayer...

– JE SAIS!

– Peux-tu me laisser finir mes phrases, veux-tu?

– Pardonne-moi.

– Tu as au moins un *prospect* sérieux.

Sérieux? Je parvins à m'endormir avant de me mettre à paniquer sur ce qui pouvait tourner mal. Au moins, je m'améliorais.

Chapitre 36

La balançoire

Vendredi : vacances – 7 jours

Matin orage. J'espérais que ça n'augurait rien de mal pour mon escapade. Il ventait fort. Même les gros arbres de ma rue avaient les branches tordues. La pluie s'abattait en trombe sur mes fenêtres. C'était d'ailleurs ce qui m'avait réveillée à 6 heures du matin. J'aurais pu me rendormir, mais je me sentais totalement reposée. J'avais fait un rêve fabuleux qui, je le sentais, allait teinter toute ma journée et je voulais rester dans cet état d'esprit. Je déambulais sur un chemin de campagne. Des oiseaux pépiaient avec entrain et je sentis la forte odeur de terre humide. J'arrivai à l'arrière d'une grande maison de campagne de couleur bleu ciel. Quand je fus suffisamment près, je distinguai une vieille femme assise dans une balançoire en bois sur la galerie. Je compris que c'était moi, plus vieille. Je montai les marches pour la rejoindre sur la balançoire. Une fois assise, je me penchai et posai ma tête sur ses genoux. Elle me flatta les cheveux au son des grillons.

Je ne parvenais pas à déchiffrer ce que ce rêve pouvait bien vouloir signifier. Avait-il été provoqué par mon expérience de visualisation ? Quoi qu'il en soit, me retrouver confrontée à cette version âgée de moi-même me sécurisait.

Je m'extirpai de mon lit. Je me sentais beaucoup mieux que je l'avais prévu. Toutefois, j'avais toujours une gueule de déterrée. Mon œil au beurre noir s'était étendu à ma tempe et j'avais presque la moitié du visage marbré mauve pâle et jaune. Je tentai d'arranger mes cheveux pour cacher un peu la partie sinistrée de mon visage, mais ce fut peine perdue. Au mieux, j'avais l'air d'Albator. Je sentis que ma culotte était mouillée. Je m'accroupis sur le bol de toilette et je remarquai le sang qui souillait mon string. Je le mis à tremper dans le lavabo en jurant tout bas.

Il n'était pas encore 7 heures, alors je mis *Jump in the Line*, de Harry Belafonte pour déjeuner. Comme je ne pouvais malheureusement pas danser, je décidai plutôt de feuilleter le journal. Je n'avais pas écouté ou lu les informations depuis que Marc m'avait annoncé ses problèmes d'organe. Je m'étais coupée des mauvaises nouvelles car je ne voulais pas que mon état dépressif empire. Mon père m'avait obligée à lire les quotidiens à partir de l'adolescence. Ça faisait donc quinze ans que je me tapais les mêmes conflits. Alors lire la presse me déprimait invariablement. Pourtant, je commençais à ressentir l'état de manque. J'étais parvenue à résister parce que mes chroniqueurs préférés étaient déjà tous en vacances, mais ça m'avait manqué, ces dernières semaines. Il était temps que je réintègre le monde. J'y retrouvai effectivement les mêmes nouvelles désolantes.

Et voilà les éclairs. À l'intérieur, c'était douillet, mais je n'avais pas hâte d'avoir à sortir. Juste avant de partir, j'écrivis un mot pour Roman au dos du plan du trajet: «Je suis à la campagne avec des amis. Viens nous rejoindre si tu veux. Justine.»

Je le glissai dans une enveloppe. Je ramassai mon sac, agrippai mon imperméable et mon parapluie, et chaussai mes bottes courtes. J'allai jeter un œil par la fenêtre.

J'abdiquai devant la véhémence des éléments. Je m'appelai un taxi et repris ma canne. Je descendis ma valise pour attendre la voiture dans le vestibule de mon immeuble. Je venais de déposer mon message pour Roman dans sa boîte aux lettres quand mon cellulaire se manifesta.

– Boubou?

– Oui.

– Ça va?

...

Une fois les dialogues prémâchés taris:

– Ta mère fait un *burn-out.*

– Pardon?

C'était juste pour être cynique, mais il répéta:

– Ta mère fait un *burn-out.*

– Ça fait pas deux semaines qu'elle travaille.

– Je crois que ça s'est mal passé.

– Veux-tu que je lui parle?

– Non, elle est partie dans un spa pour trois mois.

– Comment s'appelle l'endroit?

– Je ne crois pas qu'ils ont le droit de recevoir des appels.

Hum! Encore une cure de désintox?

– Et toi? lui criai-je pour couvrir le bruit du vent.

Je pénétrai dans le taxi complètement échevelée. Je devais avoir l'air d'un Picasso avec ma face tuméfiée et mes cheveux en bataille, car le chauffeur me dévisagea d'un air bizarre.

– Quoi, moi?

Je soufflai l'adresse de mon bureau au chauffeur.

– Tu veux que je passe ?

– Non, ça va. Mais si tu veux, tu peux passer. On se fera un petit souper ?

– Ok.

– Tu fais toujours ton jeûne débile ?

– Non.

– Parfait. Si tu viens, tu pourrais pas m'amener un peu de *pot* ?

Ma mère était en *burn-out*. J'avais ri jusqu'au bureau même si c'était douloureux. Oskare m'attendait avec un café. Nous parlâmes films jusqu'au moment où nous fûmes interrompues par Maurice.

– Comment vas-tu ?

– C'est déjà allé mieux, mais je me soigne.

– Et pour ce que je t'ai demandé ?

– C'est fait.

– Tu es un as.

Il leva son pouce et repartit vers son bureau avec un air guilleret plutôt comique.

À midi, je dînai à la cafétéria avec Oskare, ce qui me rappela pourquoi je ne mangeais plus à la cafétéria. Potins et rumeurs sans fin. Vers 13 h 30, Jeanine m'appela :

– Il y a un M. Mario Iberville qui demande à te voir.

– J'arrive.

J'agrippai ma canne et me dirigeai vers la réception. À quoi devais-je m'attendre ? Je le repérai de loin. Il était vêtu d'un complet élimé bleu sombre qui semblait n'avoir jamais été neuf. Avec ses cheveux hirsutes et son crâne déplumé, il avait l'air d'un clown sans le nez rouge. Et il paraissait pompé.

– Madame, vous m'avez humilié ! cria-t-il à mon approche.

– Pardon ?

– Vous m'avez humilié !

Il fit semblant de s'arracher la gorge. Je réprimai un rire.

– Monsieur Iberville, je n'ai émis aucun jugement sur la qualité de votre travail, je n'ai fait qu'énoncer des faits. Je vous ai dit ce que nous étions prêts à faire pour vous et vous ai demandé de choisir. Êtes-vous en train de revenir sur votre parole ?

Il se mit à balbutier.

– Non, je...

Soudain, Maurice et Jean, le gardien de l'immeuble, apparurent. Ce dernier prit l'acteur par le bras.

– Seriez-vous en train d'intimider la madame ?

– Non, non, je...

– Vous n'avez pas honte ? Elle a une canne !

J'avais envie de hurler de rire, mais parvins néanmoins à me retenir jusqu'à ce qu'ils l'aient escorté à l'extérieur. Oskare, qui revenait des toilettes, se jeta sur moi pour entendre ma version des faits. Je n'avais eu le temps que de lui relater la scène que Maurice réapparaissait.

– Ça va ?

– Oui, oui.

– Tu veux qu'on le mette à la porte ?

– Non, surtout pas. Il est fou, mais c'est un excellent acteur.

Il fut impossible de bosser de l'après-midi car tous mes collègues défilèrent dans mon bureau en petits comités pour jacasser à propos de l'incident Iberville. Maurice repassa vers la fin de l'après-midi pour m'annoncer qu'il avait fait quelques téléphones qui lui avaient appris que le gars s'était fait jeter par tous ses agents. Roger, de Stressing productions, l'avait même traité de « fou furieux ». Maurice s'excusa de m'avoir demandé ce service.

Je crois qu'il se sentait vraiment coupable car il envoya trois gars de la postprod pour m'accompagner et porter ma valise jusqu'en bas de l'immeuble. Ils attendirent même avec moi que Mélanie passe me prendre. Je crois qu'ils craignaient que l'énergumène ne se repointe après les heures de bureau.

L'orage n'avait pas duré et, vers la fin de l'après-midi, tout était déjà sec. On alla ramasser un Simon furieux, faire quelques courses pour le souper, et on fila à la campagne. C'était assez ironique compte tenu du fait que les légumes que nous avions achetés à l'épicerie avaient sans doute pris la route pour me rejoindre à Montréal et que moi, ensuite, je les rapportais à la campagne d'où ils provenaient. Nous avons mis The Ventures 🎧 et Simon nous relata sa journée. Simon était aussi directeur de production, mais il travaillait pour Mel's, les studios de cinéma. Il nous raconta comment il avait dû remplacer trois assistants de production au pied levé parce qu'ils avaient eu le malheur d'avoir un contact visuel avec Eddy Murphy, qui tournait un film dans un de leurs studios. Et qu'il était strictement interdit d'avoir tout contact autant physique que visuel avec lui, c'était même une clause de son contrat.

Une fois tout son fiel ventilé, Simon me félicita pour mon blogue, qu'il avait trouvé très rigolo. Comme nous roulions à 10 kilomètres à l'heure car nous étions coincés dans les bouchons, nous discutâmes des sites de rencontre que j'avais visités et mes amis me donnèrent des idées pour la rédaction de mon texte de présentation, que je comptais terminer durant ces deux jours de congé. Nous arrivâmes vers 19 h 30.

– Enfin, soupirai-je en refermant la portière.

Je laissai Mélanie et Simon s'extasier sur la maison pendant que je m'étirais. Puis je sortis le trousseau de clés qu'Estelle m'avait fait parvenir et j'entrepris d'ouvrir. Ils me piétinèrent presque pour entrer avant moi. De vrais enfants.

Sur le comptoir de la cuisine, je découvris une feuille quadrillée sur laquelle était inscrit le mode d'emploi pour aller rebrancher l'eau et l'électricité. Elle était signée par Pierre, l'agent de la SQ gai.

Je rangeai les provisions pendant que Mélanie et Simon continuaient de parcourir la maison. Ensuite, je commençai à bricoler le souper. Des brochettes de poulet, du riz, des brocolis et une salade concombre/tzatziki. J'entendis Mélanie hurler de plaisir en découvrant le spa.

– Venez donc m'aider ! leur criai-je.

– Cette maison est vraiment géniale, déclara Mélanie en me rejoignant à la cuisine. Elle empoigna le concombre. Tu vas avoir des vacances formidables, ici.

– Toi aussi, rétorquai-je. Vous venez toujours passer une semaine avec moi ?

– Certainement ! répondit Simon en entrant dans la cuisine. J'ai trouvé la cuve pour faire un feu. On va en faire un ce soir ?

– Tu crois que tu sauras l'allumer, toi, *Homo technologicus* ? lui demandai-je.

– Je suis capable de partir un feu n'importe quand, annonça-t-il d'un air assuré.

– Avec des allumettes ou un briquet, c'est certain ! rétorqua Mélanie, moqueuse.

– Même pas besoin, je suis un vrai homme, moi !

Et il se frappa le torse à la manière des gorilles.

Mélanie et moi pouffâmes de rire.

– C'est vrai que tu es très viril, mon chéri, renchérit-elle en empoignant les fesses de son chum.

Je lui tendis la feuille quadrillée.

– Tiens ! Va faire un homme de toi !

Il remontait de la cave quand j'entendis une voiture approcher.

– Estelle ! annonçai-je.

Je déposai les brocolis dans l'étuveuse et sortis pour aller l'accueillir. Mélanie et Simon me suivirent. Elle se garait quand nous arrivâmes sur le perron.

Je présentai Estelle. Elle se greffa à notre groupe le plus naturellement du monde. Je lui proposai un verre de rouge, qu'elle accepta. Étant donné mon allure, je fus forcée de lui raconter mon accident. Mélanie me déshabilla presque devant elle pour lui montrer mon impressionnante ecchymose à la hanche.

– *Dating* extrême. Voulez-vous faire le tour de la maison pendant qu'on termine de préparer le souper ? proposai-je à Estelle pour faire diversion.

– D'accord. Comme ça, ce sera fait ! répondit-elle en déposant une tarte aux pommes sur le comptoir.

Elle se dirigea vers la chambre de George-Étienne.

– Elle a l'air super ! s'exclama Mélanie, une fois qu'elle fut hors de portée.

– Oui, c'est vrai, je l'aime beaucoup.

Je me tournai vers Simon.

– Toi, homme, alors toi, barbecue ! grommelai-je comme si j'étais une femme des cavernes à peine sortie de l'ère glaciaire en lui tendant les brochettes.

Je partis en quête d'un bol à salade tout en récapitulant pour Mélanie les meilleures suggestions d'Oskare quant aux activités à faire dans la région.

– Une chose est sûre : je veux aller en randonnée à cheval.

– Sans moi. Ce n'est pas très indiqué pour une femme qui cherche à tomber enceinte. Par contre, j'aimerais bien faire les antiquaires. Je voudrais trouver un beau lit de bébé et une chaise haute.

Je piquai les brocolis.

– On pourrait aussi aller faire de la plage dans le parc national de la Yamaska, proposai-je.

– Oh oui ! s'exclama-t-elle en frappant dans ses mains. Il y a plein de choses à faire, dans le coin !

– J'espère, parce que je vais passer un mois de vacances ici.

– Ça te prendrait un gentil guide pour te faire découvrir la région, intervint Simon qui rentrait avec la viande.

– Je ne suis pas certaine que je vais trouver ça ici.

– On ne sait jamais ! affirma Mélanie. Tu pourrais trouver l'homme de ta vie.

– En tout cas, tu es pas mal positive. En connais-tu beaucoup, des filles qui sont avec « l'homme de leur vie » ?

– Pas beaucoup. C'est vrai que c'est surtout devenu une expression.

Mélanie leva son verre.

– Au rafraîchissement d'un vieux mythe ! fit-elle.

Après avoir pris sa gorgée, elle poursuivit :

– Qu'est-ce que tu veux, on n'a plus de modèle. Éros et Psyché ont été remplacés par *Pretty Woman.*

– Ou *The Bodyguard.*

On entonna la chanson thème du film. Nous fûmes interrompues par les supplications de Simon.

– Je vous en prie, arrêtez-moi ça !

Estelle arriva au même moment avec un coffret en bois sous le bras.

– Elle, elle l'a eu, « l'homme de sa vie », dis-je à Mélanie en désignant Estelle.

Je les dirigeai vers la salle à manger intérieure, où j'avais dressé la table tandis qu'Estelle dressait le portrait de son ancien mari. La tendresse avec laquelle elle en parlait était émouvante.

La pluie avait cessé mais il faisait plutôt frisquet, ce soir-là. Nous aurions mangé froid si nous avions dressé la table dehors. De toute façon, la salle à manger se situait dans le cube de verre. C'était vraiment comme si on était dehors. Les moustiques en moins.

Je remplis les verres pendant que Mélanie questionnait prudemment Estelle sur son mari.

– Que comptez-vous faire de la maison ? intervint Simon.

– Je ne le sais pas encore. Je ne sais pas si je vais la vendre ou non. Je n'ai pas besoin d'argent, mais je ne peux pas m'en occuper non plus. Ça me rend bien service que Justine la loue pendant un moment. Ça va me donner le temps de penser à ce que je veux en faire. Qui sait ? Peut-être trouverai-je d'autres personnes à qui la louer.

– Qu'est-ce que vous voulez que je fasse des meubles et des affaires de George-Étienne ?

– Je vais garder ses papiers personnels. Le reste sera loué ou vendu avec la maison. Prends ce que tu veux, livre, disques... Ne te gêne pas. Fais-moi seulement une liste de ce que tu vas conserver.

– Merci, c'est très gentil à vous, Estelle.

– Pour ses vêtements, tu pourras les donner à l'organisme de ton choix.

– Parfait. Je connais un costumier à qui ça va faire plaisir. C'est tout ce que vous allez conserver ? repris-je en désignant le coffret de bois du menton.

– Ça appartenait à ma sœur, expliqua Estelle en désignant le coffre.

Elle l'ouvrit et en sortit une montre de gousset en argent ciselé. Elle la tendit à Simon.

– Tu la veux ?

– Elle est magnifique, mais je ne peux pas, fit Simon, touché.

– Mais si, qu'est-ce que tu veux que j'en fasse ?

– Vous pourriez la vendre. Je suis certain que vous seriez capable d'en tirer un bon prix.

– Pourquoi ? Pour m'acheter un troisième écran plasma ? Ce dont j'ai vraiment besoin, ce serait d'un nouvel intestin, mais ça ne s'achète pas. Tiens, prends ! ordonna-t-elle en lui tendant la montre.

Simon se confondit en remerciements.

– Qu'est-ce que vous allez faire avec le livre que George-Étienne était en train d'écrire ? l'interrogea Mélanie.

– J'ai appelé son éditeur et il m'a répondu que l'œuvre n'était pas suffisamment achevée pour être publiée.

– C'est dommage ! commentai-je.

Elle s'essuya la bouche avec sa serviette de table et se leva soudain.

– Je voudrais porter un toast. Merci, Justine, pour ton invitation.

– Merci, Justine ! chantèrent Mélanie et Simon en chœur.

Nous nous levâmes pour trinquer, puis ce fut à mon tour de porter un toast :

– À George-Étienne, qui nous a permis de nous rencontrer.

– À George-Étienne, répétèrent-ils plus solennellement.

– Il va falloir faire un feu dehors. J'ai apporté des guimauves, ajouta Estelle.

Le visage de Simon s'illumina de bonheur.

– À propos, intervint Estelle, comment avez-vous connu George-Étienne ?

Outre la tarte aux pommes et les guimauves, Estelle avait aussi apporté une bouteille de prunelle de bourgogne que nous allâmes tous trois déguster sur le bord du feu. Nous avions tous pris de bons chandails, des couvertures et nous avions traîné les chaises de la terrasse jusqu'à la cuve.

– La pression est forte, Simon, le taquinai-je en distribuant les verres à digestif. Après la façon dont tu as vanté tes qualités d'hommes des bois cet après-midi, il ne faudrait surtout pas que tu sois incapable d'allumer le feu.

Simon fit son coq.

– Mesdames, prenez place et laissez faire le professionnel.

Mélanie le couvait d'un regard désapprobateur. Il avait mis tous ses vieux vêtements préférés qui étaient pleins de trous et très démodés et elle trouvait qu'il faisait dur. Simon l'ignora superbement pour s'occuper de son feu.

Nous l'observâmes en silence pendant qu'il empilait des bûches. Il ventait un peu. Ça lui prit donc un certain temps pour allumer le feu. Lorsqu'il y parvint enfin, nous le récompensâmes de nos applaudissements. Il s'embrassa les biceps de bonheur et alla rejoindre Mélanie sur la chaise longue.

Estelle prit soudain un air grave.

– Il y a quelque chose que je dois faire. J'espère que vous ne le prendrez pas mal.

Puis elle sortit de son sac un gros Ziploc qui semblait contenir de la terre.

– Qu'est-ce que c'est ? demanda Mélanie, qui s'était redressée sur la chaise.

– Ce sont les cendres de George-Étienne, nous annonça-t-elle simplement.

Je me redressai à mon tour.

– Qu'est-ce qui a été mis dans la crypte ? la questionnai-je.

– De la terre de mon jardin. C'est George-Étienne qui m'a demandé de le faire. Il voulait être répandu autour de la cuve. Avec les cendres de tous les feux qu'il a faits ici. Comme il savait qu'il mourrait jeune, il s'était préparé. Il voulait reposer ici, à l'endroit où, m'a-t-il dit, il a été le plus heureux. À regarder un feu de bois, dans la forêt, sous les étoiles.

Ma gorge se noua. Estelle poursuivit :

– C'est pour ça que j'ai tiqué quand les disciples du...

Elle me jeta un coup d'œil interrogateur.

– Du temple d'Éros, lui soufflai-je.

– C'est ça, quand ils ont parlé de leur cérémonie prétendument requise par mon neveu.

Elle leva les cendres au ciel et ouvrit le sac. Elle en versa la moitié autour de la cuve et l'autre moitié directement dans le feu. Une foule de petits bouts de cendre incandescente s'éparpillèrent dans la nuit, volant vers les étoiles. C'était tout ce qu'il restait de lui.

– Au revoir, George-Étienne, soufflai-je. Et merci !

Chapitre 37

Un nouveau set de vaisselle

Samedi: vacances – 6 jours

Estelle nous avait quittés vers minuit. Nous nous étions couchés peu après, assommés par l'air pur de la campagne. Comme c'était très silencieux, je me fis réveiller par Mélanie qui se faisait du café à la cuisine. J'enfilai un legging et un t-shirt et descendis la rejoindre. Elle m'accueillit sur un « Allo » à moitié bâillé. Simon arriva dix minutes plus tard, alléché par l'odeur du café.

– On se fait du bacon et des œufs ? proposa Simon.

– Encore l'homme des bois qui parle ? demanda Mélanie en se collant contre lui.

– Non, j'ai sorti des croissants et il y a des fraises et du cantaloup, lui répondis-je.

– C'est un déjeuner de filles, ça ! maugréa-t-il.

– Et on va aller déjeuner dehors, il fait un temps magnifique, ajouta mon amie en entraînant son chum vers la terrasse.

Je plaçai les croissants dans le four et entrepris de découper le cantaloup. Roman était de retour de Québec. Allait-il venir nous rejoindre ? J'essayais d'évaluer les probabilités de sa venue quand Mélanie annonça :

– Je crois que les croissants sont prêts !

Après avoir déjeuné au soleil, Mélanie et moi étions allées nous mettre en bikini pour faire trempette dans le spa.

– On va au village faire des courses ? me demanda-t-elle au bout d'une heure.

Je m'essuyai les mains et consultai ma montre : 11 heures.

– Qu'est-ce que tu veux manger ?

– J'aurais le goût d'un gaspacho.

On rédigea un mot d'explication pour Simon, qui était parti se promener dans les environs. Puis on prit le rang qui conduisait sur la rue Principale, où se situait l'épicerie. Nous sortions de la SAQ, armées de tout ce qu'il fallait pour nous confectionner des margaritas, quand je tombai sur *lui* : le gars hyperséduisant qui m'avait souri sur le trottoir devant le Petit Alep. Wow ! Quelle coïncidence ! La chanson *Little Trip to Heaven* résonna dans ma tête.

– Allo !

Ça m'était sorti tout seul. J'étais plantée là, devant lui, pendant qu'il plissait les yeux pour se rappeler qui j'étais.

– On s'est croisés cette semaine sur Jean-Talon, j'avais un chapeau, mais pas d'œil au beurre noir.

J'espérais qu'il allait me reconnaître, tout de même. Sinon, ça allait devenir humiliant. C'est vrai que je n'étais pas à mon avantage. J'étais encore en legging et je n'étais pas maquillée. Et lui qui était si beau avec son regard vert, ses cheveux à la Steve McQueen et sa barbe de trois jours qui lui donnait un air de faux dur. Merde. Il me regardait encore avec un air interrogateur.

– Tu m'as souri.

Son visage s'est déplissé.

– Ouuuiiii ! Bien sûr. Qu'est-ce qui t'es arrivé ?

Grrrr.

– Cinq minutes après t'avoir croisé, j'ai fait la connaissance d'un support à vélo.

– Ouch ! fit-il avec un sourire compatissant tout à fait charmant.

Il n'était pas grand, mais il était bien charpenté. J'aurais voulu me blottir dans ses bras. Une chose à la fois.

– Une chance que je n'ai pas de chum, tout le monde penserait qu'il me bat.

Je restai époustouflée de mon audace !

– Et qu'est-ce que tu fais dans le coin ? demanda-t-il avec un sourire entendu.

– Je loue une maison jusqu'à la fin juillet.

– Tu vas adorer ça, ici… commença-t-il, mais il s'arrêta et m'attira vers lui pour m'éviter de me prendre la porte de la SAQ derrière la tête car un client cherchait à sortir.

Je me retrouvai à deux centimètres de son nez. La tension monta d'un cran. J'en étais consciente et il en était conscient. Il me sourit et fit un pas en arrière. Puis il poursuivit comme si rien ne s'était passé.

– … Moi, j'ai définitivement adopté le coin. Ça fait cinq ans que je loue la même maison et bon nombre d'amis m'ont suivi. J'aimerais bien acheter, mais je ne peux pas me le permettre. Je travaille à Montréal.

– Qu'est-ce que tu fais ? demanda Mélanie.

– Je suis éditeur. À propos, moi, c'est Joseph.

Joseph ? Je le détaillai pendant que Mélanie faisait les présentations formelles. Il était croquable. Il portait une chemise à fleurs sur un jean élimé qui lui allait à merveille. Dire que je m'étais fait la réflexion, il y avait quelques semaines à peine, que je cherchais mon Joseph. Était-ce lui ? L'homme ? Puis Mélanie lui demanda :

– Pour quelle maison d'édition travailles-tu ?

– Les Inclusifs. Où habites-tu ? me demanda-t-il.

– J'ai loué la maison qui appartenait à George-Étienne Paré, située sur le chemin de l'Étang. C'est une ancienne grange.

– Je vois très bien laquelle, je passe souvent devant pour la contempler. Je loue aussi une maison sur le rang 5. C'est à deux pas d'ici.

– La prochaine fois, arrête pour venir voir l'intérieur, lui répondis-je en rougissant de honte d'être aussi directe, mais bon, je m'étais promis de devenir une *dating machine*, après tout.

– Avez-vous des plans pour la Saint-Jean, samedi prochain ?

– Mon seul plan est d'emménager ici pour les quatre prochaines semaines. Je tombe en vacances vendredi prochain. Toi, as-tu des plans pour la Saint-Jean ? demandai-je à Mélanie.

– On part pour le Maroc lundi prochain, on n'avait pas fait de plans, répondit-elle.

– Je fais une fête chez moi, avec des amis. Joignez-vous à nous, si vous voulez. Je suis certain que vous allez très bien vous entendre avec eux.

– Ok ! À quelle heure ?

– Dix heures du matin.

– Hein ?

– Oui, il va y avoir plein de monde d'un peu partout qui va arriver tout au long de la journée. Il devrait y avoir une dizaine de tentes dans la cour. Et des tonnes d'enfants. On va jouer à la pétanque, se baigner dans la rivière et boire beaucoup de bière. C'est un *potluck*. Tout le monde apporte quelque chose. Moi, je fournis le méchoui d'agneau. Donnez-moi vos adresses électroniques, je vais vous ajouter au courriel du groupe.

Mélanie promit d'essayer de convaincre son homme. Je donnai mon adresse à Joseph et ensuite il me donna sa carte d'affaires avec son numéro de cellulaire personnel et son adresse à Montréal. Ça me changeait un peu de Roman. Je m'aperçus qu'il habitait aussi à deux pas de chez moi en ville. Il était même étonnant qu'on ne se soit encore jamais croisés.

– À samedi, alors ? fit-il en attrapant la poignée de la porte de la SAQ.

– À samedi prochain.

Il se retourna et je pus enfin contempler son cul.

Mélanie dut me guider sur le chemin principal jusqu'au rang de terre qui conduisait vers la maison car j'étais béate de ravissement et je flottais de volupté à l'idée de le revoir la semaine suivante.

– Ouin, ouin, ouin... marmonna Mélanie, qui jonglait avec les multiples sacs d'épicerie.

– Quoi ?

Elle se mit à m'imiter :

– Allo, on s'est vus cette semaine, bla, bla, bla... Une chance que j'ai pas de chum... Tu pourras passer...

– Ben quoi ? Moque-toi pas de moi, c'est toi qui m'as embarquée là-dedans.

– Comment ça ?

– Je suis toujours certaine que c'est toi derrière Ouija.

– Je m'insurge ! s'exclama-t-elle avec des gestes de tragédienne.

– Insurge-toi autant que tu veux, mais ça a marché. Il m'a invitée.

– Il *nous* a invitées. C'est pas fameux d'inviter une fille dans ce genre de party pour un premier rendez-vous.

– Ben voyons donc, au contraire. Je vais rencontrer ses amis. Je vais savoir tout de suite qui il est.

– Ouin, c'est vrai, fit-elle, soudainement penaude.
– Qu'est-ce que t'as ?
– Oh, je ne sais pas, excuse-moi, tu as raison. Je ne suis pas très encourageante.
– Qu'est-ce qui se passe ?
Elle poussa un soupir et fit semblant de pleurer.
– Je m'excuse. Ça ne va pas fort, avec Simon, de ce temps-là.
– C'est à cause du bébé ?
– Oui, sûrement. C'est pas lui, c'est moi. Lui, il n'est pas au courant.
– Pourquoi tu ne lui en parles pas ?
– Parce qu'il n'y a rien qu'il puisse faire.
– Je ne comprends pas.
– À cause du bébé, je me remets en question. Je me demande s'il est vraiment l'homme de ma vie.
Je n'en revenais pas.
– Ne me regarde pas comme ça ! On dirait que je viens de commettre un meurtre devant tes yeux. C'est normal de se remettre en question.
– ...
– Ben voyons donc, poulette, prends pas ça comme ça. On ne peut jamais être certain à 100 %. Et si oui, c'est juste parce qu'on est stupide. Ça m'est déjà arrivé. Et c'est probablement déjà arrivé à Simon aussi. C'est juste un mauvais moment à passer. Le mois prochain je vais probablement retomber follement amoureuse de lui. C'est normal : dans un couple, il y a des hauts et des bas.
– Je ne peux pas savoir parce que je n'ai jamais été en couple assez longtemps pour expérimenter la chose, dis-je piteusement. Tu ne l'aimes plus ?
– Je l'aime encore, ça, c'est certain, fit Mélanie, pensive. Mais ça fait si longtemps qu'on est ensemble que je me demande si c'est pas juste par habitude. En tout cas, je l'aime assez pour faire confiance à notre amour et continuer à essayer de

faire un enfant avec lui, même si je me remets en question.

Ouch ! Je venais de me tordre la cheville gauche sur le chemin de terre crevassé. J'avais failli m'étaler, mais je m'étais reprise à temps. Par contre, il y avait des oranges sanguines qui nous avaient coûté une fortune partout sur la route.

Mélanie les ramassa pendant que je me massais la cheville. Merde. Tout allait si bien et maintenant c'était moi qui étais déprimée. C'est vrai que Joseph ne m'avait pas vraiment invitée pour un *rendez-vous*. Après tout, il avait peut-être une blonde. Et puis, il y avait Roman. Allait-il répondre à mon invitation ? Peut-être qu'il était déjà là.

On retrouva Simon dans le spa et Mélanie lui fit un résumé de notre rencontre. Elle lui fit également part de l'invitation de Joseph pour la Saint-Jean et, comme Simon souhaitait passer du temps avec ses amis avant de partir en voyage, ils convinrent de passer cette soirée chacun de son côté. Ça me faisait de la peine étant donné la conversation que nous avions eue, Mélanie et moi, à propos de leur relation, mais il était peut-être préférable qu'elle s'ennuie un peu de lui. Après tout, ils allaient passer ensemble le mois suivant au complet.

Mélanie prépara le dîner, qu'elle servit à l'extérieur. Nous nous empiffrâmes comme des goujats, puis Simon et elle décidèrent d'aller faire une sieste. Moi, je m'installai à l'ombre sur une chaise longue avec mon Moleskine et un verre d'eau minérale. J'avais l'intention de profiter de ces quelques moments de répit pour faire un ménage de mes listes. J'en avais noté plusieurs nouvelles, récemment, et je voulais les relire. Ma vie défilait à une telle vitesse, j'avais l'impression de perdre prise. J'avais besoin de retrouver où j'en étais.

J'ouvris mon Moleskine d'un geste décidé. Je récupérai la liste de mes expériences passées. Je relus le nom des cinquante-sept hommes avec les fonctions et compétences correspondantes. C'était toujours aussi affligeant. Mais c'était le passé. Enfin, je l'espérais. J'ajoutai Bernard 2, Jacob et Roman. Je renonçai à essayer de les classer.

Je passai en revue mes deux descriptions de l'homme idéal. Ensuite, dans ma liste des points à régler, je biffai « projet livre ». Parce que, techniquement, j'avais bien terminé de lire le livre. J'étais aussi tentée de rayer « histoires glauques » et « dépendances », mais je me retins car je voulais m'assurer que les améliorations que j'avais observées chez moi récemment allaient se maintenir. Il me restait toujours « devenir productrice ». J'allais devoir trouver une autre bonne idée à soumettre à Maurice. Ce serait mon projet de vacances. J'ajoutai « blogue » à la suite. Je ne savais pas si j'en tirerais quelque chose, mais ça m'amusait beaucoup.

Je relus la liste une deuxième fois et restai accrochée sur « projet livre », que je venais de rayer. J'avais décidé de devenir une *dating machine*, ce point devait donc faire partie de ma liste. Je contemplai les nuages un moment et j'inscrivis « set de vaisselle », à la place.

Puis je tournai la page et repassai la liste des activités à faire pour rencontrer des hommes. J'y ajoutai « sites de rencontre ». Il allait falloir que je termine mon texte de présentation, d'ailleurs. Justement, j'arrivais aux notes que j'avais prises à ce sujet. Je me demandai si ça valait toujours le coup de le rédiger, à présent que j'avais deux *prospects*, Roman et Joseph. Toutefois, il n'y avait rien de très sérieux avec aucun d'entre eux pour l'instant. Je devais donc continuer.

J'allais m'atteler à la tâche quand un bout de papier glissa sur mes cuisses. Une vieille facture. Je la dépliai et je tombai sur : « Si jamais tu deviens amnésique : ne cherche pas d'où tu viens et pars refaire ta vie ailleurs. » Je souris. Puis je la déchirai et la laissai s'envoler avec le vent.

– Qu'est-ce que tu fais ? me demanda Mélanie qui arrivait en se frottant les yeux.

Je refermai mon Moleskine.

– J'allais travailler sur mon texte de présentation pour le site de rencontre.

– Tu veux que je t'aide ?

– Seulement si ça te tente.

– Il est quelle heure ?

– Deux heures et quart.

– Penses-tu qu'il est trop tôt pour prendre une margarita ?

– Quelque part sur la planète, il y a toujours un endroit où c'est l'heure de prendre une margarita, ma poule.

On se prépara des margaritas et je m'installai devant le portable de Simon. Ce dernier apparut quinze minutes plus tard. Il alla se chercher une bière et s'occuper de la musique avant de nous rejoindre sur la terrasse.

Je terminai mon texte vers 21 h 30. Nous étions passablement éméchés et Simon se vanta de sa nouvelle acquisition : sa clé USB Internet. On put donc mettre mon texte en ligne immédiatement.

Finalement, Roman ne vint pas.

Chapitre 38

Les hommes sont-ils des animaux ?

Dimanche : vacances – 5 jours

Merde, le texte ! Qu'est-ce que j'avais fait ? Je me précipitai à moitié nue vers le rez-de-chaussée où se trouvait l'ordinateur de Simon. Il était toujours ouvert. Je repérai la version Word et cliquai sur le fichier.

– Oh non !

Je venais de lire le titre de mon texte. « Les hommes sont-ils des animaux ? » J'avais besoin d'un café pour me préparer à la suite.

Bon, voyons voir :

« Je veux tout de suite te rassurer, cher lecteur, je ne crois pas que les hommes sont des animaux. Ma présence virtuelle en ces lieux tendrait plutôt même à prouver le contraire. Toutefois, comme il est d'usage de se présenter, j'ai décidé de le faire d'une façon humoristique et instructive. Si vous n'avez pas le sens de l'humour, chers messieurs, arrêtez de lire immédiatement et passez à une autre fiche.

« Je commencerai tout de même par les présentations d'usage. Je suis une femme de trente-deux ans, directrice de production dans une boîte télé. Je suis drôle, originale et intelligente. J'ai un très bon sens de la répartie. J'aime le théâtre, les arts visuels, la musique, les films. Mon plat préféré est le carpaccio de bœuf avec salade de roquette. Attention : je suis carrément carnivore. Et j'ai détesté *Le Secret.*

« Je suis à la recherche d'une relation exclusive (ça, c'est pas négociable) avec un homme. Il doit être gentil, créatif, autonome financièrement, avoir des passions, avoir moins de quarante-cinq ans, être prêt à s'engager et me faire rire.

« Peu après avoir décidé de m'inscrire sur un site de rencontre, je suis tombée sur un documentaire du *National Geographic* au sujet des habitudes sexuelles étranges des animaux. Je l'ai regardé avec ma meilleure copine et nous avons fait de nombreux rapprochements entre les comportements des animaux et ceux de certains types d'hommes envers les femmes. Comme le documentaire était très intéressant et les similitudes plutôt drôles, j'ai choisi de m'en inspirer pour vous faire comprendre mes attentes envers la personne avec qui je veux partager ma vie. Voici donc le top 10 d'un bestiaire plutôt singulier. Je commencerai par les espèces qui m'inspirent des sentiments positifs.

« Les habitudes sexuelles étranges des animaux.

« 1. La corneille : pour tous ceux qui se demandent si la corneille est la femelle du corbeau, eh bien la réponse est non. La corneille et le corbeau sont deux espèces d'oiseaux différentes. Les corneilles forment un vrai couple, dans la vie. Outre le fait qu'ils sont monogames, ce qui est très rare chez les animaux, ils savent se donner un coup de main pour les tâches matérielles et l'élevage des oisillons.

« 2. Le *Ptilonorhynchidae* (*bowerbird*) : cet oiseau d'Australie et de Nouvelle-Guinée a une curieuse mais charmante façon de séduire la femelle. Pour l'attirer, il lui construit un nid. La structure, complexe, est faite d'herbes sèches, de brindilles et de fleurs et ressemble à une hutte, qu'il décore avec des plumes, des pierres et même des bouts de verre ou de plastique dont les couleurs sont coordonnées selon un thème monochrome.

« 3. L'acarien *Balaustium* (*red velvet mite*) : pour retenir l'attention de la femelle, cet acarien crée une sorte de jardin d'amour. Avec son sperme, il tisse une toile et, lorsque la femelle passe à cet endroit, si l'œuvre lui plaît, elle peut décider de suivre la piste qui lui permettra de retrouver son artiste.

« Voici maintenant des animaux qui m'inspirent plutôt des sentiments négatifs. Attention, certains détails sont plutôt répugnants.

« 4. Le *Fregatidae* (*frigatebird* en anglais) : le mâle a sur la gorge un sac rouge vif qu'il gonfle en une vingtaine de minutes et qui prend la forme d'un gros cœur. Pour attirer la femelle, il l'agite en battant des ailes.

« 5. Le lion : le lion est le roi des paresseux. En général, ce sont les femelles qui font la chasse pendant que les mâles dorment. Quand les femelles ont attrapé une proie, ce sont malgré tout les mâles qui se nourrissent en premier. Seul le mâle alpha du clan peut se reproduire et lui seul a autorité sur les lionnes. Mais comme sa période de reproduction ne dure qu'en moyenne de deux à quatre ans et qu'il ne peut attendre que la femelle ait terminé d'élever son petit pour s'accoupler, car il risque d'être détrôné au moment où ça arrivera, alors il n'hésitera pas à tuer les petits du clan. Il ira même jusqu'à manger les cadavres pour dissimuler son acte.

« 6. La punaise : le mâle utilise son pénis en forme de cimeterre pour empaler la femelle et verser ses œufs directement dans la cavité ventrale. Les scientifiques ont appelé cette forme de reproduction *traumatic insemination.* Je sais, c'est dégoûtant. Je vous avais avertis.

« 7. Le poisson clown : saviez-vous que Nemo pouvait changer de sexe ? Eh oui, les poissons clowns peuvent passer de mâle à femelle et inversement.

« 8. Le dauphin : les dauphins auraient un sexe préhensile, c'est-à-dire qui peut saisir des objets. Ils s'en servent souvent pour examiner des choses. En plus, ils ont un appétit sexuel plutôt vorace. Ils peuvent avoir des relations sexuelles de nombreuses fois par jour. D'ailleurs, ils n'hésiteront pas à se mettre à plusieurs pour forcer les femelles à copuler. Toutefois, le temps moyen d'une relation sexuelle est de douze secondes.

« 9. L'escargot : les escargots sont hermaphrodites. Ils possèdent des organes masculins et féminins à la fois, mais ils ne peuvent s'autoreproduire. Ce qui les rend étranges, ce sont les flèches d'amour qu'ils se lancent durant la copulation. On a récemment découvert que ces flèches d'amour sont enrobées d'un mucus facilitant le transport du sperme au système reproductif femelle de l'escargot atteint. Il semblerait malheureusement que les escargots sont de mauvais tireurs et qu'il serait plutôt dangereux pour eux de copuler. Fait amusant, les escargots auraient peut-être influencé le mythe de Cupidon des Grecs.

« 10. Les lophiiformes (*anglerfish* en anglais – un autre poisson qui fait une apparition dans le film *Finding Nemo*, le poisson le plus laid) : le mâle naît avec un odorat surdéveloppé. Lorsqu'il devient adulte, son système digestif dégénère, le rendant incapable de se nourrir. Il se met alors à la recherche de la femelle qui pourra le sauver; grâce à son système olfactif, il arrive à détecter les phéromones de la femelle la plus proche. Quand il la trouve, il la mord à l'abdomen et relâche un enzyme qui liquéfie la peau de sa bouche et la peau de la plaie de la femelle, pour se fusionner avec elle. Le mâle s'atrophie alors pour ne devenir qu'une sorte de paire de couilles. Quand vient le temps de la reproduction, ils n'ont qu'à échanger directement les fluides nécessaires.

« La morale de ce documentaire: je recherche un partenaire de vie, créatif et de préférence manuel (je suis pourrie pour les travaux manuels). Par contre, j'essaie d'éviter de côtoyer les gens qui musclent leurs corps plus que leurs cerveaux. Qui se laissent entretenir par leur conjoint. Qui violentent leur entourage et ne sont pas certains de leur identité sexuelle. De plus, je ne saurais choisir de partager ma vie avec un homme qui n'aurait pas une forte personnalité. Il se doit d'être plus qu'une paire de couilles.

« Justine »

Ce n'était pas aussi grave que je l'avais imaginé. J'avais eu vraiment peur d'être encore tombée dans l'autosabotage. Je m'apprêtais à me faire des toasts quand Mélanie et Simon déboulèrent, l'air paniqués. Ils cherchèrent tous les deux l'ordinateur des yeux et m'observèrent, craintifs.

– Ça va. C'est même plutôt bon.

– Aaaahhhhh! firent-ils tous les deux en se dégonflant.

Voilà que Simon avait attrapé la manie de sa blonde, à présent. C'était drôle de voir comment, dans certains couples, les deux personnes finissaient par s'influencer dans leur façon d'être et en arrivaient à se ressembler. C'était attendrissant et épeurant à la fois.

Après le déjeuner, on alla faire une longue randonnée dans le bois pendant laquelle nous discutâmes de mes deux *prospects*, Joseph et Roman. Deux questions retinrent spécialement notre attention. 1) Est-ce que Joseph était réellement intéressé par moi ? Et 2) Roman était-il disponible ? On n'arriva à répondre à aucune des deux, mais Simon était d'avis que Joseph était plus près de ce que je recherchais et qu'il semblait plus sérieux. On surprit un lièvre qui détala sous nos yeux.

Simon nous ramena à la maison vers 11 h 30 ; nous étions complètement détendus, mais affamés. On se prépara un festin, puis je me mis à penser qu'il faudrait bientôt partir et le blues du dimanche me frappa de plein fouet. J'allai passer mon bikini pour me faire tremper dans le spa, mais j'étais déjà nostalgique. Mélanie et Simon furent touchés par le même mal lorsque, vers 15 heures, je commençai à faire le ménage.

– Je ne veux pas m'en aller ! pleurnichai-je en fermant la porte à clé.

J'essayai de m'encourager en pensant que j'allais revenir dans quelques jours. Je repensai à Joseph. J'espérais qu'il allait m'écrire. Et Roman, le verrai-je ce soir ? Après tout, il ne partait que demain.

J'arrivai à la maison vers 18 heures. Simon eut la courtoisie de monter mes bagages. Je l'en remerciai d'une bise sur la joue. Il me répondit en se tapant sur le torse à la manière des gorilles. C'était un gars comme lui que je voulais. Et il était vrai que Joseph était plus près de Simon que Roman.

J'étais en train de ranger les provisions quand j'entendis des cris en provenance de chez Roman. Je levai les yeux. Je reconnus la voix de Laurence. Que faisait-elle encore chez lui ? Je n'entendais rien de ce qu'ils disaient, alors je déplaçai une chaise et montai sur celle-ci pour me rapprocher du plafond. Malgré cela, leur conversation restait un flot de bruits indéfinissables. Je gagnai mon balcon et grimpai sur l'escalier en colimaçon qui menait au balcon du troisième. Je montai aussi haut que possible tout en restant cachée. J'entendais mieux, mais je ne percevais que des bribes: « C'est toi qui as voulu... Tu n'es pas... Je m'en fous. »

Cependant, je m'aperçus que des gens dans la cour du dessous m'avaient repérée. Je dus faire marche arrière et regagner mon appartement.

Je décidai de mettre de la musique, très fort, pour qu'ils comprennent de baisser le son, mais surtout pour les enterrer. Il m'avait dit que c'était terminé avec elle. Et pourtant, elle était toujours là. Par vengeance, je mis la chanson de Frank Sinatra sur laquelle nous avions dansé sur mon balcon et j'allai vérifier si j'avais reçu des courriels.

J'en avais quarante-deux.

Une fois le premier choc passé, je me préparai un dîner avec les restes que j'avais rapportés de la campagne que je mangeai en passant en revue les messages que j'avais reçus. Beaucoup me félicitaient pour mon travail de recherche. Quelques courriels provenaient d'hommes se sentant insultés par le titre de mon texte, mais qui ne l'avaient visiblement pas lu. Un autre me remerciait de son nouveau surnom, « Frega », et il espérait ne jamais me rencontrer dans la rue. Il y en avait deux qui avaient un texte de présentation intéressant, mais l'un avait l'air d'un bichon maltais – j'aurais préféré un faucon maltais – et mesurait vingt centimètres de moins que moi, et l'autre avait cinq enfants et vivait à Brossard. S'il semblait y avoir quelques hommes tout à fait décents qui m'avaient écrit, aucun ne retint mon attention plus de quelques lignes, surtout en raison de la pauvreté de la langue. Quoi qu'il en soit, mon texte censé diminuer le nombre de courriels que je recevais avait eu l'effet inverse. C'était ce qu'on appelait un échec total. Je remarquai que c'était devenu silencieux, là-haut.

Je me déshabillai en me dirigeant vers la salle de bain. J'étais en train de me démaquiller quand je l'entendis dans sa salle de bain. Il semblait seul, à présent. Allait-il descendre, maintenant qu'elle était partie? Moi, je pourrais monter. Si elle était encore là et qu'ils étaient au lit? Au moins, je saurais où j'en étais. Je décidai de lui rendre une petite visite après mon bain.

Toutefois, à la fin de ma trempette, j'étais revenue sur ma décision. Même s'il était seul, il venait à peine de s'engueuler avec son ex. Ce n'était pas nécessairement le bon moment pour aller le voir. Il valait mieux attendre trois semaines, après son retour de voyage, et lui laisser le temps de faire le ménage dans sa tête. Et puis, maintenant, il y avait Joseph. Je voulais apprendre à le connaître avant de faire mon choix. Au moins, lui, il m'avait laissé ses coordonnées. Je sortis sa carte d'affaires et j'examinai la façon dont il avait écrit son numéro de cellulaire et son adresse. Il écrivait bien. De façon carrée, comme les architectes.

Je m'offris un verre de rouge et allai me rasseoir devant l'ordinateur. Je contemplai ma boîte de courriels. Allai-je les lire une deuxième fois, pour vérifier si je n'avais pas été trop superficielle dans mon jugement? Mes yeux furent attirés par l'icone «Miss Oddity» que j'avais créé sur mon bureau. Je fis une grimace à mon écran et supprimai tous les messages, du premier au dernier. Je cliquai sur «Miss Oddity».

Chapitre 39

Le groupe de la Saint-Jean

Lundi : vacances – 4 jours

Je pouvais définitivement abandonner la canne. Enfin. Et mon visage avait commencé à retrouver un début d'apparence normale. Je pouvais même me maquiller sans douleur. Je mangeais une banane quand j'aperçus le Post-it collé à ma porte. Je me précipitai et découvris un texte écrit en lettres minuscules.

> « Je n'ai découvert ta lettre qu'hier matin. Je suis désolé. J'aurais bien aimé aller vous rejoindre. Je pars ce matin pour Belgrade. Je reviens le 24 juillet. Je t'embrasse. »

Puis il y avait une phrase en serbo-croate, suivie de sa signature. Je me sentis fondre à l'intérieur. Pourquoi n'était-il pas descendu, la veille ? Mon téléphone rompit le fil de mes pensées. Comme j'étais certaine que c'était Mélanie, je répondis :

– Tu sais quoi ?

– Quoi ? répondit une voix d'homme. Mon cœur s'envola vers les sommets, je reconnaissais cette voix… Était-ce Joseph ? Puis il se mit à rire et mon rêve s'écrasa contre la dure réalité quand il ajouta : C'est Bernard.

Bernard 2.

– Je voulais t'inviter au restaurant.

– Dis quelque chose, Justine !

– Je ne suis pas à Montréal, je suis en vacances, mentis-je effrontément.

– Où es-tu ?

– À Québec.

Je prétextai des frais d'interurbain exorbitants pour rompre la conversation. Je lui promis de le rappeler dès mon retour à Montréal. Encore un mensonge. Mauvaise fille !

J'étais heureuse de revoir Oskare. Elle n'était là que depuis une semaine, mais j'avais l'impression qu'elle avait déjà été acceptée par toute l'équipe. Elle avait bien manœuvré pour s'attirer la sympathie de tout le monde en refusant de participer à tout colportage ou ragot. Elle était très adroite dans les relations interpersonnelles.

Je lui narrai ma fin de semaine ainsi que ma nouvelle rencontre avec Joseph.

– C'est romantique, votre histoire. Avec l'accident et la rencontre à Saint-Jean-sur-Richelieu. Je vous vois très bien la raconter à vos deux ou trois enfants.

– C'est un peu trop vite pour moi de penser à avoir deux ou trois enfants avec lui, pour l'instant.

– Alors je peux quand même t'inviter à venir au cinéma avec mon chum et un de ses amis, mercredi ?

– Ça ressemble beaucoup à une *blind date*, ça.

– Une *blind date* informelle. Et accompagnée, c'est moins gênant, argumenta-t-elle. Il est beau, il est ébéniste… Je ne le connais pas beaucoup, par contre.

J'eus beau lui faire valoir que j'étais déjà suffisamment confuse avec mes *dates* formelles, elle parvint à me convaincre. L'idée de passer un mois entier en campagne, loin de tout divertissement culturel, me poussa à accepter.

Puis je m'arrachai pour rejoindre mon bureau. Je ne pus me mettre au travail sans aller voir si j'avais reçu un courriel de Joseph. Rien, mais il n'était pas encore 10 heures. Par contre, je m'aperçus que j'avais trente-sept autres messages provenant du site de rencontre. Je soupirai. Je renonçai à en faire l'inventaire maintenant et me plongeai dans le travail. Si je voulais tout accomplir ce que j'avais à faire avant de partir en vacances, je n'avais aucun temps à perdre.

De : Joseph Dubois
À : Groupe de la Saint-Jean
Sujet : Party annuel !

Alors, bonjour groupe ! Je vous présente deux nouveaux membres sur la liste, Justine et Mélanie, deux Montréalaises que j'ai rencontrées samedi au village et que j'ai invitées pour fêter la Saint-Jean avec nous. Tout le monde ensemble : bienvenue, Justine et Mélanie ! Bon, je vais copier/coller les instructions du party de l'année passée : je fournis le méchoui d'agneau, la douche, vous apportez tous un plat, votre boisson et votre tente. N'oubliez pas de traîner vos instruments de musique et vos jeux. Arrangez-vous ensemble pour le transport. L'adresse et le plan se trouvent en pj.
Pour le menu : on sait que Mary va cuisiner sa célèbre salade de lentilles et que Rosalie va offrir les fraises. Pour les autres, que comptez-vous préparer ?
À très bientôt !
Joseph

Le groupe était constitué de dix-huit personnes. Avec les enfants, ce nombre allait sûrement doubler. Je n'avais malheureusement pas le temps de répondre maintenant. Et, surtout, je ne savais pas ce que j'allais préparer pour l'occasion. Ça demandait réflexion. Ce plat allait constituer la première impression que j'allais donner de moi. J'appellerai Mélanie ce soir pour en jaser avec elle.

Je revins chez moi vers 18 h 30, complètement épuisée. Je me bricolai une omelette au jambon et aux oignons que j'accompagnai d'un grand verre d'eau minérale. J'agrippai ensuite le reste de salade de fruits et allai consulter mes courriels. J'avais trois nouveaux messages du groupe.

Louis avait répondu :

Je vais faire une guacamole. Au plaisir de vous rencontrer, mesdames ! À propos, j'amène mon chien, alors ceux qui sont allergiques, pensez à prendre votre médication.

Mary aussi :

Je pourrais faire autre chose, pour une fois. Pourquoi pas un gâteau au fromage ?

Rebecca avait répondu dans les minutes suivantes :

Je veux de la salade aux lentilles. Ce ne sera pas pareil sans ta salade aux lentilles. C'est devenu une tradition. Tu veux attirer le mauvais œil sur nous ? Moi, je compte apporter les fromages et les baguettes. Bienvenue, les filles !

Ils avaient l'air plutôt sympathiques. J'avais hâte de les rencontrer.

J'agrippai mon téléphone pour appeler Mélanie. On convint que je préparerais une salade melon-féta et, elle, un plat de poissons fumés.

– À propos, je t'ai dit que j'ai une *blind date*, mercredi soir ?

– Tu ne chômes pas !

Je lui rapportai mes plans avec Oskare et raccrochai ensuite. Je me dirigeai vers la salle de bain en ramassant les traîneries sur mon passage. Mon appartement était en train de devenir un vrai trou. Il faudrait que je range. Surtout avant de partir en vacances. Ce soir-là, toutefois, c'était au-dessus de mes forces. Je tenterai de me lever un peu plus tôt demain matin.

J'ouvris les yeux, confuse ; il faisait noir, mais une sonnerie retentissait. Le téléphone. Je jetai un œil à mon réveil, qui m'informa qu'il était 1 heure du matin. Je répondis.

– Justine ? pleurnicha une voix à l'autre bout du fil.

– Solène ?

Elle se mit à balbutier. Je compris qu'elle avait perdu connaissance et qu'on lui avait pris son sac. Elle n'avait plus un sou sur elle et elle ne savait pas où elle était. Je ne pouvais pas la laisser dans ce pétrin. Elle me donna le nom des rues de l'intersection où elle se trouvait et, grâce à Google Maps, je parvins à la localiser.

– Tu es à Verdun.

Elle éclata en sanglots.

– J'arrive.

– Apporte-moi de quoi me changer et une serviette.

Chapitre 40

Verdun

Mardi : vacances – 3 jours

J'appelai un taxi, m'habillai, attrapai une petite robe et un chandail pour Solène. Ensuite, je descendis dans le lobby pour attendre la voiture, mais elle était déjà là.

Je retrouvai Solène vingt minutes plus tard. Je descendis du taxi et l'odeur me frappa de plein fouet. Elle sentait le party qui avait mal tourné : le vomi, l'urine et la merde. Elle en était même maculée. Le chauffeur de taxi avait l'air de craindre pour la propreté de sa banquette, mais il parut soulagé quand il me vit sortir les vêtements propres et la serviette de mon sac. Il fut même assez aimable pour détourner le regard pendant que Solène se changeait en claquant des dents sans pouvoir s'arrêter. Elle avait l'air frigorifiée. À moins que ce n'ait été l'effet d'une drogue quelconque. J'aurais voulu la prendre dans mes bras pour la consoler et la réchauffer, mais elle était d'une saleté repoussante.

– Qu'est-ce qui t'es arrivé ? lui demandai-je après avoir donné l'adresse de Solène au chauffeur de taxi.

– Je crois que je me suis ramassée dans une orgie, a-t-elle murmuré.

Elle resta silencieuse jusque chez elle. Juste avant de sortir de la voiture, elle se retourna vers moi et me jeta un regard désespéré.

– Merci pour tout. Je vais faire nettoyer tes vêtements et te les rapporter. Je suis désolée.

Je la retins par la main.

– Solène, si tu ne vas pas consulter, je ne répondrai plus à tes appels de détresse. J'espère que tu te rends compte que c'est urgent.

Elle me jeta un regard qui me sembla cruellement lucide. Peut-être un peu trop lucide pour être optimiste.

J'étais rentrée chez moi catastrophée, priant pour que Solène décide de se faire soigner. Et je l'étais toujours le lendemain matin. Je parvins malgré tout à me lever suffisamment tôt pour faire un peu de ménage et une partie du lavage accumulé. Si je voulais faire mes bagages, il fallait que tout soit propre.

Je parlai à Mel dans l'autobus. Ce fut plutôt gênant de prononcer le mot « orgie » à 8 heures du matin dans un autobus bondé. Mélanie était certaine qu'elle n'irait pas consulter. Moi, je n'en étais pas si sûre. Je crois que, pour la première fois, elle avait eu peur. Elle m'avait parlé de l'orgie avec de la honte dans la voix. Et Solène était une batailleuse. Une fois qu'elle aurait reconnu qu'elle avait un problème, elle allait se battre. Avec le culot dont elle était capable, elle s'en sortirait. En tout cas, c'était ce que j'aimerais croire.

J'envoyai mon message ce matin.

Bonjour à tous ! Je vous propose une salade melon/féta. Au plaisir de vous rencontrer samedi.

Merci de votre chaleureux accueil. Je suis désolée, Mary, mais j'ai maintenant hâte de goûter cette fameuse salade de lentilles. Justine.

Je reçus celui de mon amie peu après :

Je me porte volontaire pour apporter des poissons fumés et des fougasses. À samedi. Mélanie.

Ma journée passa au rythme des courriels du groupe. Je lisais les commentaires et le nom des plats que les gens y ajoutaient au fur et à mesure qu'ils entraient dans ma boîte. Tous s'entendaient pour exiger que Mary fasse sa salade de lentilles et chaque supplication recevait une réponse d'une Mary, de plus en plus exaspérée par « votre conformisme crasse, ça ne s'applique pas à vous, bien sûr, Justine et Mélanie. Je suis certaine que vous savez, vous, accepter le changement avec plus d'enthousiasme que cette bande de… ». Ce souper promettait d'être gargantuesque.

Tout cet échange épistolaire ensoleilla ma journée. Je parvins néanmoins à abattre un boulot monstre. Je rentrai à la maison pour continuer mon ménage et commencer à faire mes bagages. Solène s'insinua dans mon esprit. J'aurais pu être avec elle, hier soir. Un long frisson me secoua tout entière à cette pensée. Ma soirée plate me sembla soudain fort confortable. Elle fut heureusement égayée par les nombreux nouveaux courriels des membres du groupe de la Saint-Jean. On avait maintenant des feux d'artifices, un filet de handball, huit jeux de pétanque, des ballons de toutes sortes, deux guitares, trois tam-tams, un violon, etc.

Je téléphonai à mes grands-parents. Je leur parlai de Roman et de Joseph et ils m'encouragèrent à prendre mon temps avant de choisir. « S'il est intéressé, il va s'arranger pour passer la soirée avec toi », me déclara mon grand-père à propos de Joseph. Je leur promis de passer les voir jeudi soir. Avant d'aller me coucher, j'allai ajouter une douzaine de nouvelles pages à mon blogue. Je remarquai que j'avais une bonne liste de commentaires, mais je n'avais pas encore compris comment y avoir accès.

En me mettant au lit, je tentai de trouver une raison d'appeler Joseph. Heureusement, je m'endormis avant d'en avoir trouvé une bonne. Je ne voulais pas le rater, celui-là.

Mercredi : vacances – 2 jours

Ma journée fut la réplique de celle de la veille, Verdun en moins. Sauf que, ce soir, j'avais ma *blind date* informelle. On avait décidé d'aller voir la vingtième version remixée de *Blade Runner*. Ça faisait au moins dix ans que je n'avais pas vu ce film.

Nous quittâmes le bureau, Oskare et moi, vers 17 heures. On gagna le cinéma du Parc où Martin, le chum d'Oskare, et Jonathan, merde-il-est-blond, nous attendaient. Comme le film était à 19 h 15, on alla prendre un verre à la terrasse adjacente.

Martin était vraiment exubérant. Il parlait fort et gesticulait. Je l'aimai immédiatement. À côté de lui, son copain semblait plus réservé, il avait l'air terne. Il n'arrivait pas à la cheville de Joseph ni de Roman. Il parla de jeux vidéo avec Martin jusqu'au début du film.

Je n'étais pas fana de science-fiction, mais je considérais que *Blade Runner* était un chef-d'œuvre. Même si la musique de Vangelis avait un peu mal vieilli, le thème, lui, était encore plus criant d'actualité qu'à sa sortie. Le film racontait l'histoire de machines qui voulaient devenir des humains.

C'était paradoxal étant donné que, maintenant, tant d'humains semblaient vouloir à tout prix devenir des machines.

Je revins chez moi en taxi. Je terminai mes bagages et me fis couler un bain.

Je m'installais dans l'eau chaude quand j'entendis un bruit qui semblait provenir de l'appartement de Roman. Je restai aux aguets un moment, mais tout demeura silencieux. Je n'eus besoin que de ce petit prétexte pour me demander s'il était vraiment parti pour Belgrade. Je me mis à imaginer qu'il avait réemménagé chez Laurence et qu'il me gardait au frais le temps de voir si ça allait marcher avec elle. Puis je me mis à délirer à propos du party de samedi. Joseph avait une blonde et il me présentait à ses amis, qui me détestaient tous sans l'ombre d'une hésitation.

Je fus sauvée par mon cellulaire.

– Justine ?

– Oui ?

– C'est Joseph. J'ai des billets pour un spectacle de jazz, demain. Tu voudrais m'accompagner ?

Jeudi : vacances – 1 jour

« J'ai une *date* avec Joseph ce sooooiiir ! » chantai-je en me levant ce matin. Il n'était que 6 h 45, mais je ne dormais plus depuis au moins quinze minutes. Il ne me restait que deux jours avant de partir et je n'avais toujours pas terminé de faire le ménage et mes bagages. En plus, j'allais devoir me pomponner car « j'ai une *date* avec Joseph ce sooooiiiiiiir ! » hurlai-je. On avait convenu qu'il viendrait me chercher chez mes grands-parents vers 20 heures.

À 7 h 45, pour une fois, j'étais prête à partir. Dans l'autobus, je tentai de joindre mon père pour m'assurer qu'il allait bien et lui apprendre mes projets de vacances. Ce fut une femme qui me répondit.

J'en restai muette quelques secondes. Je vérifiai sur mon afficheur que j'avais bien composé le bon numéro.

– Oui ? répéta la femme pour la troisième fois.

– Est-ce que mon père est là ?

– Oui, un moment, s'il vous plaît.

Je l'entendis crier : « Laurent ! »

Mon père arriva en bougonnant. Puis je crois qu'il me mit sur attente, mais il revint au bout du fil avant que je n'aie le temps de m'en offusquer.

– Maudite patente !

– Papa ?

– Boubou ?

– C'est qui, la femme qui m'a répondu ?

– Une nouvelle employée. Elle est là pour s'occuper de moi pendant que ta mère est partie.

– Et elle t'appelle Laurent ?

Je rencontrai Oskare au café. Je lui chantai ma chanson du matin et elle me félicita chaudement. On papota une demi-heure avant de rejoindre le bureau. Je pouvais bien me le permettre, j'étais presque rendue au bas de ma liste de tâches. Le lendemain, j'allais même peut-être avoir assez de temps pour me permettre d'aller faire l'épicerie pour la fin de semaine sur mon heure de dîner. D'ailleurs, je n'avais toujours pas discuté de la façon dont on allait s'y prendre pour le transport, vendredi, avec Mélanie. Je l'appelai une fois revenue au bureau avec un deuxième café.

– Pis, la *blind date* ?

– Ça a été comme le *bug* de l'an 2000.

– Hein ?

– Un non-événement.

Mélanie se tordit de rire.

– Mais j'ai rendez-vous avec Joseph ce soir, chantonnai-je.

– Il t'a appelée ? s'exclama-t-elle.

Je lui résumai notre conversation.

– Les Bizarro ? Je ne les connais pas. Qu'est-ce qu'ils font, comme musique ?

– Jazz. Ce sont des amis à lui. En tout cas, je suis excitée comme une adolescente.

– Tu le mérites, mon poussin !

– Et toi ? Les tests de fertilité, c'est pour quand ?

– Juste au mois d'août. À cause de nos vacances.

– Comment on s'y prend, pour vendredi ?

– Je passe te chercher au boulot, on va chez toi, on ramasse tes bagages et on s'en va. Par contre, il va falloir que tu me ramènes chez moi dimanche soir.

– C'est un plan. Je vais aller faire le marché demain midi. Je te ramasse les fougasses et le poisson fumé, si tu veux.

– Ce serait très gentil à toi, merci. As-tu lu les nouveaux courriels du groupe ?

– Non, fis-je, alléchée.

– Il y en a encore de très drôles. Joseph a perdu le contrôle.

La révolte grondait effectivement dans le groupe de la Saint-Jean. Joseph voulait s'arroger le contrôle de l'accès au système de son car il semblerait que, l'année précédente, il y avait eu une altercation concernant les choix musicaux qui avait dégénéré en *food fight* et Louis s'était ramassé à l'hôpital parce qu'il avait reçu de la moutarde dans l'œil. Personne ne voulait que Joseph soit en charge du contenu musical, mais personne ne s'entendait sur celui qui devrait l'être, alors Rosalie proposa que je sois la directrice musicale de la soirée. Mon iPod contenait de la musique pour plusieurs heures, alors j'acceptai.

Je quittai le bureau vers 17 heures et m'arrêtai à mon viet préféré pour aller chercher à souper. Je sifflai ensuite un taxi pour rejoindre le domicile de mes grands-parents à Ville de Mont-Royal. Ils habitaient une résidence pour personnes en perte d'autonomie que nous surnommions affectueusement la « garderie pour personnes âgées », dans la famille. Au moins, ça n'avait pas trop l'air d'un mouroir. Et mes grands-parents recevaient beaucoup de visiteurs. Je leur annonçai la visite de Joseph dès mon arrivée. Mon grand-père tint à aller mettre une cravate, qu'il salit en la trempant dans sa soupe tonkinoise. Il dut en passer une autre, mais celle-là n'allait pas avec sa chemise, alors Granny lui ordonna de la changer, elle aussi. Ils avaient l'air si nerveux, on aurait dit que c'étaient eux qui avaient rendez-vous. La sonnerie retentit, enfin.

Le rituel de présentation du prétendant à la famille est commun à toutes les cultures. J'étais cependant très soulagée qu'en tant que société nous en étions venus à en faire quelque chose de civilisé. Il était si mignon. Il portait une chemise noire à col Mao avec des jeans et des chaussures sport.

– Granny, Papy, je vous présente Joseph.

Comme mon grand-père avait travaillé dans l'imprimerie toute sa vie, il trouva immédiatement des sujets de conversation avec Joseph. Ma grand-mère me demanda de leur préparer des martinis avant de partir pour nous retenir encore un peu et pouvoir mieux l'examiner. J'avais de la difficulté à garder mon sérieux car elle me faisait des signes d'approbation aussitôt que Joseph avait le dos tourné.

Je leur bricolai chacun une double dose et je leur en laissai une deuxième dans une vieille bouteille d'eau dans leur petit frigo.

– Buvez pas tout ce soir ! leur dis-je avant de partir.

– Et vous, jeune homme, ajouta mon grand-père en tendant la main à Joseph, prenez bien soin de ma petite-fille.

– Promis, monsieur Deschamps.

Je me retournai pour un dernier salut et je vis mon grand-père lever son pouce. Je leur soufflai un dernier baiser et ils fermèrent la porte. Joseph m'entraîna vers sa Toyota, qu'il avait garée dans le stationnement de la résidence.

Il était parfait. J'étais si à l'aise avec lui que j'avais l'impression de le connaître depuis longtemps. Et les silences qui émaillaient notre conversation ne nous rendaient ni l'un ni l'autre mal à l'aise. Il me parla de ses amis que j'allais rencontrer samedi et je le consultai sur mes choix musicaux pour l'occasion. Je n'avais pas envie de me prendre de la moutarde dans l'œil.

La chimie était intéressante. Pourtant, plus nous nous approchions de notre destination, moins je me portais bien. D'ailleurs, en pénétrant à la Sala Rosa, je fus victime d'un étourdissement soudain et Joseph dut me soutenir un instant. Heureusement qu'il était venu me chercher chez mes grands-parents. Sinon, il aurait pu croire que j'étais ivre. Je commandai une bière, mais la première gorgée me leva le cœur et je dus aller vomir mon souper aux toilettes pour ensuite me vider les intestins. NOOOOOOONNNN ! Pas ce soir ! J'avais un homme à séduire. Il remarqua mon état après mon troisième voyage intempestif aux toilettes. Il me prit par les épaules pour m'examiner.

– Ça va ?

– Pas vraiment. Je ne sais pas ce que j'ai, mais il va falloir que je parte.

– Je te raccompagne.

– Non, continue à regarder le spectacle, je vais prendre un taxi.

– Il n'en est pas question, répondit-il d'un ton ferme.

Le groupe venait de monter sur scène lorsque nous sortîmes de la salle de spectacle. J'étais tellement embarrassée. Par contre, j'aimais bien ce petit pli d'inquiétude qui traversait maintenant son front. Je croyais déjà avoir atteint la quintessence de la gêne quand je fus dans l'obligation de lui demander de s'arrêter pour que je puisse vomir. Comment allait-il accepter de m'embrasser après cela ?

Il m'escorta jusqu'à la porte de mon appartement et je l'abandonnai avec un « merci » rapide sur le palier pour me précipiter dans les toilettes. Je crois que je viens encore de saboter mes chances avec l'homme de ma vie.

Chapitre 41

Eye of the Tiger

Vendredi : enfin les vacances !

Je ne me sentais pas si mal, compte tenu de mon état de la veille et de la fin de soirée qui en avait résulté. Qu'est-ce qui m'était arrivé ? Étais-je allergique aux bons gars ? Je m'enfouis la tête dans mon oreiller pour hurler. Avais-je ruiné mes chances avec Joseph ? J'espérais que non. Aussitôt levée, je me ruai sur mon ordinateur pour lui écrire un courriel d'excuses.

Je déjeunai léger, au soleil, sur mon balcon, tout en révisant mentalement la liste de ce dont j'avais besoin pour mon expédition à la campagne. Je terminai mes bagages et, comme j'avais un peu peur que mes plantes se dessèchent durant mon absence, je pris le temps de bricoler un système d'arrosage avec des bouteilles d'eau recyclées. Solène se serait assurément moquée de moi si elle m'avait surprise à m'adonner à cette activité à 7 heures du matin. Mais peut-être que non, après tout.

En sortant de chez moi, je découvris un sac attaché à la poignée de ma porte. C'étaient les vêtements que j'avais prêtés à Solène. Je découvris une lettre parmi les effets minutieusement pliés.

> «Je suis en congé de maladie. Je vais aller passer trois mois en cure dans la Beauce. J'ai peur. Je ne crois pas que la vie vaille la peine d'être vécue sans alcool. J'espère que je vais trouver là-bas les preuves du contraire. C'est pour ça que j'ai décidé d'y aller. Et ça, c'est grâce à toi, merci. Solène.»

Une vague d'optimisme me parcourut. Je téléphonai à Mélanie pour lui annoncer la bonne nouvelle – et lui raconter mon rendez-vous raté.

Mélanie et Oskare s'entendaient toutes deux pour classer mon rendez-vous de la veille dans les accidents plutôt que dans les actes manqués. Elles étaient toutes deux persuadées que j'avais encore mes chances avec Joseph. Comme j'avais une journée assez chargée et que j'avais peu de temps pour l'automutilation mentale, je pris la décision de me laisser convaincre. Je fus tout de même soulagée lorsqu'il me répondit enfin par un courriel que je trouvai franchement laconique: «Ne t'en fais pas, à demain.»

Je fis le tour de tout le personnel avec Oskare pour leur annoncer que je partais pour un mois et redistribuer le travail. Seul Maurice était absent. Son réservoir à eau chaude fuyait et il devait attendre le plombier. En fin d'avant-midi, comme j'étais en avance sur mon programme de la journée, je me permis de prendre deux heures pour aller faire les courses, que je fis livrer au bureau. Je m'étais déjà entendue avec Jean, le garde de sécurité de l'immeuble, pour qu'il me les surveille jusqu'à 17 heures.

Mélanie vint me ramasser à 17 h 15. On chargea les cartons d'épicerie dans le coffre avec le sac de Mélanie. Il nous fallut quarante-cinq minutes pour remonter chez moi. Un autre quarante-cinq minutes pour charger mes bagages et nous préparer un sandwich et deux heures et demie pour rejoindre la campagne. Le temps qu'on s'installe, il était 22 heures et nous étions complètement épuisées.

Je roulai un joint qu'on alla fumer sur la terrasse. Il faisait encore chaud, mais un vent tiède venait nous rafraîchir et soulevait les branches des arbres.

– On est en vacances ! criai-je, laissant enfin exploser ma joie. Ces dernières semaines, j'ai l'impression d'avoir couru un marathon.

– Moi aussi ! souffla-t-elle dans un nuage de fumée. Je pense que je vais d'ailleurs aller me coucher, ajouta-t-elle en me tendant le joint. Je suis vraiment très fatiguée.

Elle m'embrassa et disparut. Je terminai le joint en silence en remerciant la vie de me permettre de profiter de ce moment où tout me semblait possible. Où j'avais l'impression que tout allait peut-être continuer à bien aller.

Quand je la rejoignis dans la chambre des maîtres, Mélanie dormait déjà. Je sombrai à mon tour dans le sommeil, un sourire sur les lèvres.

Samedi

Je me réveillai tôt et fus incapable de me rendormir. Je n'avais pas l'habitude de dormir avec quelqu'un. C'était peut-être aussi juste la nervosité de revoir Joseph ou d'être enfin en vacances. Je descendis pour ne pas réveiller Mélanie. Je me fis un café et sortis le boire sur la terrasse.

– Aaaaahhhh ! fis-je en m'installant à l'ombre du pommier sur une chaise longue avec un café et mon ordinateur.

J'étais enfin en vacances. À moi la belle vie ! Il était si facile d'apprécier ce que j'avais ici. Cet endroit me donnait l'impression d'être vraiment en vie. J'avais bien l'intention de profiter de ces vacances au maximum pour assimiler cet état d'esprit. Je repensai à la fille que j'étais quand Marc m'avait appelée pour m'annoncer qu'on avait peut-être une maladie vénérienne. Il s'était passé tant de choses, depuis.

Je contemplai la forêt environnante. Tranquille et mystérieuse. Le vent jouait avec les feuilles et les jeux d'ombres et de lumières dessinaient des visages dans le feuillage des arbres. Lorsque l'homme aura disparu, la forêt sera toujours là, victorieuse. Mais ces visages ne voudront plus rien dire. La vie était si courte. Surtout par rapport au niveau cosmique. L'Univers fut créé il y a quatorze milliards d'années. Que représentaient ces trois dernières semaines comparées à l'histoire de l'Univers ? Que pouvait valoir une vie d'homme à l'aune de ce barème ? Pourtant, j'avais l'impression que ma vie n'aurait jamais plus de sens que maintenant. Et ce moment était aussi fugace qu'un pet éparpillé par le vent.

Malgré tout, durant ces quelques semaines, j'avais vraiment réussi à améliorer ma qualité de vie mentale. Je ne savais peut-être pas qui j'étais, mais j'étais sur la piste. Et surtout, à présent, je savais que je pouvais affronter n'importe quelle défaite et en tirer quelque chose de positif. C'était quand même rassurant de savoir que j'étais capable d'une telle résilience. Par contre, je commençais à en avoir assez de m'autocontempler. J'avais envie de passer à l'action. Heureusement, j'avais de nouveaux projets. Séduire Joseph. Et poursuivre le blogue de Miss Oddity. Je pris une longue gorgée de café et agrippai mon portable.

J'avais eu le temps d'écrire cinq nouvelles pages quand Mélanie se leva, vers 11 heures, plutôt pâle.

Pendant qu'elle déjeunait, j'allai prendre une douche durant laquelle je tentai de me remémorer des techniques du livre, les conseils pour les entrevues et le AIDA, tout en chantonnant *Eye of the Tiger* 🎧.

Je choisis une robe bleu poudre à bretelles spaghettis et enfilai des tongs assortis. Après m'être préparée avec soin, j'attrapai une paire de shorts, un t-shirt, mon maillot de bain et des sandales sport que je jetai dans un fourre-tout. Je descendis à la cuisine.

– Ton cellulaire a sonné, m'annonça Mélanie.

Mon amie était toujours aussi pâle.

Je me dirigeai vers mon appareil en l'examinant avec attention.

– Ça va ?

– Je me sens un peu barbouillée.

Je constatai que j'avais reçu un message de Joseph. « Allo, Justine, c'est Joseph. Il est midi. Je voulais te dire qu'il commençait à y avoir pas mal de monde ici et déjà il y a de la tension dans l'air à cause de la musique. » Il se mit à rigoler. « C'est pas vrai, c'est juste que j'ai hâte de te revoir, alors j'espère que tu vas venir. »

Wow ! Je le fis écouter à Mélanie puis je lui ordonnai d'aller s'habiller. Je me jetai sur le melon.

Chapitre 42

Do it yourself!

Samedi

Il était presque 13 heures lorsque nous arrivâmes. Tout le monde nous salua par notre prénom car nous étions les seules inconnues du groupe. Je repérai Joseph au loin. Il était en train de plier une sorte de grosse fourchette en fer. Comme il ne m'avait pas encore aperçue, je me permis de le détailler en me dirigeant vers lui. Il portait des jeans avec une camisole moulante et il s'était couvert d'un galurin en paille vert avocat. Il était follement sexy. Je m'attardai sur son torse et ses bras solides. Puis il me vit et son visage s'illumina d'un sourire. Mon cœur se liquéfia.

– Allo!

Il marcha à ma rencontre. Il m'embrassa sur la joue et son odeur me saisit aux tripes. Sa peau sentait le soleil et le bois. Il prit mon melon et nous conduisit jusqu'à la cuisine pour aller déposer nos plats. Il fut très impressionné par ma salade, que j'avais servie directement dans le melon. Il nous fallut un temps fou pour parvenir à le caser dans le frigo, déjà surchargé de plats de toutes sortes. Puis il nous servit un verre de rosé et j'allai brancher mon iPod. Je cliquai sur « mix de morceaux », et il nous attira vers le groupe pour nous présenter.

Ce fut un coup de foudre amical collectif. Joseph avait eu raison de croire que j'allais bien m'entendre avec ses amis. J'adorais déjà Mary, Rebecca et Rosalie. Joseph nous laissa entre leurs mains pour aller chercher de nouvelles chaises. Elles entreprirent dès lors de m'interroger sur la façon dont j'avais rencontré Joseph. Je leur racontai mon rendez-vous avec le producteur porno, le sourire de Joseph, l'accident et la rencontre à la SAQ.

– Tu sais que tu as fait l'objet d'un courriel de groupe parallèle ? me demanda Mary.

– Non, pourquoi ? demandai-je, soudainement inquiète.

Avaient-ils entendu parler de mon texte sur montreal@deux ou de Miss Oddity ?

– On s'est demandé qui était cette mystérieuse Justine à qui notre ami, célibataire endurci, a fait un sourire sur la rue ? Je crois que Joseph n'a pas dragué de filles depuis le cégep.

Je ne savais pas trop comment je devais prendre cette information. Rosalie alluma un joint et me le tendit. J'en tirai une bouffée et le passai à Mélanie.

– Non merci ! fit-elle avec un air de dégoût involontaire.

Je roulai des yeux, surprise. Je contemplai son verre. Elle n'y avait toujours pas touché. Je m'approchai d'elle.

– Tu ne te sens pas bien ?

– Ça ne rentre pas, aujourd'hui, je ne sais pas ce que j'ai, m'avoua-t-elle.

– C'est peut-être le même virus que j'ai eu. Tu veux rentrer ?

– Non. Je vais juste m'asseoir. Occupe-toi pas de moi, va parler avec Joseph.

Je le cherchai des yeux. Je le surpris à m'observer. Il était en train d'embrocher l'agneau avec une longue tige de métal. Il le fit tenir en place avec les grosses fourchettes et enroula du fil de fer tout autour de la bête. Il m'adressa un sourire de complicité que je lui rendis. Je reportai mon attention sur Mélanie.

– Je reste avec toi, ma chérie. Comme mon grand-père m'a dit: « S'il s'intéresse à toi, il va s'arranger pour passer la soirée avec toi. »

– Wow! Tu es devenue sage, conclut Mélanie, impressionnée.

– Ça va, les filles? s'enquit Rosalie, qui revenait avec une autre bouteille de rosé.

– Mélanie ne file pas, expliquai-je.

– Je peux faire quelque chose pour toi? offrit Rebecca.

– Un verre d'eau minérale? osa Mélanie.

– Je m'en occupe, répondit-elle en se dirigeant vers la table extérieure où se trouvaient les glacières contenant tout le liquide non alcoolisé.

Je passai donc l'après-midi à boire, à jaser et à admirer Joseph, qui revenait s'asseoir avec nous le plus souvent possible, mais comme il était l'hôte, son intervention était constamment sollicitée. Je pus ainsi apprendre à le connaître par personnes interposées. Visiblement, ses amis l'adoraient. Je découvris un Joseph aventureux mais responsable, et surtout fidèle. Je pus aussi apprendre à connaître ses meilleurs amis, Mary, Rebecca, Rosalie, Louis et Julien. C'était vraiment facile de discuter avec eux. Ils ne semblaient pas en compétition les uns avec les autres et c'était une sensation plutôt rafraîchissante. Je pourrais les adopter, eux aussi.

Le cercle de chaises s'élargit au fur et à mesure que les gens arrivaient. Les tentes poussèrent partout et des jeunes de tous les âges, il y en avait dix-huit en tout, couraient en tout sens avec une exubérance contagieuse. Je fus aux petits soins pour mon amie qui, je le sentais, restait uniquement parce qu'elle savait que si elle partait, j'allais l'accompagner à la maison.

Vers 16 heures, comme Mélanie se sentait mieux, j'en profitai pour faire une partie de pétanque avec Mary et Julien pendant qu'elle aidait Rosalie à équeuter ses fraises. Mary me parla de son entreprise de bijoux qui commençait à générer des profits et j'appris que Julien était éclairagiste. Je lui remis le numéro de Jocelyn, le chef éclairagiste de Cizo, et lui suggérai de l'appeler de ma part. Puis tranquillement, les plats commencèrent à sortir et j'offris ma salade en entrée. Tout le monde s'extasia sur ma recette.

– Je t'avertis : maintenant, tu vas être obligée d'apporter ta salade melon-féta tous les ans. Tu es condamnée, lança Mary.

– Le meilleur mélange, c'est deux cubes de melon pour un cube de féta, affirma Louis, qui devait se battre avec sa fille pour conserver sa fourchette.

– Humm ! Ça a l'air très bon, ça, j'en veux ! déclara Joseph en s'asseyant à mes côtés.

Louis lui tendit une bière. Rosalie un joint. Il accepta les deux.

Après l'entrée, on alla tous barboter dans la rivière. Comme l'eau était plutôt froide, notre baignade fut de courte durée, mais je pus examiner le corps de Joseph à loisir, cachée derrière mes lunettes fumées. Je voulais le toucher. Mais tous ces gens étaient de trop.

Au retour du bain, on organisa une corvée de vaisselle. Je m'installai au lavage. Je fournissais déjà difficilement l'armée d'essuyeurs à ma disposition, mais en plus j'étais déconcentrée par Joseph qui, chaque fois qu'il venait chercher un ustensile à essuyer, s'appuyait légèrement sur moi, me frôlant à dessein, respirant sur ma nuque. Il était si discret que son manège passa inaperçu. Cependant, Mélanie me demanda pourquoi j'avais les joues cramoisies et il cessa son manège. Je dus me retenir à l'évier pour ne pas me jeter sur lui et le violer sur place.

La table fut mise, l'agneau découpé. Rosalie leva son verre à Joseph et on s'empiffra. Je remarquai toutefois que Mélanie ne mangeait pas. Elle en profita pour leur raconter les mauvais coups qu'elle, Solène et moi avions faits dans notre jeunesse et ils nous relancèrent en nous racontant les leurs. On rit au point d'en avoir mal aux joues.

Une fois rassasiés, on migra vers le feu. J'espérais enfin pouvoir profiter de la présence de Joseph, mais Louis vint le chercher car il avait besoin d'une scie pour la base qui retenait les feux d'artifices. Joseph me lança un regard agacé et me promit de revenir rapidement.

Je partis donc en quête des toilettes, où je décidai de vérifier si j'avais des messages sur ma boîte vocale. J'en découvris un nouveau. C'était Maurice : « Désolé d'avoir raté ton départ. J'ai pensé à toi aujourd'hui. On m'a parlé d'un nouveau blogue à la mode, Miss Oddity, quelque chose comme ça, tu devrais contacter l'auteur pour lui proposer un projet de série. En tout cas, on s'en reparle à ton retour. Bonnes vacances ! Repose-toi bien. On t'aime beaucoup, Hélène et moi. Je voulais que tu le saches. »

J'étais sidérée et émue en même temps. J'allai trouver Mélanie près du feu pour lui faire part du message de mon patron.

– C'est génial ! Ça t'ouvre de nouveaux horizons ! Ça t'intéresserait, de faire ça ?

– Je ne sais pas. Je n'y ai jamais pensé.

J'approchai ma chaise de celle de mon amie et Mélanie et moi discutâmes des horizons en question. Je pouvais me voir dans la peau d'une scénariste télé. J'étais si excitée par ces nouveaux développements que je ne remarquai pas le retour de Joseph. Il s'installa derrière Julien, qui était assis à ma gauche, et le regarda fixement. Julien lui laissa sa place avec un sourire complice. Joseph tendit une couverture à Mélanie et il en déplia une deuxième qu'il partagea avec moi. Je le sentis prendre ma main et la serrer timidement en dessous. J'encourageai son initiative en serrant sa main en retour.

Je me tournai vers Mélanie pour lui faire un signe de ce qui se passait, mais je la surpris en train de réprimer un haut-le-cœur. Elle était si pâle qu'elle semblait diaphane.

– Je ne me sens pas bien, lâcha-t-elle simplement.

– Veux-tu rentrer ?

– Oui, couina-t-elle déconfite. Je m'excuse.

Je l'embrassai et je me tournai vers Joseph.

– Mélanie est malade. On va devoir rentrer.

Il me jeta un regard résigné plutôt comique.

– Je vous raccompagne jusque chez toi.

Je me levai.

– On va devoir partir, annonçai-je à la ronde.

Tout le monde cria de dépit, mais ils avaient tous remarqué le manque d'énergie de mon amie. On se fit des bisous et on promit de revenir le lendemain pour donner des nouvelles de l'état de santé de Mélanie. On n'avait pas fait deux cents pas que Mélanie vomissait ses tripes.

Elle perdit connaissance en arrivant dans le salon. Heureusement que Joseph était là car j'étais si paniquée que j'allais faire le 911. Joseph prit le contrôle de la situation et il nous conduisit à l'hôpital de Cowansville.

Mélanie se réveilla dans la voiture. Elle semblait aller mieux, cependant je restai tendue jusqu'à notre arrivée à l'hôpital. Joseph nous quitta vers minuit pour rejoindre ses invités. Aussitôt qu'il eut disparu, Mélanie se pencha vers moi.

– Ouin, ça va plutôt bien, me dit-elle avec un sourire espiègle sur le visage.

– Il a tout ! affirmai-je, des étoiles plein les yeux.

– Tu as réussi, finalement, à trouver ton homme. Ouija a triomphé ! Elle leva les bras en signe de victoire.

– Tu crois ?

– J'en suis sûre. Tu n'as pas vu comment il te regarde ?

Je poussai un soupir de satisfaction intense.

– Tu peux le dire, maintenant, que Ouija c'était toi.

– C'était pas moi, je le jure !

Dimanche

On attendit trois heures pendant lesquelles ils lui firent des tests d'urine et sanguins. Moi, j'estimais qu'elle était atteinte d'un virus, alors qu'elle se croyait victime d'une intoxication alimentaire. On escomptait obtenir les résultats déterminant la gagnante sous peu quand je me levai pour aller chercher un magazine. J'en déplaçai quelques-uns et découvris un exemplaire du livre *Comment se trouver un job en cinq étapes faciles.* Je réprimai un cri et courus vers mon amie.

– Qu'est-ce qu'il y a ?

Je lui montrai le livre. Elle poussa un juron. Je m'assis à sa gauche et l'ouvris. Je me mis à la recherche du chapitre 5, très court, que nous survolâmes rapidement. L'auteur proposait de s'interroger sur les possibilités de devenir travailleur autonome. Je m'esclaffai en découvrant la pub pleine page pour un autre ouvrage nommé : *Créer une entreprise en cinq étapes faciles.*

– Il est hors de question que je continue avec un autre livre, m'exclamai-je. De toute façon, ajoutai-je plus calmement, je ne comprends pas ce que ça veut dire. Qu'en penses-tu ?

– Mélanie Major ! appela une infirmière.

– Je n'en sais rien, répondit Mélanie avant de la suivre.

Mélanie venait de disparaître que je crus être victime d'une hallucination. Mais non, c'était Joseph. Il était de retour. Il s'assit à la place de Mélanie et attrapa ma main d'un geste hésitant.

– Alors ?

– Elle est avec le médecin.

Il sourit en apercevant le livre sur mes genoux.

– Qu'est-ce qu'il y a ?

Il le prit dans ses mains.

– J'ai fait ce livre.

– Pardon ?

– Oui, c'était mon premier emploi dans l'édition comme assistant de fabrication.

Il chercha la page des crédits et me montra son nom.

J'étais sidérée. Ouija triomphait.

Joseph s'avança légèrement vers moi. Je croyais enfin avoir droit au baiser, mais deux mains m'agrippèrent par les épaules et me soulevèrent de ma chaise.

– Je suis enceinte ! hurla Mélanie en me serrant dans ses bras.

Pendant le trajet du retour, Mélanie appela Simon et ses parents pour leur annoncer la bonne nouvelle. Elle semblait hystérique de bonheur. Et je venais d'être transférée dans un monde où les mots « utérus » et « vagin » n'étaient pas étranges dans les conversations. Mélanie était toujours au téléphone à notre arrivée. Joseph attendit qu'elle soit entrée dans la maison et il me dit « Viens ! » en me tirant par la main.

Il prit le sentier qui conduisait chez lui, mais bifurqua à mi-chemin pour rejoindre une grosse pierre moussue. Il m'aida à grimper dessus et me rejoignit d'un bond agile. Je contemplai les étoiles.

– On n'est pas vraiment bons dans les *dates*, nous deux !

Je m'esclaffai.

– Celle-là n'est pas encore terminée.

Il se pencha sur moi et chercha mes lèvres.

– Tu veux bien qu'on aille au ciné-parc ensemble, demain ? souffla-t-il.

– Oui, je suis en vacances.

Pour vos commentaires :
commentsetrouverunhomme@yahoo.ca
ou visitez le
www.commentsetrouverunhomme.blogspot.com